#시험대비
#핵심정복

7일 끝
중간고사
기말고사

Chunjae
Makes
Chunjae

▼

저자　　　최용준, 해법수학연구회
편집개발　김혜림, 오혜진, 이영욱, 남원남
제작　　　황성진, 조규영

발행일　　2021년 3월 15일 초판　2021년 3월 15일 1쇄
발행인　　(주)천재교육
주소　　　서울시 금천구 가산로9길 54
신고번호　제2001-000018호
고객센터　1577-0902
교재 내용문의　(02)3282-8854

7일 끝으로 끝내자!

7

고등 수학 I

BOOK 1
중간고사대비

이 책의 구성과 활용

일차별 시험 공부

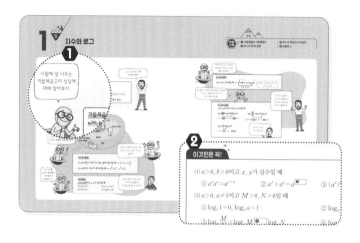

내용 한눈에 보기

본격적인 학습 전, 만화를 통해 시험에 잘 나오는 내용을 가볍게
짚고 넘어갈 수 있습니다.

❶ 만화로 핵심 내용 짚어 보기
❷ 시험에 잘 나오는 내용 중 꼭 알아야 할 내용 점검하기

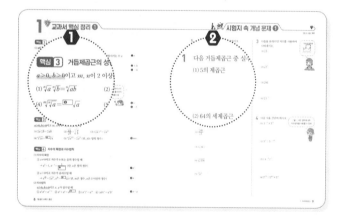

교과서 핵심 정리 + 시험지 속 개념 문제

시험 전 꼭 알아야 할 교과서 핵심 내용과 개념 문제를 통해 핵심
개념을 잘 이해하였는지 확인할 수 있습니다.

❶ 빈칸 문제를 채우며 핵심 내용 체크하기
❷ 시험에 잘 나오는 개념 문제 풀기

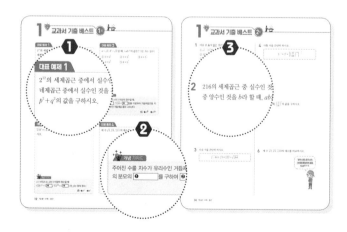

교과서 기출 베스트

기출문제를 분석하여 엄선한 빈출 유형의 문제를 집중적으로 풀며
효과적으로 기본 실력을 다질 수 있습니다.

❶ 빈출 유형을 통해 출제 빈도가 높은 문제 유형 익히기
❷ 개념 가이드를 보며 문제 해결의 힌트 확인하기
❸ 빈출 유형을 반복하여 익히기

시험 공부 마무리 테스트

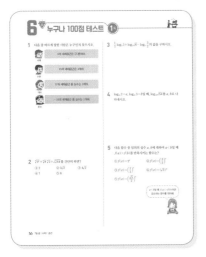

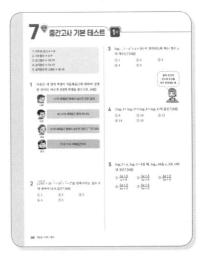

누구나 100점 테스트

아주 쉬운 예상 문제로 100점에 도전하여 내신
자신감을 키울 수 있습니다.

서술형·사고력 테스트

다양한 유형의 서술형 문제를 풀며 사고력과 서
술형 문제에 대한 적응력을 높일 수 있습니다.

중간/기말고사 기본 테스트

실제 시험과 비슷한 예상 문제를 풀며 실전에
대비할 수 있습니다.

시험 직전까지 챙겨야 할 부록

핵심 정리 총집합 카드

핵심 개념만을 모아 카드 형식으로 수록하였습니다.
휴대하여 이동할 때나 시험 직전에 활용할 수 있습니다.

이 책의 차례

1 일 지수와 로그

시험에 잘 나오는 거듭제곱근의 성질에 대해 알아보자.

a, b가 양수인 것에 주의해야겠네.

거듭제곱근의 성질

$a>0$, $b>0$이고 m, n이 2 이상의 정수일 때

(1) $\sqrt[n]{a}\,\sqrt[n]{b}=\sqrt[n]{ab}$

(2) $\dfrac{\sqrt[n]{a}}{\sqrt[n]{b}}=\sqrt[n]{\dfrac{a}{b}}$

(3) $(\sqrt[n]{a})^m=\sqrt[n]{a^m}$

(4) $\sqrt[m]{\sqrt[n]{a}}=\sqrt[mn]{a}$

(5) $\sqrt[np]{a^{mp}}=\sqrt[n]{a^m}$ (단, p는 양의 정수)

자연수가 전부가 아니었다니~

Hi~ 웰컴 투 정수

여기도 있어~

자연수

정수

유리수

여기까지 오려면 아직 멀었군.

실수

$\sqrt{2}$

수의 세계가 확장된 것처럼 지수의 세계에 대해 알아보면

자연수 지수에서 정수 지수, 유리수 지수, 실수 지수로 넓혀져.

지수의 확장

(1) $a\neq0$이고 지수가 0 또는 음의 정수일 때 $\rightarrow$ $a^0=1$, $a^{-n}=\dfrac{1}{a^n}$

(2) $a>0$이고 지수가 유리수일 때 $\rightarrow$ $a^{\frac{m}{n}}=\sqrt[n]{a^m}$, $a^{\frac{1}{n}}=\sqrt[n]{a}$

즉, 지수를 실수로 확장해도 지수법칙이 성립한다고~

지수법칙

$a>0$, $b>0$이고 x, y가 실수일 때

(1) $a^x a^y=a^{x+y}$

(2) $a^x \div a^y=a^{x-y}$

(3) $(a^x)^y=a^{xy}$

(4) $(ab)^x=a^x b^x$

밑이 양수이기만 하면 지수에 상관없이 지수법칙을 쓸 수 있구나.

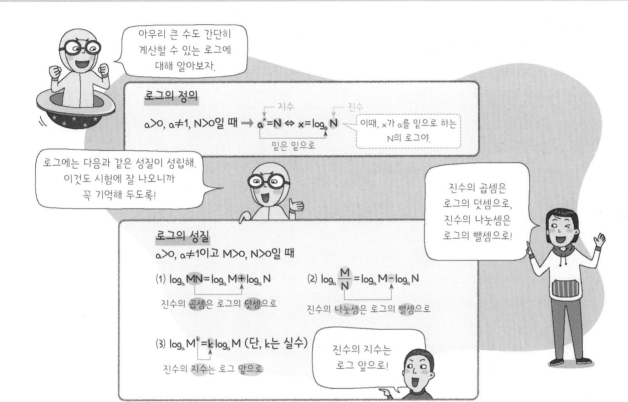

아무리 큰 수도 간단히 계산할 수 있는 로그에 대해 알아보자.

로그의 정의

$a>0$, $a\neq1$, $N>0$일 때 → $a^x=N \Leftrightarrow x=\log_a N$

지수   진수

밑은 밑으로

이때, x가 a를 밑으로 하는 N의 로그야.

로그에는 다음과 같은 성질이 성립해. 이것도 시험에 잘 나오니까 꼭 기억해 두도록!

진수의 곱셈은 로그의 덧셈으로, 진수의 나눗셈은 로그의 뺄셈으로!

로그의 성질

$a>0$, $a\neq1$이고 $M>0$, $N>0$일 때

(1) $\log_a MN = \log_a M + \log_a N$

진수의 **곱셈**은 로그의 **덧셈**으로

(2) $\log_a \dfrac{M}{N} = \log_a M - \log_a N$

진수의 **나눗셈**은 로그의 **뺄셈**으로

(3) $\log_a M^k = k\log_a M$ (단, k는 실수)

진수의 **지수**는 로그 앞으로

진수의 지수는 로그 앞으로!

이것만은 꼭!

(1) $a>0$, $b>0$이고 x, y가 실수일 때

① $a^x a^y = a^{x+y}$ ② $a^x \div a^y = a^{\boxed{❶}}$ ③ $(a^x)^y = a^{\boxed{❷}}$ ④ $(ab)^x = a^x b^x$

(2) $a>0$, $a\neq1$이고 $M>0$, $N>0$일 때

① $\log_a 1 = 0$, $\log_a a = 1$ ② $\log_a MN = \log_a M \boxed{❸} \log_a N$

③ $\log_a \dfrac{M}{N} = \log_a M \boxed{❹} \log_a N$ ④ $\log_a M^k = \boxed{❺} \log_a M$ (단, k는 실수)

답 ❶ $x-y$ ❷ xy ❸ $+$ ❹ $-$ ❺ k

핵심 1 거듭제곱과 거듭제곱근

(1) a의 n제곱 ➡ $\underbrace{a \times a \times a \times \cdots \times a}_{n개} = a^n$ ← 지수, ← 밑

(2) a의 n제곱근 ➡ n제곱하여 a가 되는 수, 즉 방정식 $x^n = $ ❶ 를 만족시키는 수 x ❶ a

예 81의 네제곱근을 x라 하면 $x^4 = 81$이므로

$x^4 - 81 = 0$, $(x^2 - 9)(x^2 + 9) = 0$ $\therefore x = \pm 3$ 또는 $x = $ ❷   ❷ $\pm 3i$

따라서 81의 네제곱근은 $3, -3, 3i,$ ❸ 이다.   ❸ $-3i$

핵심 2 실수 a의 n제곱근 중 실수인 것

	$a > 0$	$a = 0$	$a < 0$
n이 짝수	$\sqrt[n]{a}, -\sqrt[n]{a}$	0	없다.
n이 홀수	$\sqrt[n]{a}$	0	$\sqrt[n]{a}$

n제곱근에서 n이 짝수인지 홀수인지 구분해야 돼.

예 (1) 125의 세제곱근 중 실수인 것은 $\sqrt[3]{125} = $ ❹   ❹ 5

(2) 16의 네제곱근 중 실수인 것은 $\sqrt[4]{16} = 2, -\sqrt[4]{16} = $ ❺   ❺ -2

핵심 3 거듭제곱근의 성질

$a > 0, b > 0$이고 m, n이 2 이상의 정수일 때

(1) $\sqrt[n]{a}\,\sqrt[n]{b} = \sqrt[n]{ab}$ (2) $\dfrac{\sqrt[n]{a}}{\sqrt[n]{b}} = \sqrt[n]{\dfrac{a}{b}}$ (3) $(\sqrt[n]{a})^m = \sqrt[n]{a^m}$

(4) $\sqrt[m]{\sqrt[n]{a}} = $ ❻ $\sqrt{a}$ (5) $\sqrt[np]{a^{mp}} = \sqrt[n]{a^m}$ (단, p는 양의 정수)   ❻ mn

핵심 4 지수의 확장과 지수법칙

(1) 지수의 확장

① $a \neq 0$이고 지수가 0 또는 음의 정수일 때

➡ $a^0 = 1$, $a^{-n} = \dfrac{1}{\boxed{❼}}$ (단, n은 양의 정수)   ❼ a^n

② $a > 0$이고 지수가 유리수일 때

➡ $a^{\frac{m}{n}} = \sqrt[n]{a^m}$, $a^{\frac{1}{n}} = \sqrt[\boxed{❽}]{a}$ (단, m은 정수, n은 2 이상의 정수)   ❽ n

(2) 지수법칙

$a > 0, b > 0$이고 x, y가 실수일 때

① $a^x a^y = a^{x+y}$ ② $a^x \div a^y = a^{\boxed{❾}}$ ③ $(a^x)^y = a^{xy}$ ④ $(ab)^x = a^x b^x$ ❾ $x - y$

1 다음 거듭제곱근 중 실수인 것을 구하시오.

(1) 5의 제곱근

(2) 64의 세제곱근

(3) $-\dfrac{1}{27}$의 세제곱근

2 다음 식을 간단히 하시오.

(1) $\sqrt[3]{5}\,\sqrt[3]{25}$

(2) $\dfrac{\sqrt[4]{48}}{\sqrt[4]{3}}$

(3) $\left(\sqrt[4]{36}\right)^2$

(4) $\sqrt{\sqrt[4]{256}}$

(5) $\sqrt[10]{7^5}$

3 다음을 유리수인 지수를 사용하여 나타내시오.

$$\sqrt[n]{a^m}=a^{\frac{m}{n}}$$
지수의 분자로 / 지수의 분모로

(1) $\sqrt[4]{5}$

(2) $\sqrt{2^9}$

(3) $\sqrt[7]{81}$

(4) $\sqrt[6]{3^{-4}}$

4 다음 식을 간단히 하시오.

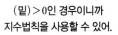
(밑)>0인 경우이니까 지수법칙을 사용할 수 있어.

(1) $3^{-\sqrt{2}}\times 3^{\sqrt{8}}$

(2) $5^{\sqrt{5}}\div 5^{-\sqrt{125}}$

(3) $\left(4^{-\sqrt{3}}\right)^{\sqrt{3}}$

(4) $2^{\sqrt{32}}\div 2^{3\sqrt{2}}\times 2^{\sqrt{8}}$

핵심 5 로그

(1) $a>0$, $a\neq1$, $N>0$일 때 ➡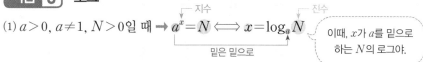

> 이때, x가 a를 밑으로 하는 N의 로그야.

(2) $\log_a N$이 정의되기 위한 조건

① 밑의 조건 ➡ $a>0$, $\boxed{❶}$ ② 진수의 조건 ➡ $\boxed{❷}$

❶ $a\neq1$
❷ $N>0$

핵심 6 로그의 성질

$a>0$, $a\neq1$이고 $M>0$, $N>0$일 때

(1) $\log_a 1=0$, $\log_a a=\boxed{❸}$ (2) $\log_a MN=\log_a M\boxed{❹}\log_a N$

(3) $\log_a \dfrac{M}{N}=\log_a M\boxed{❺}\log_a N$ (4) $\log_a M^k=k\log_a M$ (단, k는 실수)

❸ 1
❹ $+$
❺ $-$

주의 착각하기 쉬운 로그의 성질

(1) $\log_1 1\neq1$, $\log_1 1\neq0$ ◀─ 밑이 1인 로그는 정의되지 않는다.

(2) $\log_a (x+y)\neq\log_a x+\log_a y$, $\log_a x\times\log_a y\neq\log_a x+\log_a y$ ◀─ $\log_a xy=\log_a x+\log_a y$

(3) $\log_a (x-y)\neq\log_a x-\log_a y$, $\dfrac{\log_a x}{\log_a y}\neq\log_a x-\log_a y$ ◀─ $\log_a \frac{x}{y}=\log_a x-\log_a y$

(4) $(\log_a x)^n\neq n\log_a x$ ◀─ $\log_a x^n=n\log_a x$

핵심 7 로그의 밑의 변환

$a>0$, $a\neq1$, $b>0$일 때

(1) $\log_a b=\dfrac{\boxed{❻}}{\log_c a}$ (단, $c>0$, $c\neq1$) (2) $\log_a b=\dfrac{\boxed{❼}}{\log_b a}$ (단, $b\neq1$)

❻ $\log_c b$
❼ 1

(3) $\log_{a^m} b^n=\dfrac{n}{m}\log_a b$ (단, $m\neq0$)

핵심 8 상용로그

(1) 10을 밑으로 하는 로그를 상용로그라 하고, 상용로그 $\log_{10} N$은 보통 밑 10을 생략하여 $\boxed{❽}$과 같이 나타낸다.

❽ $\log N$

(2) 임의의 양수 N에 대하여 $N=10^n\times A$ (n은 정수, $1\leq A<10$) 꼴이 되므로 로그의 성질을 이용하여 $\log N=n+\log A$와 같이 나타낼 수 있다.

예 $\log 3.76=0.5752$일 때, $\log 37.6=\log(10\times3.76)=\log 10+\log 3.76=\boxed{❾}$

$\log 10 \to 1$, $\log 3.76 \to 0.5752$

❾ 1.5752

5 다음 등식에서 $a^x = N$ 꼴로 나타낸 것은 로그를 사용하여 나타내고, 로그를 사용하여 나타낸 것은 $a^x = N$ 꼴로 나타내시오.

(1) $2^5 = 32$

(2) $27^{-\frac{4}{3}} = \dfrac{1}{81}$

(3) $\log_{\frac{1}{2}} 8 = -3$

(4) $\log_7 \sqrt{7} = \dfrac{1}{2}$

6 다음이 정의되도록 하는 실수 x의 값의 범위를 구하시오.

밑은 1이 아닌 양수!
진수는 항상 양수!

(1) $\log_{x-1} 6$

(2) $\log_{4-2x} 5$

(3) $\log_5 (x+3)$

(4) $\log_8 (2x^2 + 3x - 2)$

7 다음 값을 구하시오.

로그의 성질을 이용하여 진수를 간단히 하면 돼.

(1) $\log_6 4 + \log_6 9$

(2) $\log_2 36 - 4\log_2 \sqrt{12}$

(3) $\log_3 12 + \log_3 \dfrac{4}{3} - \log_3 48$

8 다음을 밑이 5인 로그로 나타내시오.

(1) $\log_9 25$

(2) $\log_{16} 81$

9 $\log 2.81 = 0.4487$일 때, 다음 값을 구하시오.

(1) $\log 281$

(2) $\log 28.1$

(3) $\log 0.281$

대표 예제 1

2^{12}의 세제곱근 중에서 실수인 것을 a라 할 때, a의 네제곱근 중에서 실수인 것을 각각 p, q라 하자. 이때, p^2+q^2의 값을 구하시오.

개념 가이드

실수 a의 n제곱근 중 실수인 것은 다음과 같다.

	$a>0$	$a=0$	$a<0$
n이 짝수	$\sqrt[n]{a}, -\sqrt[n]{a}$	0	❶
n이 홀수	$\sqrt[n]{a}$	0	❷

답 ❶ 없다. ❷ $\sqrt[n]{a}$

대표 예제 3

$a=\sqrt{2}$, $b^3=\sqrt{5}$일 때, $(ab)^4$의 값은?

① $2\times5^{\frac{2}{3}}$ ② $2\times5^{\frac{4}{3}}$ ③ $4\times5^{\frac{2}{3}}$

④ $4\times5^{\frac{4}{3}}$ ⑤ $8\times5^{\frac{4}{3}}$

개념 가이드

$a>0$이고 m, n이 2 이상의 정수일 때,
$\sqrt[n]{a^m}=$ ❶ , $\sqrt[m]{\sqrt[n]{a}}=$ ❷ 임을 이용하여 거듭제곱근을 지수가 유리수인 거듭제곱 꼴로 나타낸다.

답 ❶ $a^{\frac{m}{n}}$ ❷ $a^{\frac{1}{mn}}$

대표 예제 2

$\sqrt[5]{32^2}\times(\sqrt[3]{3})^6\times\sqrt[3]{64}=a^2$일 때, 양수 a의 값을 구하시오.

개념 가이드

$a>0$이고 m, n이 2 이상의 정수일 때
$(\sqrt[n]{a})^m=\sqrt[n]{\text{❶}}$, $\sqrt[np]{a^{mp}}=\sqrt[n]{\text{❷}}$ (단, p는 양의 정수)

답 ❶ a^m ❷ a^m

대표 예제 4

세 수 $\sqrt{3}$, $\sqrt[3]{5}$, $\sqrt[6]{11}$의 대소를 비교하시오.

거듭제곱근의 대소를 비교할 때 밑이 다르면 지수를 통일하여 밑을 비교하면 돼.

개념 가이드

주어진 수를 지수가 유리수인 거듭제곱 꼴로 나타낸 후 지수들의 분모의 ❶ 를 구하여 ❷ 를 통일한다.

답 ❶ 최소공배수 ❷ 지수

대표 예제 5

$\log_{x-1}(-2x^2+11x-5)$가 정의되도록 하는 모든 정수 x의 값의 합을 구하시오.

개념 가이드

밑의 조건 (밑) > ❶ , (밑) ≠ 1과 진수의 조건 (진수) > ❷ 을 동시에 만족시키는 x의 값을 구한다.

답 ❶ 0 ❷ 0

대표 예제 7

$\log_2 3 = a$, $\log_2 5 = b$일 때, $\log_{\sqrt{2}} 75$를 a, b로 나타내시오.

로그의 값을 문자로 나타낼 때 밑이 다르면 밑을 통일하고 밑이 같으면 진수를 변형하면 돼.

개념 가이드

$\log_{a^m} b^n = \boxed{❶} \log_a b \, (m \neq 0)$임을 이용하여 $\log_{\sqrt{2}} 75$를 밑이 ❷ 인 로그로 바꾼 후 로그의 성질을 이용한다.

답 ❶ $\dfrac{n}{m}$ ❷ 2

대표 예제 6

다음 식을 간단히 하시오.

$$(\log_5 2 - \log_{\sqrt{5}} 8)(\log_2 5 + \log_{\frac{1}{2}} \sqrt{5})$$

개념 가이드

로그의 밑을 통일할 때는 밑의 변환 공식을 이용한다.

➡ $a > 0$, $a \neq 1$, $b > 0$일 때

(1) $\log_a b = \dfrac{\log_c \boxed{❶}}{\log_c \boxed{❷}}$ (단, $c > 0$, $c \neq 1$)

(2) $\log_a b = \dfrac{1}{\boxed{❸}}$ (단, $b \neq 1$)

답 ❶ b ❷ a ❸ $\log_b a$

대표 예제 8

이차방정식 $x^2 - 3x - 3 = 0$의 두 근이 $\log_2 \alpha$, $\log_2 \beta$일 때, $\log_\alpha \beta + \log_\beta \alpha$의 값을 구하시오.

개념 가이드

이차방정식 $ax^2 + bx + c = 0$의 근과 계수의 관계를 이용한다.

➡ (두 근의 합) = $\boxed{❶}$, (두 근의 곱) = $\boxed{❷}$

답 ❶ $-\dfrac{b}{a}$ ❷ $\dfrac{c}{a}$

교과서 기출 베스트 2회

1 다음 중 옳지 않은 것은?

① $\sqrt{(-2)^2}$의 제곱근은 $\pm\sqrt{2}$이다.

② 3은 27의 세제곱근이다.

③ 4의 네제곱근은 2개이다.

④ n이 2 이상인 짝수일 때, 6의 n제곱근 중 실수인 것은 2개이다.

⑤ n이 2 이상인 홀수일 때, -7의 n제곱근 중 실수인 것은 1개뿐이다.

2 216의 세제곱근 중 실수인 것을 a, $\sqrt[3]{125}$의 제곱근 중 양수인 것을 b라 할 때, ab의 값을 구하시오.

3 다음 식을 간단히 하시오.

$$\sqrt[3]{-64}+\sqrt[4]{3}\times\sqrt[4]{27}+\sqrt{\sqrt[3]{64}}$$

4 다음 식을 간단히 하시오.

$$3^{-4}\times3^6\times\left\{\left(\frac{27}{64}\right)^{0.5}\right\}^{-\frac{2}{3}}$$

5 $2^a=5$일 때, $\left(\frac{1}{8}\right)^{\frac{a}{6}}$의 값을 구하시오.

6 세 수 $\sqrt[3]{2}$, $\sqrt[6]{5}$, $\sqrt[9]{10}$의 대소를 비교하시오.

밑이 다른 경우니까 지수를 통일하여 밑을 비교하면 돼.

7 $\log_{x+3}(-x^2+3x+10)$이 정의되도록 하는 정수 x의 개수를 구하시오.

8 $\dfrac{3}{2}\log_2 3 - \log_2 \sqrt{243} + \log_{\sqrt{2}} 3$을 간단히 하시오.

9 $\log_a 2 \times \log_8 b = 7$일 때, $\log_a b$의 값을 구하시오.
(단, $a > 0$, $a \neq 1$, $b > 0$)

로그의 밑을
통일할 때는
밑의 변환 공식을
이용하면 돼.

10 $2^a = 3$, $2^b = 5$일 때, $\log_{15} 45$를 a, b로 나타내면 $\dfrac{ma+nb}{a+b}$가 된다. 자연수 m, n에 대하여 $m^2 + n^2$의 값을 구하시오.

11 이차방정식 $x^2 - 4x - 1 = 0$의 두 근을 $\log_2 a$, $\log_2 b$라 할 때, $\log_{a^2} 2 + \log_b \sqrt{2}$의 값을 구하시오.

12 $\log 7.5 = 0.8751$일 때,
$\log 7500 = a$, $\log b = -1.1249$
이다. 이때, $a + b$의 값을 구하시오.

$\log A = \alpha$일 때
$\log(10^n \times A) = n + \alpha$
(단, n은 정수)

2일 지수함수

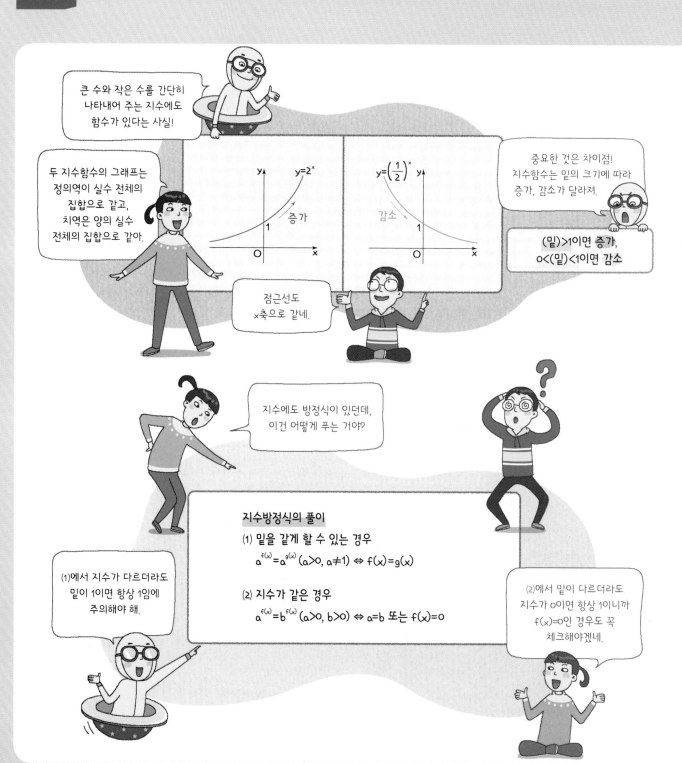

큰 수와 작은 수를 간단히 나타내어 주는 지수에도 함수가 있다는 사실!

두 지수함수의 그래프는 정의역이 실수 전체의 집합으로 같고, 치역은 양의 실수 전체의 집합으로 같아.

중요한 것은 차이점! 지수함수는 밑의 크기에 따라 증가, 감소가 달라져.

(밑)>1이면 증가, 0<(밑)<1이면 감소

점근선도 x축으로 같네.

지수에도 방정식이 있던데, 이건 어떻게 푸는 거야?

지수방정식의 풀이

(1) 밑을 같게 할 수 있는 경우

$a^{f(x)}=a^{g(x)}$ $(a>0, a\neq1) \Leftrightarrow f(x)=g(x)$

(2) 지수가 같은 경우

$a^{f(x)}=b^{f(x)}$ $(a>0, b>0) \Leftrightarrow a=b$ 또는 $f(x)=0$

(1)에서 지수가 다르더라도 밑이 1이면 항상 1임에 주의해야 해.

(2)에서 밑이 다르더라도 지수가 0이면 항상 1이니까 f(x)=0인 경우도 꼭 체크해야겠네.

배울 내용

❶ 지수함수의 그래프 ❷ 지수함수의 최대·최소
❸ 지수방정식 ❹ 지수부등식

방정식이 있으니
부등식도 있겠네.
이건 어떻게 풀어?

지수부등식의 풀이

밑을 같게 할 수 있는 경우

(1) $a>1$일 때, $a^{f(x)}<a^{g(x)} \Leftrightarrow f(x)<g(x)$ — 부등호의 방향은 그대로

(2) $0<a<1$일 때, $a^{f(x)}<a^{g(x)} \Leftrightarrow f(x)>g(x)$ — 부등호의 방향은 반대로

밑이 1보다 큰지 작은지에
따라 부등호의 방향이
달라짐에 유의해야겠네.

여기서 잠깐!

지수방정식이든 지수부등식이든 a^x 꼴이 반복되는 경우

→ $a^x=t$로 치환하여 t에 대한 식을 푼다.

이때, $a^x>0$이므로 $t>0$임에 주의!

주의 사항 하나 더 추가!
t에 대한 식만 풀면 안 돼.
꼭 x의 값의 범위까지 구해야 해!

이것만은 꼭!

(1) 지수함수 $y=a^x\ (a>0,\ a\neq1)$에서 ① $a>1$일 때, x의 값이 증가하면 y의 값은 ❶ ☐

② $0<a<1$일 때, x의 값이 증가하면 y의 값은 ❷ ☐

(2) ① $a^{f(x)}=a^{g(x)}\ (a>0,\ a\neq1) \Longleftrightarrow f(x)=g(x)$

② $a^{f(x)}=b^{f(x)}\ (a>0,\ b>0) \Longleftrightarrow a=b$ 또는 ❸ ☐

(3) $a^{f(x)}<a^{g(x)}$에서

① $a>1$일 때, $a^{f(x)}<a^{g(x)} \Longleftrightarrow f(x)<g(x)$

② $0<a<1$일 때, $a^{f(x)}<a^{g(x)} \Longleftrightarrow$ ❹ ☐

답 ❶ 증가 ❷ 감소 ❸ $f(x)=0$ ❹ $f(x)>g(x)$

2일 교과서 핵심 정리 ❶

핵심 1 지수함수의 그래프

지수함수 $y=a^x$ $(a>0,\ a\neq1)$의 그래프와 그 성질은 다음과 같다.

	$a>1$	$0<a<1$
그래프	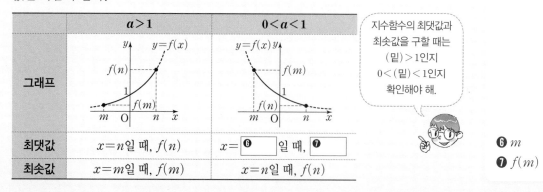	
정의역	실수 전체의 집합	❶
치역	양의 실수 전체의 집합	양의 실수 전체의 집합
그래프가 y축과 만나는 점	$(0,1)$	❷
점근선	x축(직선 $y=0$)	x축(직선 $y=0$)
증가, 감소	x의 값 증가 ➡ y의 값 증가	x의 값 증가 ➡ y의 값 감소

지수함수 $y=a^x$과 $y=\left(\dfrac{1}{a}\right)^x$의 그래프는 y축에 대하여 서로 대칭!

❶ 실수 전체의 집합

❷ $(0,1)$

지수함수에서 (밑)>1이면 증가, 0<(밑)<1이면 감소해.

핵심 2 지수함수의 그래프의 평행이동과 대칭이동

지수함수 $y=a^x$ $(a>0,\ a\neq1)$의 그래프를

(1) x축의 방향으로 m만큼, y축의 방향으로 n만큼 평행이동 ➡ $y=$ ❸

(2) x축에 대하여 대칭이동 ➡ $y=$ ❹

(3) y축에 대하여 대칭이동 ➡ $y=$ ❺

(4) 원점에 대하여 대칭이동 ➡ $y=-\left(\dfrac{1}{a}\right)^x$

❸ $a^{x-m}+n$

❹ $-a^x$

❺ $\left(\dfrac{1}{a}\right)^x$

핵심 3 지수함수의 최대·최소

정의역이 $\{x\,|\,m\leq x\leq n\}$일 때, 지수함수 $f(x)=a^x$ $(a>0,\ a\neq1)$의 최댓값과 최솟값은 다음과 같다.

	$a>1$	$0<a<1$
그래프		
최댓값	$x=n$일 때, $f(n)$	$x=$ ❻ 일 때, ❼
최솟값	$x=m$일 때, $f(m)$	$x=n$일 때, $f(n)$

지수함수의 최댓값과 최솟값을 구할 때는 (밑)>1인지 0<(밑)<1인지 확인해야 해.

❻ m

❼ $f(m)$

시험지 속 개념 문제 ❶

정답과 해설 **77**쪽

1 함수 $y=3^x$의 그래프를 그리고, 다음을 구하시오.

┌ 그래프 ┐

(1) 정의역

(2) 치역

(3) 점근선의 방정식

2 함수 $y=\left(\dfrac{1}{3}\right)^x$의 그래프를 그리고, 다음을 구하시오.

┌ 그래프 ┐

(1) 정의역

(2) 치역

(3) 점근선의 방정식

3 함수 $y=2^x$의 그래프에 대하여 다음을 구하시오.

(1) x축의 방향으로 2만큼, y축의 방향으로 -3만큼 평행이동한 그래프의 식

(2) x축에 대하여 대칭이동한 그래프의 식

(3) y축에 대하여 대칭이동한 그래프의 식

(4) 원점에 대하여 대칭이동한 그래프의 식

4 다음 함수의 최댓값과 최솟값을 구하시오.

지수함수에서
(밑) > 1이면 증가,
0 < (밑) < 1이면 감소해.

(1) $y=2^x$ $(-2 \leq x \leq 3)$

(2) $y=\left(\dfrac{1}{3}\right)^{x-3}$ $(1 \leq x \leq 4)$

(3) $y=2^{3x}-5$ $(1 \leq x \leq 2)$

핵심 4 지수방정식의 풀이

(1) 밑을 같게 할 수 있는 경우

주어진 방정식을 $a^{f(x)}=a^{g(x)}$ 꼴로 변형한 후 다음을 이용한다.

$$a^{f(x)}=a^{g(x)}\ (a>0,\ a\neq1) \Longleftrightarrow \boxed{❶}$$

❶ $f(x)=g(x)$

(2) a^x 꼴이 반복되는 경우

$a^x=t$로 치환하여 t에 대한 방정식을 푼다. 이때, $a^x>0$이므로 $t>0$임에 주의한다.

(3) 지수가 같은 경우

밑이 같거나 지수가 0임을 이용한다.

$$a^{f(x)}=b^{f(x)}\ (a>0,\ b>0) \Longleftrightarrow a=b \text{ 또는 } \boxed{❷}$$

❷ $f(x)=0$

예 (1) 밑을 같게 할 수 있는 경우	(2) a^x 꼴이 반복되는 경우	(3) 지수가 같은 경우	
$2^{2x}=64$	$4^x-2^x=0$	$x^{x-2}=3^{x-2}\ (x>0)$	
$64=2^6$이므로 $2^{2x}=2^6$에서 $2x=6$ $\therefore x=\boxed{❸}$	$4^x=(2^2)^x=(2^x)^2$이므로 $(2^x)^2-2^x=0$ $2^x=t\ (t>0)$로 놓으면 $t^2-t=0,\ t(t-1)=0$ $\therefore t=\boxed{❹}\ (\because t>0)$ 즉, $2^x=1$이므로 $2^x=2^0$ $\therefore x=\boxed{❺}$	(i) 밑이 같은 경우 $x=3 \leftarrow x=3$이면 $3^1=3^1$ (ii) 지수가 0인 경우 $x-2=0$ $\therefore x=2 \leftarrow x=2$이면 $2^0=3^0=1$ (i), (ii)에서 $x=2$ 또는 $x=3$	❸ 3 ❹ 1 ❺ 0

핵심 5 지수부등식의 풀이

(1) 밑을 같게 할 수 있는 경우

주어진 부등식을 $a^{f(x)}<a^{g(x)}$ 꼴로 변형한 후 다음을 이용한다.

① $a>1$일 때, $a^{f(x)}<a^{g(x)} \Longleftrightarrow f(x)<g(x)$ ← 부등호의 방향은 그대로

② $0<a<1$일 때, $a^{f(x)}<a^{g(x)} \Longleftrightarrow f(x)>g(x)$ ← 부등호의 방향은 반대로

(2) a^x 꼴이 반복되는 경우

$a^x=t$로 치환하여 t에 대한 부등식을 푼다. 이때, $a^x>0$이므로 $t>0$임에 주의한다.

예 (1) 부등식 $\left(\dfrac{1}{3}\right)^x<\dfrac{1}{9}$에서 $\left(\dfrac{1}{3}\right)^x\boxed{❻}\left(\dfrac{1}{3}\right)^2$ ← $0<(밑)<1$인 경우

❻ $<$

밑이 $\dfrac{1}{3}$이고 $0<\dfrac{1}{3}<1$이므로 $x\boxed{❼}2$

❼ $>$

└→ 부등호의 방향은 반대로

(2) 부등식 $(3^x)^2-3^x>0$에서 $3^x=t\ (t>0)$로 놓으면

$t^2-t>0,\ t(t-1)>0$ $\therefore t>\boxed{❽}\ (\because t>0)$

❽ 1

따라서 $3^x>1$이므로 $3^x>3^0$ ← $(밑)>1$인 경우

밑이 3이고 $3>1$이므로 $x>0$

└→ 부등호의 방향은 그대로

5 다음 방정식을 푸시오.

(1) $\left(\dfrac{1}{3}\right)^{x-1}=81$

(2) $8^x=16\times2^x$

6 다음 방정식을 푸시오.

(1) $3^{2x}-3^x-6=0$

(2) $2^{2x}-5\times2^x-24=0$

(3) $4^x-5\times2^x+4=0$

$a^x=t$로 치환할 때 $t>0$임에 주의해.

7 다음 방정식을 푸시오.

(1) $\left(\dfrac{3}{4}\right)^{x-2}=7^{x-2}$

(2) $x^{x-4}=5^{x-4}$ (단, $x>0$)

8 다음 부등식을 푸시오.

(1) $2^{3x+1}\geq16$

(2) $\left(\dfrac{1}{10}\right)^{x-2}<0.001$

(3) $\left(\dfrac{1}{9}\right)^{x^2}<3^{2x}$

(밑)>1인지 $0<$(밑)<1인지 꼭 확인해야 해.

9 다음 부등식을 푸시오.

(1) $2^{2x}-10\times2^x+16<0$

(2) $3^{2x}-8\times3^x-9\geq0$

(3) $\left(\dfrac{1}{4}\right)^x+\left(\dfrac{1}{2}\right)^{x-1}-3<0$

$\left(\dfrac{1}{2}\right)^{x-1}=2\times\left(\dfrac{1}{2}\right)^x$

2일 교과서 기출 베스트 1회

대표 예제 1

함수 $y=2^{x-a}+b$의 그래프가 오른쪽 그림과 같을 때, 상수 a, b에 대하여 $a+b$의 값을 구하시오.
(단, 점선은 점근선이다.)

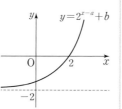

개념 가이드

점근선을 이용하여 **❶**의 값을 구한 후 그래프가 지나는 점의 좌표를 대입하여 **❷**의 값을 구한다.

답 ❶ b ❷ a

대표 예제 2

함수 $y=9^x$의 그래프를 평행이동 또는 대칭이동하여 겹쳐질 수 있는 그래프의 식만을 다음에서 있는대로 고르시오.

ㄱ. $y=9^{x+2}$	ㄴ. $y=\dfrac{81}{9^x}$
ㄷ. $y=3^{2x-6}$	ㄹ. $y=-3^{x+1}$

개념 가이드

도형의 평행이동은 이동하는 만큼 빼서 대입하고, 도형의 대칭이동은 다음과 같이 구한다.
(1) x축 대칭: y 대신 **❶** 대입
(2) y축 대칭: x 대신 **❷** 대입
(3) 원점 대칭: x 대신 $-x$, y 대신 $-y$ 대입

답 ❶ $-y$ ❷ $-x$

대표 예제 3

함수 $y=\left(\dfrac{1}{4}\right)^{x-1}+n$의 그래프가 제3사분면을 지나지 않게 하는 정수 n의 최솟값을 구하시오.

개념 가이드

주어진 함수의 그래프의 개형을 그려서 그래프가 **❶** 축과 만나는 점의 위치를 살펴본다.

답 ❶ y

대표 예제 4

정의역이 $\{x \mid 2 \le x \le 5\}$인 함수 $y=\left(\dfrac{1}{2}\right)^{x-3}+a$의 최댓값이 8일 때, 상수 a의 값과 이 함수의 최솟값을 구하시오.

> (밑)>1인지, $0<$(밑)<1인지를 먼저 확인해.

개념 가이드

지수함수 $y=a^x$ $(a>0,\ a\ne 1)$에서
(1) $a>1$ ➡ x의 값이 증가하면 y의 값은 **❶**
(2) $0<a<1$ ➡ x의 값이 증가하면 y의 값은 **❷**

답 ❶ 증가 ❷ 감소

대표 예제 **5**

$-2 \leq x \leq 0$에서 함수 $y = \left(\dfrac{1}{4}\right)^x - 2^{-x+2} - 3$의 최댓값을 M, 최솟값을 m이라 할 때, $M+m$의 값을 구하시오.

개념 가이드

$\left(\dfrac{1}{2}\right)^x = t \,(t > \boxed{\mathbf{0}}\,)$로 치환하여 이차함수의 최댓값과 최솟값을 구한다.

답 ❶ 0

대표 예제 **7**

두 함수 $y = 4^x + 32$, $y = 12 \times 2^x$의 그래프가 만나는 두 점을 A, B라 할 때, 두 점 A, B의 x좌표의 합을 구하시오.

개념 가이드

두 식을 연립한 방정식을 만족시키는 해가 두 점의 $\boxed{\mathbf{0}}$좌표임을 이용한다.

답 ❶ x

대표 예제 **6**

방정식 $3^{x^2-4} = 3 \times 9^{x+1}$의 모든 근의 합을 구하시오.

밑을 같게 한 후 지수를 비교하면 돼.

개념 가이드

주어진 방정식을 $a^{f(x)} = a^{g(x)} \,(a > 0,\ a \neq 1)$ 꼴로 변형한 후 $\boxed{\mathbf{0}} = \boxed{\mathbf{0}}$임을 이용한다.

답 ❶ $f(x)$ ❷ $g(x)$

대표 예제 **8**

부등식 $\left(\dfrac{1}{9}\right)^x - \left(\dfrac{1}{3}\right)^x \leq 6$을 만족시키는 실수 x의 최솟값을 구하시오.

개념 가이드

$\left(\dfrac{1}{3}\right)^x = t \,(t > \boxed{\mathbf{0}}\,)$로 치환하여 푼다.

답 ❶ 0

1 함수 $y=3^{x+a}-b$의 그래프가 점 $(0, 6)$을 지나고, 그래프의 점근선이 직선 $y=-3$일 때, 상수 a, b에 대하여 $a+b$의 값을 구하시오.

3 함수 $y=\left(\dfrac{1}{3}\right)^{x-2}+n$의 그래프가 제1사분면을 지나지 않게 하는 정수 n의 최댓값을 구하시오.

4 $-2 \leq x \leq a$에서 함수 $y=\left(\dfrac{1}{2}\right)^{x-1}+b$의 최댓값이 18, 최솟값이 12일 때, 상수 a, b에 대하여 $a+b$의 값을 구하시오.

2 함수 $y=2^x$의 그래프를 y축에 대하여 대칭이동한 후 x축의 방향으로 m만큼, y축의 방향으로 n만큼 평행이동하면 함수 $y=8\times\left(\dfrac{1}{2}\right)^x-5$의 그래프와 겹쳐진다. 이때, 상수 m, n에 대하여 $m+n$의 값을 구하시오.

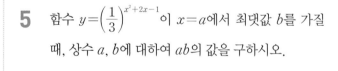

평행이동과 대칭이동이 연속적으로 이루어지는 경우에는 주어진 순서대로 적용해야 해.

5 함수 $y=\left(\dfrac{1}{3}\right)^{x^2+2x-1}$이 $x=a$에서 최댓값 b를 가질 때, 상수 a, b에 대하여 ab의 값을 구하시오.

지수를 완전제곱 꼴로 변형하여 지수의 최대, 최소를 먼저 살펴봐.

6 함수 $y=4^x-2^{x+3}+a$가 $x=b$에서 최솟값 -4를 가질 때, 상수 a, b에 대하여 $a-b$의 값을 구하시오.

7 방정식 $\left(\dfrac{1}{3}\right)^{x^2+2}=\dfrac{1}{27}\times3^{-x}$의 모든 근의 곱을 구하시오.

8 방정식 $4^x-5\times2^{x+1}+16=0$의 두 근을 α, β라 할 때, $\alpha\beta$의 값을 구하시오.

$a^x=t$로 치환할 때는 t의 값이 근이 아님을 주의해!

9 두 함수 $y=9^x+9$, $y=10\times3^x$의 그래프가 만나는 두 점을 A, B라 할 때, 두 점 A, B의 y좌표의 합을 구하시오.

10 부등식 $2^{x^2-2x+3}\geq4^{x^2-x}$의 해가 $\alpha\leq x\leq\beta$일 때, $\alpha^2+\beta^2$의 값을 구하시오.

11 부등식 $3^{2x}+3<9\times3^x+3^{x-1}$을 만족시키는 정수 x의 개수를 구하시오.

3일 로그함수

지수에 함수가 있듯이 로그에도 함수가 있다는 사실!

두 로그함수의 그래프는 정의역이 양의 실수 전체의 집합으로 같고, 치역은 실수 전체의 집합으로 같아.

점근선은 y축으로 같네.

지수함수처럼 로그함수도 밑의 크기에 따라 증가, 감소가 달라져.

(밑)>1이면 증가, 0<(밑)<1이면 감소

지수함수랑 똑같네!

로그도 지수처럼 방정식이 있던데, 이건 어떻게 푸는 거야?

(1)은 로그의 정의를 이용하면 간단하게 해결돼.

로그방정식의 풀이

(1) $\log_a f(x) = b$ 꼴인 경우

$\log_a f(x) = b \Leftrightarrow f(x) = a^b$ (단, $a>0$, $a \neq 1$, $f(x)>0$)

(2) 밑을 같게 할 수 있는 경우

$\log_a f(x) = \log_a g(x) \Leftrightarrow f(x) = g(x)$ (단, $a>0$, $a \neq 1$, $f(x)>0$, $g(x)>0$)

(2)에서는 밑이 같으니까 진수가 같으면 돼. 이때, (진수)>0이어야 한다는 사실을 기억해!

그래프 내 라벨: $y=\log_2 x$, 증가, $y=\log_{\frac{1}{2}} x$, 감소

배울 내용

❶ 로그함수의 그래프 ❷ 로그함수의 최대·최소
❸ 로그방정식 ❹ 로그부등식

로그에도 부등식이 있겠네. 이건 어떻게 풀어?

밑이 1보다 큰지 작은지에 따라 부등호의 방향이 달라짐에 유의해야겠네.

로그부등식의 풀이

밑을 같게 할 수 있는 경우

(1) $a > 1$일 때, $\log_a f(x) < \log_a g(x) \Leftrightarrow 0 < f(x) < g(x)$ ⟵ 부등호의 방향은 그대로

(2) $0 < a < 1$일 때, $\log_a f(x) < \log_a g(x) \Leftrightarrow f(x) > g(x) > 0$ ⟵ 부등호의 방향은 반대로

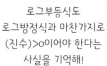

로그부등식도 로그방정식과 마찬가지로 (진수)>0이어야 한다는 사실을 기억해!

여기서 잠깐!
로그방정식이든 로그부등식이든 $\log_a x$ 꼴이 반복되는 경우
➡ $\log_a x = t$로 치환하여 t에 대한 식을 푼다.

이때, t에 대한 식만 풀면 안 돼. 꼭 x의 값의 범위까지 구해야 해!

이것만은 꼭!

(1) 로그함수 $y = \log_a x \, (a > 0, \, a \neq 1)$에서 ① $a > 1$일 때, x의 값이 증가하면 y의 값은 **❶ [　　]**

           ② $0 < a < 1$일 때, x의 값이 증가하면 y의 값은 **❷ [　　]**

(2) $\log_a f(x) = \log_a g(x) \Longleftrightarrow$ **❸ [　　]** (단, $a > 0, \, a \neq 1, \, f(x) > 0, \, g(x) > 0$)

(3) $\log_a f(x) < \log_a g(x)$에서

   ① $a > 1$일 때, $\log_a f(x) < \log_a g(x) \Longleftrightarrow 0 < f(x) < g(x)$

   ② $0 < a < 1$일 때, $\log_a f(x) < \log_a g(x) \Longleftrightarrow$ **❹ [　　]**

답 ❶ 증가 ❷ 감소 ❸ $f(x) = g(x)$ ❹ $f(x) > g(x) > 0$

3 일 교과서 핵심 정리 ❶

핵심 **1** 로그함수의 그래프

로그함수 $y = \log_a x \,(a > 0,\ a \neq 1)$의 그래프와 그 성질은 다음과 같다.

로그함수 $y = \log_a x$는
지수함수 $y = a^x$의 역함수이므로
$y = \log_a x$의 그래프는
$y = a^x$의 그래프와
직선 $y = x$에 대하여 대칭이야.

	$a > 1$	$0 < a < 1$
그래프	$y = a^x$, $y = x$, $y = \log_a x$	$y = x$, $y = a^x$, $y = \log_a x$
정의역	양의 실수 전체의 집합	❶
치역	실수 전체의 집합	실수 전체의 집합
그래프가 x축과 만나는 점	$(1, 0)$	❷
점근선	y축 (직선 $x = 0$)	y축 (직선 $x = 0$)
증가, 감소	x의 값 증가 ➡ y의 값 증가	x의 값 증가 ➡ y의 값 감소

❶ 양의 실수 전체의 집합

❷ $(1, 0)$

로그함수에서
(밑) > 1이면 증가,
$0 <$ (밑) < 1이면 감소해.

핵심 **2** 로그함수의 그래프의 평행이동과 대칭이동

로그함수 $y = \log_a x \,(a > 0,\ a \neq 1)$의 그래프를

(1) x축의 방향으로 m만큼, y축의 방향으로 n만큼 평행이동 ➡ $y =$ ❸

(2) x축에 대하여 대칭이동 ➡ $y =$ ❹

(3) y축에 대하여 대칭이동 ➡ $y =$ ❺

(4) 원점에 대하여 대칭이동 ➡ $y =$ ❻

(5) 직선 $y = x$에 대하여 대칭이동 ➡ $y = a^x$

❸ $\log_a (x - m) + n$

❹ $-\log_a x$

❺ $\log_a (-x)$

❻ $-\log_a (-x)$

핵심 **3** 로그함수의 최대·최소

정의역이 $\{x \,|\, m \leq x \leq n\}$일 때, 로그함수 $f(x) = \log_a x \,(a > 0,\ a \neq 1)$의 최댓값과 최솟값은 다음과 같다.

	$a > 1$	$0 < a < 1$
그래프	$y = f(x)$, $f(n)$, $f(m)$	$y = f(x)$, $f(m)$, $f(n)$
최댓값	$x = n$일 때, $f(n)$	$x =$ ❼ 일 때, ❽
최솟값	$x = m$일 때, $f(m)$	$x = n$일 때, $f(n)$

로그함수의 최댓값과
최솟값을 구할 때는
(밑) > 1인지
$0 <$ (밑) < 1인지
확인해야 해.

❼ m

❽ $f(m)$

1 함수 $y=\log_2 x$의 그래프를 그리고, 다음을 구하시오.

┤그래프├

(1) 정의역

(2) 치역

(3) 점근선의 방정식

2 함수 $y=\log_{\frac{1}{2}} x$의 그래프를 그리고, 다음을 구하시오.

┤그래프├

(1) 정의역

(2) 치역

(3) 점근선의 방정식

3 함수 $y=\log_5 x$의 그래프에 대하여 다음을 구하시오.

(1) x축의 방향으로 -1만큼, y축의 방향으로 2만큼 평행이동한 그래프의 식

(2) x축에 대하여 대칭이동한 그래프의 식

(3) y축에 대하여 대칭이동한 그래프의 식

(4) 원점에 대하여 대칭이동한 그래프의 식

4 다음 함수의 최댓값과 최솟값을 구하시오.

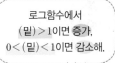

로그함수에서
(밑)$>$1이면 증가,
$0<$(밑)$<$1이면 감소해.

(1) $y=\log_3 x \left(\dfrac{1}{3} \le x \le 3\right)$

(2) $y=\log_2 (x+2) \ (0 \le x \le 6)$

(3) $y=\log_{\frac{1}{4}} x \left(\dfrac{1}{2} \le x \le 8\right)$

핵심 4 로그방정식의 풀이

(1) $\log_a f(x) = b$ 꼴인 경우: 로그의 정의를 이용한다.

$$\log_a f(x) = b \iff f(x) = \boxed{❶} \quad (단, a > 0,\ a \ne 1,\ f(x) > 0)$$

❶ a^b

(2) 밑을 같게 할 수 있는 경우: 주어진 방정식을 $\log_a f(x) = \log_a g(x)$ 꼴로 변형한 후 다음을 이용한다.

$$\log_a f(x) = \log_a g(x) \iff \boxed{❷}$$
$$(단,\ a > 0,\ a \ne 1,\ f(x) > 0,\ g(x) > 0)$$

❷ $f(x) = g(x)$

(3) $\log_a x$ 꼴이 반복되는 경우: $\log_a x = t$로 치환하여 t에 대한 방정식을 푼다.

예 (1) 로그방정식 $\log_2 (x+1) = 3$을 풀면

진수의 조건에서 $x+1 > 0$ ∴ $x > -1$ …… ㉠

로그의 정의에 의하여 $x+1 = 2^3$ ∴ $x = 7$

따라서 ㉠에 의하여 구하는 해는 ❸ _____

❸ $x = 7$

(2) 로그방정식 $(\log_3 x)^2 - 3\log_3 x + 2 = 0$을 풀면

진수의 조건에서 $x > 0$ …… ㉠

$\log_3 x = t$로 놓으면 $t^2 - 3t + 2 = 0$, $(t-1)(t-2) = 0$ ∴ $t = 1$ 또는 $t = 2$

$t = 1$일 때 $\log_3 x = 1$에서 $x = 3$, $t = 2$일 때 $\log_3 x = 2$에서 ❹ _____

❹ $x = 9$

따라서 ㉠에 의하여 구하는 해는 $x = 3$ 또는 ❺ _____

❺ $x = 9$

핵심 5 로그부등식의 풀이

(1) 밑을 같게 할 수 있는 경우

주어진 부등식을 $\log_a f(x) < \log_a g(x)$ 꼴로 변형한 후 다음을 이용한다.

① $a > 1$일 때, $\log_a f(x) < \log_a g(x) \iff 0 < f(x) < g(x)$ ← 부등호의 방향은 그대로

② $0 < a < 1$일 때, $\log_a f(x) < \log_a g(x) \iff f(x) > g(x) > 0$ ← 부등호의 방향은 반대로

(2) $\log_a x$ 꼴이 반복되는 경우: $\log_a x = t$로 치환하여 t에 대한 부등식을 푼다.

예 (1) 로그부등식 $\log_2 (x-2) \geq \log_2 3$을 풀면 ← (밑) > 1인 경우

진수의 조건에서 $x - 2 > 0$ ∴ $x > 2$ …… ㉠

밑이 2이고 $2 > 1$이므로 $x - 2 \geq 3$ ∴ $x > 5$ …… ㉡
└→ 부등호의 방향은 그대로

㉠, ㉡의 공통 범위를 구하면 $x > 5$

(2) 로그부등식 $\log_{\frac{1}{3}} (x+1) \geq \log_{\frac{1}{3}} (3x-1)$을 풀면 ← $0 <$ (밑) < 1인 경우

진수의 조건에서 $x + 1 > 0$, $3x - 1 > 0$ ∴ ❻ _____ …… ㉠

❻ $x > \dfrac{1}{3}$

밑이 $\dfrac{1}{3}$이고 $0 < \dfrac{1}{3} < 1$이므로 $x + 1 \leq 3x - 1$, $2x \geq 2$ ∴ ❼ _____ …… ㉡
└→ 부등호의 방향은 반대로

❼ $x > 1$

㉠, ㉡의 공통 범위를 구하면 ❽ _____

❽ $x > 1$

5 다음 방정식을 푸시오.

(1) $\log_2(2x+5)=4$

로그방정식과 로그부등식을 풀 때는 (진수)>0을 만족시키는지 꼭 확인해야 해.

(2) $\log_{\frac{1}{3}}(3x-2)=-1$

6 다음 방정식을 푸시오.

(1) $\log_7(x+3)=\log_7(3x+2)$

(2) $\log_5(x+2)=\log_5 4(x-1)$

7 다음 방정식을 푸시오.

(1) $(\log_2 x)^2-1=0$

(2) $(\log_6 x)^2+\log_6 x-2=0$

8 다음 부등식을 푸시오.

(1) $1\leq\log_2 x<4$

로그부등식에서는 (밑)>1인지, $0<$(밑)<1인지에 따라 부등호의 방향이 달라져.

(2) $\log_3(2x-1)>1$

(3) $\log_{\frac{1}{2}}(x+6)>\log_{\frac{1}{2}}(10-3x)$

9 다음 부등식을 푸시오.

(1) $(\log_2 x)^2+\log_2 x-6>0$

(2) $(\log_{\frac{1}{2}} x)^2+2\log_{\frac{1}{2}} x+1\leq 0$

(3) $(\log_{\frac{1}{5}} x)^2+3<4\log_{\frac{1}{5}} x$

대표 예제 1

오른쪽 그림은 함수
$y = \log_{\frac{1}{3}}(x+m)+n$의
그래프이다. 상수 m, n에
대하여 $m^2 + n^2$의 값을 구
하시오.

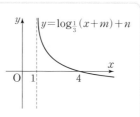

개념 가이드

점근선을 이용하여 ❶ 의 값을 구한 후 그래프가 지나는 점의
좌표를 대입하여 ❷ 의 값을 구한다.

답 ❶ m　❷ n

대표 예제 2

오른쪽 그림은 두 함수 $y = 2^x$,
$y = \log_2 x$의 그래프이다. 점
A의 좌표가 (a, b)일 때,
$\log_2 ab$의 값을 구하시오.

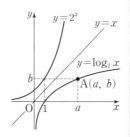

개념 가이드

점 ❶ 는 함수 $y = 2^x$의 그래프 위의 점이고,
점 ❷ 는 함수 $y = \log_2 x$의 그래프 위의 점임을 이용
하여 구한다.

답 ❶ $(1, b)$　❷ A(a, b)

대표 예제 3

함수 $y = \log_3 x$의 그래프를 x축의 방향으로 m만큼,
y축의 방향으로 n만큼 평행이동한 후 x축에 대하여
대칭이동하였더니 함수 $y = \log_{\frac{1}{3}}(x-2)-1$의 그래
프와 일치하였다. 이때, 상수 m, n의 값을 구하시오.

개념 가이드

도형의 평행이동은 이동하는 만큼 빼서 대입하고, 도형의 대칭
이동은 다음과 같이 구한다.
(1) x축 대칭: y 대신 ❶ 대입
(2) y축 대칭: x 대신 ❷ 대입
(3) 원점 대칭: x 대신 $-x$, y 대신 $-y$ 대입

답 ❶ $-y$　❷ $-x$

대표 예제 4

다음 세 수의 대소를 비교하시오.

$$3\log_5 2, \quad \log_{25} 36, \quad 2$$

로그의 밑을 통일한 후
진수의 크기를 비교해야 해!

개념 가이드

주어진 수의 밑을 같게 한 다음 로그함수 $y = \log_a x\,(a>0, a\neq 1)$
의 성질을 이용한다.
(1) $a>1$일 때, $0<m<n \Longleftrightarrow \log_a m$ ❶ $\log_a n$
(2) $0<a<1$일 때, $0<m<n \Longleftrightarrow \log_a m$ ❷ $\log_a n$

답 ❶ $<$　❷ $>$

대표 예제 **5**

정의역이 $\{x \mid 4 \leq x \leq 9\}$인 함수 $y = \log_{\frac{1}{2}}(x-a)$의 최솟값이 -3일 때, 실수 a의 값을 구하시오.

로그함수에서
(밑)>1이면 증가,
$0<$(밑)<1이면 감소해.

개념 가이드

로그함수 $y = \log_a x \, (a>0, \, a \neq 1)$에서

(1) $a>1 \rightarrow x$의 값이 증가하면 y의 값은 ❶ ☐

(2) $0<a<1 \rightarrow x$의 값이 증가하면 y의 값은 ❷ ☐

답 ❶ 증가 ❷ 감소

대표 예제 **6**

방정식 $(\log_3 x)^2 - \log_3 x^2 - 8 = 0$의 두 근을 α, β라 할 때, $\log_3 \alpha\beta$의 값을 구하시오.

개념 가이드

❶ ☐ $=t$로 치환하여 t에 대한 방정식을 푼다.

답 ❶ $\log_3 x$

대표 예제 **7**

부등식 $\log_2(x-1) < \log_4(5-2x)$의 해가 $\alpha < x < \beta$ 일 때, $\alpha\beta$의 값을 구하시오.

개념 가이드

밑을 같게 한 후 ❶ ☐ 에 대한 부등식을 세운다. 이때, (밑)>1 이면 부등호의 방향은 ❷ ☐ 이다.

답 ❶ 진수 ❷ 그대로

대표 예제 **8**

부등식 $(\log_5 x)^2 + 2\log_5 x - 3 < 0$을 만족시키는 정수 x의 개수를 구하시오.

개념 가이드

❶ ☐ $=t$로 치환하여 t에 대한 부등식을 푼다.

답 ❶ $\log_5 x$

1 함수 $y = \log_3(5-x) + 1$에 대한 다음 보기의 설명 중 옳은 것만을 있는 대로 고르시오.

> ┤ 보기 ├
>
> ㄱ. 정의역은 $\{x \mid x > 5\}$이다.
> ㄴ. 그래프의 점근선의 방정식은 $x = 5$이다.
> ㄷ. 그래프는 점 $(2, 1)$을 지난다.
> ㄹ. 그래프는 함수 $y = \log_3 x$의 그래프를 대칭이동한 후 평행이동하면 겹쳐진다.

2 오른쪽 그림은 함수 $y = \log_3(x+a) + b$의 그래프이다. 상수 a, b에 대하여 $a - b$의 값을 구하시오.

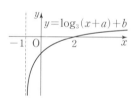

3 다음 그림은 함수 $y = \log_2 x$의 그래프와 직선 $y = x$이다.

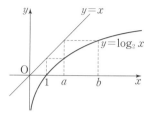

실수 a, b가 $1 < a < b$를 만족시킬 때, ab의 값을 구하시오. (단, 점선은 x축 또는 y축에 평행하다.)

4 함수 $y = \log_4 x$의 그래프를 x축의 방향으로 a만큼, y축의 방향으로 2만큼 평행이동한 후 원점에 대하여 대칭이동하였더니 점 $(2, -2)$를 지난다고 한다. 이때, 상수 a의 값을 구하시오.

> 평행이동과 대칭이동이 연속적으로 이루어지는 경우에는 주어진 순서대로 적용해야 해.

5 다음 세 수의 대소를 비교하시오.

$$-3, \quad \log_{\frac{1}{2}} 9, \quad \log_{\frac{1}{8}} 27$$

8 방정식 $(\log_3 x)^2 - \log_3 x^3 - 4 = 0$의 모든 근의 곱을 구하시오.

6 함수 $y = \log_2 (x^2 - 2x + 3)$은 $x = a$에서 최솟값 b를 가질 때, $a + b$의 값을 구하시오.

먼저 진수 부분을 $f(x)$로 치환한 후 $f(x)$의 값의 범위를 구하면 돼.

9 부등식 $\log_{\frac{1}{3}} (x - 2) \leq \frac{1}{2} \log_{\frac{1}{3}} (4 - x)$를 만족시키는 정수 x의 개수를 구하시오.

10 부등식 $\log_{\frac{1}{2}} 4x \times \log_2 \frac{x}{8} > 0$의 해가 $\alpha < x < \beta$일 때, $\alpha + \beta$의 값을 구하시오.

7 방정식 $\log_2 (x^2 - x + 2) = \log_2 2x^2$의 두 근을 α, $\beta (\alpha > \beta)$라 할 때, $\alpha - \beta$의 값을 구하시오.

밑을 통일한 후 치환을 이용해.

삼각함수

중학교 때 부채꼴에 대해서 배웠는데, 기억나?

부채꼴 모양은 기억하지.

이 공식은 꼭 암기하도록! 이때, 부채꼴의 중심각의 크기 θ는 호도법으로 나타낸 각임에 주의해.

부채꼴의 호의 길이와 넓이

$$\rightarrow l=r\theta,\ S=\frac{1}{2}r^2\theta=\frac{1}{2}rl$$

여기서 잠깐!
육십분법으로 나타낸 각을 호도법으로 나타내는 방법

$$\rightarrow (육십분법의\ 각)\times\frac{\pi}{180}=(호도법의\ 각)$$

$$120°=120\times\frac{\pi}{180}=\frac{2}{3}\pi$$

이번에는 삼각함수에 대해 알아보자.

삼각함수는 각 사분면에서 값의 부호가 달라져서 헷갈려.

$$\rightarrow \sin\theta=\frac{y}{r},\ \cos\theta=\frac{x}{r},\ \tan\theta=\frac{y}{x}\ (x\neq0)$$

각 사분면에서 값의 부호가 +인 삼각함수

| sin | all |
| tan | cos |

제1사분면부터 차례대로 읽어서
얼(all) → 싸(sin)
→ 안(tan) → 코(cos)
로 기억해.

삼각함수 사이에는 중요한 관계가 성립해.

$$\tan \theta = \frac{\sin \theta}{\cos \theta}$$

$$\sin^2 \theta + \cos^2 \theta = 1$$

삼각함수 사이의 관계를 이용하여 $\dfrac{\cos\theta}{1+\sin\theta} + \tan\theta$를 간단히 하면

$$\frac{\cos \theta}{1+\sin \theta} + \tan \theta = \frac{\cos \theta}{1+\sin \theta} + \frac{\sin \theta}{\cos \theta}$$
$$= \frac{\cos^2 \theta + \sin \theta + \sin^2 \theta}{\cos \theta(1+\sin \theta)}$$
$$= \frac{1+\sin \theta}{\cos \theta(1+\sin \theta)}$$
$$= \frac{1}{\cos \theta}$$

이것만은 꼭!

(1) 반지름의 길이가 r, 중심각의 크기가 θ(라디안)인 부채꼴의 호의 길이를 l, 넓이를 S라 하면

➡ $l=r\theta,\ S=\dfrac{1}{2}r^2\theta=$ ❶◻

(2) $\theta=\dfrac{2}{3}\pi$일 때, $\sin\theta>0$, $\cos\theta<0$, $\tan\theta$ ❷◻ 0

(3) $\tan\theta=\dfrac{\text{❸}◻}{\cos\theta}$, $\sin^2\theta+\cos^2\theta=$ ❹◻

답 ❶ $\dfrac{1}{2}rl$ ❷ $<$ ❸ $\sin\theta$ ❹ 1

4일 교과서 핵심 정리 ❶

핵심 1 일반각

일반적으로 시초선 OX와 동경 OP가 나타내는 ∠XOP의 크기 중에서 하나를 $\alpha°$라 할 때,

$$\angle XOP = 360° \times n + \alpha° \; (n은 \; 정수)$$

꼴로 나타낼 수 있고, 이것을 동경 OP가 나타내는 **❶** 이라 한다.

❶ 일반각

예 $40°$의 동경이 나타내는 일반각은 $360° \times n +$ **❷** (단, n은 정수)

❷ $40°$

핵심 2 사분면의 일반각

θ의 값의 범위를 일반각으로 표현하면 (단, n은 정수)

(1) θ가 제1사분면의 각

　→ $360° \times n + 0° < \theta < 360° \times n +$ **❸**

(2) θ가 제2사분면의 각

　→ $360° \times n + 90° < \theta < 360° \times n +$ **❹**

(3) θ가 제3사분면의 각 → $360° \times n + 180° < \theta < 360° \times n + 270°$

(4) θ가 제4사분면의 각 → $360° \times n + 270° < \theta < 360° \times n + 360°$

❸ $90°$

❹ $180°$

핵심 3 호도법

반지름의 길이가 r인 원에서 길이가 r인 호에 대한 중심각의 크기는 원의 반지름의 길이에 관계없이 $\dfrac{180°}{\pi}$로 일정하다.

이 일정한 각의 크기를 1라디안이라 하며, 이것을 단위로 각의 크기를 나타내는 방법을 호도법이라 한다.

(1) 1라디안 = $\dfrac{180°}{\pi}$　　　(2) $1° =$ **❺** 라디안

$\pi = 180°$를 꼭 기억해!

❺ $\dfrac{\pi}{180}$

예

육십분법의 각	0°	30°	❻	60°	90°	120°	135°	180°	270°	360°
호도법의 각	0	$\dfrac{\pi}{6}$	$\dfrac{\pi}{4}$	❼	$\dfrac{\pi}{2}$	$\dfrac{2}{3}\pi$	$\dfrac{3}{4}\pi$	π	$\dfrac{3}{2}\pi$	2π

❻ $45°$

❼ $\dfrac{\pi}{3}$

핵심 4 부채꼴의 호의 길이와 넓이

반지름의 길이가 r, 중심각의 크기가 θ(라디안)인 부채꼴의 호의 길이를 l, 넓이를 S라 하면

(1) $l =$ **❽**　　　　　(2) $S = \dfrac{1}{2}r^2\theta = \dfrac{1}{2}rl$

❽ $r\theta$

정답과 해설 85쪽

1 크기가 다음과 같은 각은 제몇 사분면의 각인지 말하시오.

(1) $440°$

(2) $-200°$

(3) $-420°$

2 다음에서 육십분법으로 나타낸 각은 호도법으로, 호도법으로 나타낸 각은 육십분법으로 나타내시오.

(1) $18°$

(2) $-120°$

(3) $\dfrac{\pi}{12}$

(4) $-\dfrac{7}{4}\pi$

3 반지름의 길이가 10, 중심각의 크기가 $\dfrac{4}{5}\pi$인 부채꼴에 대하여 다음을 구하시오.

(1) 부채꼴의 호의 길이 l

(2) 부채꼴의 넓이 S

4 반지름의 길이가 12, 중심각의 크기가 $135°$인 부채꼴에 대하여 다음을 구하시오.

(1) 부채꼴의 호의 길이 l

중심각의 크기를 호도법으로 나타낸 후 부채꼴의 호의 길이와 넓이를 구하면 돼.

(2) 부채꼴의 넓이 S

핵심 5 삼각함수

오른쪽 그림에서 동경 OP가 나타내는 각의 크기를 θ라 할 때

$$\sin\theta=\frac{y}{r},\ \cos\theta=\frac{x}{r},\ \tan\theta=\frac{y}{x}\ (x\neq0)$$

이 함수를 차례로 θ에 대한 사인함수, 코사인함수, ❶

함수라 하고, 이와 같은 함수를 통틀어 θ에 대한 ❷ 함수

라 한다.

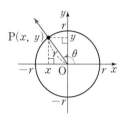

❶ 탄젠트

❷ 삼각

핵심 6 삼각함수의 값의 부호

삼각함수의 값의 부호는 각 θ의 동경이 존재하는 사분면에 따라 다음과 같이 정해진다.

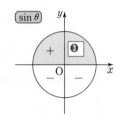 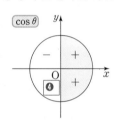 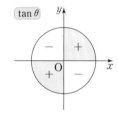

❸ ＋

❹ －

[참고] 각 사분면에서 값의 부호가 ＋인 삼각함수

제1사분면부터 차례대로 읽어서
열(all) → 싸(sin) → 안(tan) → 코(cos)
로 기억해.

(예) $\theta=\dfrac{3}{4}\pi$일 때, $\dfrac{3}{4}\pi$는 제2사분면의 각이므로 $\sin\theta$ ❺ 0, $\cos\theta$ ❻ 0, $\tan\theta<0$

❺ ＞

❻ ＜

핵심 7 삼각함수 사이의 관계

(1) $\tan\theta=\dfrac{\sin\theta}{\cos\theta}$
(2) $\sin^2\theta+\cos^2\theta=1$

(예) θ가 제3사분면의 각이고 $\sin\theta=-\dfrac{1}{2}$일 때, $\cos\theta$, $\tan\theta$의 값을 구해 보자.

$\sin^2\theta+\cos^2\theta=1$이므로 $\cos^2\theta=1-\sin^2\theta=1-\left(-\dfrac{1}{2}\right)^2=\dfrac{3}{4}$

❼ $-\dfrac{\sqrt{3}}{2}$

이때, θ가 제3사분면의 각이므로 $\cos\theta<0$ $\quad\therefore\ \cos\theta=$ ❼

❽ $-\dfrac{\sqrt{3}}{2}$

또, $\tan\theta=\dfrac{\sin\theta}{\cos\theta}$에서 $\tan\theta=\left(-\dfrac{1}{2}\right)\div\left(\boxed{❽}\right)=$ ❾

❾ $\dfrac{\sqrt{3}}{3}$

5 원점 O와 다음 점 P에 대하여 동경 OP가 나타내는 각의 크기를 θ라 할 때, $\sin\theta$, $\cos\theta$, $\tan\theta$의 값을 구하시오.

(1) $P(-\sqrt{3}, 1)$

(2) $P(-4, -3)$

6 다음 각 θ에 대하여 $\sin\theta$, $\cos\theta$, $\tan\theta$의 값의 부호를 말하시오.

(1) $520°$

(2) $-\dfrac{5}{3}\pi$

7 다음 조건을 만족시키는 각 θ는 제몇 사분면의 각인지 말하시오.

(1) $\sin\theta > 0$, $\cos\theta < 0$

(2) $\cos\theta > 0$, $\tan\theta < 0$

8 다음을 구하시오.

(1) θ가 제3사분면의 각이고 $\sin\theta = -\dfrac{\sqrt{3}}{2}$일 때, $\cos\theta$, $\tan\theta$의 값

$\sin^2\theta + \cos^2\theta = 1$ 임을 이용해 봐.

(2) $\dfrac{\pi}{2} < \theta < \pi$이고 $\cos\theta = -\dfrac{12}{13}$일 때, $\sin\theta$, $\tan\theta$의 값

대표 예제 1

다음 각 중에서 동경의 위치가 $70°$의 동경과 일치하는 것은?

① $420°$ ② $290°$ ③ $-70°$

④ $-290°$ ⑤ $-610°$

개념 가이드

$\theta=360°\times n+\alpha°$ (n은 $\boxed{①}$, $0°\le\alpha°<360°$)이면 각 $\alpha°$를 나타내는 동경과 각 θ를 나타내는 동경이 $\boxed{②}$ 한다.

답 ❶ 정수 ❷ 일치

대표 예제 2

다음 중 옳지 <u>않은</u> 것은?

① $60°=\dfrac{\pi}{3}$ ② $150°=\dfrac{5}{6}\pi$ ③ $225°=\dfrac{7}{6}\pi$

④ $\dfrac{3}{4}\pi=135°$ ⑤ $\dfrac{5}{3}\pi=300°$

개념 가이드

(1) (육십분법의 각) $\times \boxed{①}$ = (호도법의 각)

(2) (호도법의 각) $\times \boxed{②}$ = (육십분법의 각)

답 ❶ $\dfrac{\pi}{180}$ ❷ $\dfrac{180°}{\pi}$

대표 예제 3

반지름의 길이가 4이고 넓이가 20π인 부채꼴의 둘레의 길이를 구하시오.

> 부채꼴의 반지름의 길이가 r, 호의 길이가 l이면 부채꼴의 둘레의 길이는 $2r+l$이야.

개념 가이드

반지름의 길이가 r, 중심각의 크기가 θ(라디안)인 부채꼴의 호의 길이를 l, 넓이를 S라 하면

→ $l=\boxed{①}$, $S=\dfrac{1}{2}\boxed{②}=\dfrac{1}{2}rl$

답 ❶ $r\theta$ ❷ $r^2\theta$

대표 예제 4

오른쪽 그림과 같이 둘레의 길이가 20 m인 부채꼴 모양의 화단을 만들려고 할 때, 만들 수 있는 화단의 최대 넓이를 구하시오.

개념 가이드

부채꼴의 넓이를 반지름의 길이에 대한 이차함수로 나타낸 후 $\boxed{①}$ 을 구한다.

답 ❶ 최댓값

대표 예제 5

$\left(\tan\theta+\dfrac{1}{\cos\theta}\right)\left(\tan\theta-\dfrac{1}{\cos\theta}\right)$을 간단히 하시오.

개념 가이드

삼각함수 사이의 관계를 이용하여 식을 간단히 한다.

(1) $\tan\theta=\dfrac{\boxed{❶}}{\cos\theta}$ (2) $\sin^2\theta+\cos^2\theta=\boxed{❷}$

🔑 ❶ $\sin\theta$ ❷ 1

대표 예제 7

$\sin\theta-\cos\theta=-\dfrac{\sqrt{2}}{2}$일 때, $\sin^4\theta+\cos^4\theta$의 값을 구하시오.

$\sin^2\theta+\cos^2\theta=1$ 임을 꼭 기억해!

개념 가이드

$\sin\theta\pm\cos\theta$의 값 또는 $\sin\theta\cos\theta$의 값이 주어진 경우 다음을 이용하여 식의 값을 구한다.

→ $(\sin\theta\pm\cos\theta)^2=\sin^2\theta\pm2\sin\theta\cos\theta+\boxed{❶}$

       $=\boxed{❷}\pm2\sin\theta\cos\theta$ (복호동순)

🔑 ❶ $\cos^2\theta$ ❷ 1

대표 예제 6

θ가 제2사분면의 각이고 $\cos\theta=-\dfrac{1}{2}$일 때, $\sin\theta+\tan\theta$의 값을 구하시오.

개념 가이드

제1사분면에서는 all
제2사분면에서는 sin
제3사분면에서는 $\boxed{❶}$
제4사분면에서는 $\boxed{❷}$
값이 양이다.

🔑 ❶ tan   ❷ cos

대표 예제 8

x에 대한 이차방정식 $2x^2-4ax+a^2-1=0$의 두 근이 $\sin\theta$, $\cos\theta$일 때, $\tan\theta$의 값을 구하시오.

(단, a는 상수)

개념 가이드

이차방정식 $ax^2+bx+c=0$의 두 근이 $\sin\theta$, $\cos\theta$이면

→ $\sin\theta+\cos\theta=\boxed{}$, $\sin\theta\cos\theta=\boxed{}$

🔑 ❶ $-\dfrac{b}{a}$ ❷ $\dfrac{c}{a}$

1 다음 중 각을 나타내는 동경이 나머지 넷과 <u>다른</u> 하나는?

① $410°$　　② $770°$　　③ $-310°$

④ $-250°$　　⑤ $1130°$

3 반지름의 길이가 6인 부채꼴의 둘레의 길이가 20일 때, 이 부채꼴의 중심각의 크기 θ를 구하시오.

2 다음 중 옳지 <u>않은</u> 것은?

① $72° = \dfrac{2}{5}\pi$　　　② $420° = \dfrac{7}{3}\pi$

③ $\dfrac{5}{6}\pi = 150°$　　　④ $\dfrac{7}{12}\pi = 165°$

⑤ $\dfrac{7}{4}\pi = 315°$

(육십분법의 각)$\times \dfrac{\pi}{180}$
$=$ (호도법의 각)

4 길이가 12 cm인 실을 사용하여 오른쪽 그림과 같이 넓이가 최대인 부채꼴 모양의 도형을 만들려고 한다. 만들어진 부채꼴의 중심각의 크기 θ를 구하시오.

5 원점 O와 점 P$(3, a)$를 지나는 동경 OP가 나타내는 각을 θ라 할 때, $\tan\theta = -\dfrac{4}{3}$이다. 이때, a의 값과 $\sin\theta$, $\cos\theta$의 값을 구하시오.

6 $\sin^2\theta\left(1-\dfrac{1}{\tan\theta}\right)^2 + \sin^2\theta\left(1+\dfrac{1}{\tan\theta}\right)^2$을 간단히 하시오.

7 각 θ가 제4사분면의 각이고 $\tan\theta = -\dfrac{3}{4}$일 때, $\sin\theta + \cos\theta$의 값을 구하시오.

8 $\sin\theta + \cos\theta = \dfrac{\sqrt{2}}{2}$일 때, $(1-\sin^2\theta)(1-\cos^2\theta)$의 값을 구하시오.

$\sin\theta + \cos\theta = \dfrac{\sqrt{2}}{2}$의 양변을 제곱해 봐.

9 이차방정식 $16x^2 + ax + b = 0$의 두 근이 $\sin\theta$, $\cos\theta$이고, $\sin\theta + \cos\theta = \dfrac{1}{2}$이다. 이때, 상수 a, b에 대하여 $a-b$의 값을 구하시오.

이차방정식의 근과 계수의 관계를 이용하여 삼각함수에 대한 식을 세워 봐.

삼각함수의 그래프

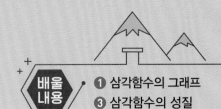
아주 중요한 것 하나 더! 여러 가지 각의 삼각함수를 변형하는 것!

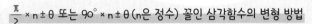

$\dfrac{\pi}{2} \times n \pm \theta$ 또는 $90° \times n \pm \theta$ (n은 정수) 꼴인 삼각함수의 변형 방법

(i) n이 짝수이면 함수를 그대로 둔다.

→ $\sin → \sin$, $\cos → \cos$, $\tan → \tan$

n이 홀수이면 함수를 바꾼다.

→ $\sin → \cos$, $\cos → \sin$, $\tan → \dfrac{1}{\tan}$

(ii) θ를 예각으로 간주하고 주어진 각을 나타내는 동경이 존재하는 사분면에서의 원래 삼각함수의 값의 부호가 양이면 +, 음이면 −를 붙인다.

짝수면 그대로! 홀수면 바꾸기!

그런데 각 사분면에서 삼각함수의 값의 부호는 어떻게 알지?

각 사분면에서 값의 부호가 +인 삼각함수는 얼싸안코!

아! 기억났다. 제1사분면부터 차례로 얼싸안코!

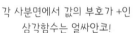

이것만은 꼭!

(1) $y = -\sin 2x$ → 최댓값: ❶ ____ , 최솟값: -1, 주기: ❷ ____

$y = 3\tan 2x$ → 최댓값: 없다, 최솟값: ❸ ____ , 주기: ❹ ____

(2) $\sin\left(\dfrac{\pi}{2}+x\right) = \cos x$, $\cos\left(\dfrac{\pi}{2}+x\right) = $ ❺ ____ , $\tan\left(\dfrac{\pi}{2}-x\right) = $ ❻ ____

답 ❶ 1 ❷ π ❸ 없다 ❹ $\dfrac{\pi}{2}$ ❺ $-\sin x$ ❻ $\dfrac{1}{\tan x}$

핵심 1 주기함수

함수 $f(x)$의 정의역에 속하는 모든 실수 x에 대하여

$$f(x+p)=f(x)$$

를 만족시키는 0이 아닌 상수 p가 존재할 때, 함수 $f(x)$를 주기함수라 하고, 이러한 상수 p 중에서 최소인 양수를 그 함수의 ❶ ☐ 라 한다. → 어떤 주기를 가지고 함숫값이 반복되는 함수

❶ 주기

예 $\sin(x+2\pi)=\sin x$, $\sin(x+4\pi)=\sin x$, …이므로
$\sin(x+p)=\sin x$를 만족시키는 최소인 양수 p는 ❷ ☐ 이다.
즉, 함수 $y=\sin x$는 주기가 2π인 주기함수이다.

❷ 2π

핵심 2 삼각함수의 그래프

	$y=\sin x$	$y=\cos x$	$y=\tan x$
그래프			
정의역	❸ ☐	실수 전체의 집합	$x=n\pi+\dfrac{\pi}{2}$ (n은 정수) 를 제외한 실수 전체의 집합
치역	$\{y\,|-1\le y\le 1\}$	❹ ☐	실수 전체의 집합
주기	2π	2π	❺ ☐
대칭성	원점에 대하여 대칭	❻ ☐ 에 대하여 대칭	원점에 대하여 대칭

→ 점근선의 방정식

❸ 실수 전체의 집합

❹ $\{y\,|-1\le y\le 1\}$

❺ π

❻ y축

핵심 3 삼각함수의 최대, 최소와 주기

삼각함수	치역	최댓값	최솟값	주기
$y=a\sin(bx+c)+d$	$\{y\,|-|a|+d\le y\le |a|+d\}$	$|a|+d$	❼ ☐	$\dfrac{2\pi}{|b|}$
$y=a\cos(bx+c)+d$	$\{y\,|-|a|+d\le y\le |a|+d\}$	$|a|+d$	$-|a|+d$	❽ ☐
$y=a\tan(bx+c)+d$	실수 전체의 집합	없다.	없다.	$\dfrac{\pi}{|b|}$

❼ $-|a|+d$

❽ $\dfrac{2\pi}{|b|}$

예 함수 $y=2\sin 4x-1$의 최댓값은 1, 최솟값은 ❾ ☐, 주기는 $\dfrac{2\pi}{4}=\dfrac{\pi}{2}$이다.

❾ -3

1 다음 함수의 그래프를 그리고, 치역과 주기를 구하시오.

(1) $y = \sin 2x$

(2) $y = -\sin x$

(3) $y = 2\sin 3x$

2 다음 함수의 그래프를 그리고, 치역과 주기를 구하시오.

(1) $y = \cos 3x$

(2) $y = 2\cos x$

(3) $y = 2\cos 3x$

3 다음 함수의 그래프를 그리고, 주기와 점근선의 방정식을 구하시오.

(1) $y = \tan \dfrac{x}{2}$

(2) $y = 3\tan x$

(3) $y = 2\tan \dfrac{x}{3}$

4 다음 함수의 최댓값, 최솟값, 주기를 구하시오.

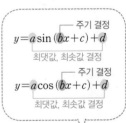

주기 결정
$y = a\sin(bx+c) + d$
최댓값, 최솟값 결정

주기 결정
$y = a\cos(bx+c) + d$
최댓값, 최솟값 결정

(1) $y = 3\sin\left(2x + \dfrac{\pi}{2}\right)$

(2) $y = -\cos\left(3x + \dfrac{\pi}{4}\right) + 1$

(3) $y = 2\tan(4x - \pi) - 3$

핵심 4 삼각함수의 성질

$-x$의 삼각함수	$\sin(-x)=-\sin x,\ \cos(-x)=\cos x,\ \tan(-x)=$ **❶**	**❶** $-\tan x$
$\pi\pm x$의 삼각함수	$\sin(\pi+x)=-\sin x,\ \cos(\pi+x)=-\cos x,\ \tan(\pi+x)=\tan x$ $\sin(\pi-x)=\sin x,\ \cos(\pi-x)=$ **❷** $,\ \tan(\pi-x)=-\tan x$	**❷** $-\cos x$
$\dfrac{\pi}{2}\pm x$의 삼각함수	$\sin\left(\dfrac{\pi}{2}+x\right)=\cos x,\ \cos\left(\dfrac{\pi}{2}+x\right)=-\sin x,\ \tan\left(\dfrac{\pi}{2}+x\right)=-\dfrac{1}{\tan x}$ $\sin\left(\dfrac{\pi}{2}-x\right)=$ **❸** $,\ \cos\left(\dfrac{\pi}{2}-x\right)=\sin x,\ \tan\left(\dfrac{\pi}{2}-x\right)=\dfrac{1}{\tan x}$	**❸** $\cos x$

참고 $\dfrac{\pi}{2}\times n\pm\theta$ 또는 $90°\times n\pm\theta$ (n은 정수) 꼴인 삼각함수의 변형 방법

    (i) n이 짝수이면 함수를 그대로 둔다. → $\sin\rightarrow\sin,\ \cos\rightarrow\cos,\ \tan\rightarrow\tan$

        n이 홀수이면 함수를 바꾼다. → $\sin\rightarrow$ **❹** $,\ \cos\rightarrow$ **❺** $,\ \tan\rightarrow\dfrac{1}{\tan}$

    (ii) θ를 예각으로 간주하고 주어진 각을 나타내는 동경이 존재하는 사분면에서의 원래 삼각
        함수의 값의 부호가 양이면 +, 음이면 −를 붙인다.

❹ $\cos$
❺ $\sin$

핵심 5 삼각방정식의 풀이

(i) 주어진 방정식을 $\sin x=k$ (또는 $\cos x=k$ 또는 $\tan x=k$) 꼴로 고친다.

(ii) 주어진 x의 값의 범위에서 함수 $y=\sin x$ (또는 $y=\cos x$ 또는 $y=\tan x$)의 그
래프와 직선 $y=k$의 교점의 **❻** 좌표를 찾아 방정식의 해를 구한다.

❻ x

핵심 6 삼각부등식의 풀이

(i) $\sin x>k$ (또는 $\cos x>k$ 또는 $\tan x>k$) 꼴일 때

    → 함수 $y=\sin x$ (또는 $y=\cos x$ 또는 $y=\tan x$)의 그래프가 직선 $y=k$보다
        ❼ 에 있는 x의 값의 범위를 구한다.

❼ 위쪽

(ii) $\sin x<k$ (또는 $\cos x<k$ 또는 $\tan x<k$) 꼴일 때

    → 함수 $y=\sin x$ (또는 $y=\cos x$ 또는 $y=\tan x$)의 그래프가 직선 $y=k$보다
        ❽ 에 있는 x의 값의 범위를 구한다.

❽ 아래쪽

예 부등식 $\cos x\leq\dfrac{1}{2}$ $(0\leq x<2\pi)$을 풀면

    → 함수 $y=\cos x$의 그래프가 직선 $y=\dfrac{1}{2}$보다

    아래쪽(경계선 포함)에 있는 x의 값의 범위와

    같으므로 **❾**

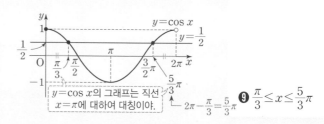

$y=\cos x$의 그래프는 직선 $x=\pi$에 대하여 대칭이야.

$2\pi-\dfrac{\pi}{3}=\dfrac{5}{3}\pi$

❾ $\dfrac{\pi}{3}\leq x\leq\dfrac{5}{3}\pi$

정답과 해설 **88**쪽

5 다음 삼각함수의 값을 구하시오.

(1) $\sin \dfrac{4}{3}\pi$

(2) $\cos \dfrac{7}{6}\pi$

(3) $\tan \dfrac{5}{6}\pi$

6 다음 삼각함수의 값을 구하시오.

(1) $\sin \dfrac{7}{4}\pi$

(2) $\cos \dfrac{10}{3}\pi$

(3) $\tan \dfrac{13}{4}\pi$

7 $0 \le x < 2\pi$일 때, 다음 방정식을 푸시오.

(1) $2\sin x + 1 = 0$

(2) $2\cos x - \sqrt{2} = 0$

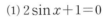

먼저 주어진 방정식을
$\sin x = k$
(또는 $\cos x = k$
또는 $\tan x = k$)
꼴로 고쳐야 해.

8 $0 \le x < 2\pi$일 때, 다음 부등식을 푸시오.

(1) $\sin x < -\dfrac{\sqrt{3}}{2}$

(2) $\tan x \ge \sqrt{3}$

대표 예제 1

함수 $y = -3\cos 2\pi x + 2$의 주기를 a, 최댓값을 b, 최솟값을 c라 할 때, $2a + b + 3c$의 값을 구하시오.

개념 가이드

$y = a\cos(bx + c) + d$에서 최댓값은 $|a| + d$, 최솟값은
❶   , 주기는 $\dfrac{❷}{|b|}$이다.

답 ❶ $-|a| + d$ ❷ 2π

대표 예제 2

함수 $y = 3\sin 2x$의 그래프에 대한 다음 설명 중 옳은 것은?

① 정의역은 양의 실수 전체의 집합이다.

② 최댓값은 3이고, 최솟값은 -3이다.

③ 치역은 $\{y \,|\, 0 \le y \le 3\}$이다.

④ 주기는 2π이다.

⑤ 함수 $y = \sin x$의 그래프를 x축의 방향으로 $\dfrac{1}{2}$배한 그래프이다.

개념 가이드

먼저 함수 $y = \sin x$의 그래프의 성질을 기억한다.

(1) 정의역: 실수 전체의 집합   (2) 치역: $\{y \,|\, -1 \le y \le ❶ \quad \}$

(3) ❷   에 대하여 대칭   (4) 주기: 2π

답 ❶ 1   ❷ 원점

대표 예제 3

함수 $y = a\sin(bx - c)$의 그래프가 오른쪽 그림과 같을 때, 상수 a, b, c에 대하여 $3abc$의 값을 구하시오.

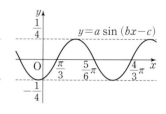

(단, $a > 0$, $b > 0$, $0 < c < \pi$)

개념 가이드

주어진 그래프에서 최댓값, ❶   , 주기와 그래프의
❷   을 이용하여 삼각함수의 미정계수를 구한다.

답 ❶ 최솟값   ❷ 평행이동

대표 예제 4

$\sin\left(\dfrac{\pi}{2} + \theta\right)\sin(\pi - \theta) - \cos\left(\dfrac{\pi}{2} + \theta\right)\cos(\pi - \theta)$를 간단히 하시오.

> 주어진 각을 나타내는 동경이 존재하는 사분면에서의 원래 삼각함수의 값의 부호를 조사해야 해.

개념 가이드

$\dfrac{n}{2}\pi \pm \theta$ 또는 $90° \times n \pm \theta$ (n은 정수) 꼴인 삼각함수의 변형

→ n이 ❶   일 때, $\sin \to \sin$, $\cos \to \cos$, $\tan \to \tan$

n이 홀수일 때, $\sin \to \cos$, $\cos \to \sin$, $\tan \to$ ❷

답 ❶ 짝수   ❷ $\dfrac{1}{\tan}$

대표 예제 **5**

$\sin^2 2°+\sin^2 4°+\sin^2 6°+\cdots+\sin^2 88°$의 값을 구하시오.

개념 가이드

두 각의 크기의 합이 90°인 것끼리 묶고, $\sin(90°-\theta)=$ **❶** , $\sin^2\theta+\cos^2\theta=$ **❷** 임을 이용한다.

답 ❶ $\cos\theta$ **❷** 1

대표 예제 **6**

$0\leq x<2\pi$일 때, 방정식 $3\cos x+1=0$의 모든 근의 합을 구하시오.

개념 가이드

$\cos x=k$ 꼴의 방정식

➡ $y=\cos x$의 그래프와 직선 **❶** 의 교점의 **❷** 좌표를 구한다.

답 ❶ $y=k$ **❷** x

대표 예제 **7**

$0\leq x<\pi$일 때, $2\cos^2 x=1-\sin x$를 만족시키는 x의 값을 구하시오.

개념 가이드

$\sin^2 x+\cos^2 x=$ **❶** 임을 이용하여 한 종류의 삼각함수에 대한 **❷** 으로 고쳐서 해를 구한다.

답 ❶ 1 **❷** 방정식

대표 예제 **8**

$0\leq x<2\pi$에서 부등식 $2\cos x+\sqrt{2}>0$의 해가 $0\leq x<\alpha$ 또는 $\beta<x<2\pi$일 때, $\beta-\alpha$의 값을 구하시오.

부등호의 방향을 주의해야 해.

개념 가이드

$\cos x>k$ 꼴의 부등식

➡ $y=\cos x$의 그래프가 직선 $y=k$보다 **❶** 에 있는 부분의 x의 값의 범위를 구한다. 이때, 부등호의 방향이 반대이면 **❷** 에 있는 부분을 생각한다.

답 ❶ 위쪽 **❷** 아래쪽

1 함수 $y=a\sin bx+1$의 최댓값이 7이고, 주기가 6π일 때, 양수 a, b에 대하여 $a+6b$의 값을 구하시오.

2 함수 $y=\cos(3x+\pi)+2$에 대한 다음 설명 중 옳지 <u>않은</u> 것은?

① 주기는 $\dfrac{2}{3}\pi$이다.

② 최댓값은 3이다.

③ 최솟값은 1이다.

④ 그래프는 점 $(0,\,1)$을 지난다.

⑤ 그래프는 $y=\cos 3x$의 그래프를 x축의 방향으로 π만큼, y축의 방향으로 2만큼 평행이동한 것이다.

$y=a\cos(bx+c)+d=a\cos b\left(x+\dfrac{c}{b}\right)+d$의 그래프

➡ $y=a\cos bx$의 그래프를 x축의 방향으로 $-\dfrac{c}{b}$만큼, y축의 방향으로 d만큼 평행이동한 그래프

3 함수 $y=a\sin b\left(x-\dfrac{\pi}{4}\right)$의 그래프가 다음 그림과 같을 때, 양수 a, b의 합 $a+b$의 값을 구하시오.

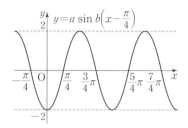

4 $\sin\left(\dfrac{\pi}{2}-\theta\right)+\cos\left(\dfrac{\pi}{2}-\theta\right)+\sin\left(\dfrac{3}{2}\pi-\theta\right)$
$\qquad\qquad\qquad +\cos\left(\dfrac{3}{2}\pi-\theta\right)$

를 간단히 하시오.

5 $\theta = \dfrac{\pi}{30}$일 때,

$$\sin^2\theta + \sin^2 2\theta + \sin^2 3\theta + \cdots + \sin^2 14\theta$$

의 값을 구하시오.

두 각의 크기의 합이 $\dfrac{\pi}{2}$인 것끼리 묶어 봐.

6 이차방정식 $x^2 + 2x + \sin\theta = 0$이 중근을 갖도록 하는 θ의 값을 구하시오. (단, $0 \leq \theta < 2\pi$)

이차방정식 $ax^2 + bx + c = 0$의 판별식 $D = b^2 - 4ac = 0$이면 중근을 가져.

7 방정식 $2\sin^2 x - \sqrt{2}\sin x = 0$의 모든 근의 합을 구하시오. (단, $0 \leq x < 2\pi$)

8 부등식 $\cos x \geq \sin x$의 해가 $\alpha < x \leq \beta$일 때, $4(\alpha + \beta)$의 값을 구하시오. $\left(단, -\dfrac{\pi}{2} < x < \dfrac{\pi}{2} \right)$

9 $0 \leq x < 2\pi$일 때, 부등식 $2\cos^2 x + 5\sin x + 1 > 0$의 해를 구하시오.

1 다음 중 바르게 말한 사람은 누구인지 찾으시오.

나래

5의 세제곱근은 $\sqrt[3]{5}$ 뿐이야.

수현

25의 네제곱근은 4개야.

지아

27의 세제곱근 중 실수는 3개야.

준수

−16의 네제곱근 중 실수는 2개야.

2 $\sqrt[4]{9^2}+\sqrt[4]{8}\sqrt[4]{2}+\sqrt{\sqrt[3]{64}}$ 를 간단히 하면?

① 2 　　　　② $2\sqrt{2}$ 　　　　③ $4\sqrt{2}$

④ 7 　　　　⑤ 8

3 $\dfrac{1}{2}\log_2 3+\log_2\sqrt{6}-\log_2\dfrac{3}{2}$ 의 값을 구하시오.

4 $\log_{10} 2=a$, $\log_{10} 3=b$일 때, $\log_{10}\sqrt{54}$ 를 a, b로 나타내시오.

5 다음 함수 중 임의의 실수 a, b에 대하여 $a<b$일 때 $f(a)>f(b)$를 만족시키는 함수는?

① $f(x)=2^x$ 　　　　② $f(x)=\left(\dfrac{3}{2}\right)^x$

③ $f(x)=\left(\dfrac{1}{3}\right)^x$ 　　　　④ $f(x)=(\sqrt{3})^x$

⑤ $f(x)=\left(\dfrac{\sqrt{5}}{2}\right)^x$

$a<b$일 때 $f(a)>f(b)$이면 감소하는 함수를 의미해.

6 다음 보기의 함수의 그래프 중 함수 $y=4^x$의 그래프를 평행이동 또는 대칭이동하여 겹쳐질 수 있는 것을 있는 대로 고른 것은?

┤ 보기 ├

ㄱ. $y=2^{2x-1}$ ㄴ. $y=\left(\dfrac{1}{4}\right)^{x-2}$

ㄷ. $y=-\sqrt{2}\times 4^x-1$

① ㄱ ② ㄴ ③ ㄱ, ㄷ
④ ㄴ, ㄷ ⑤ ㄱ, ㄴ, ㄷ

7 다음은 세은이가 방정식 $4^x-3\times 2^{x+1}+8=0$을 풀어 모든 해의 합을 구한 것이다. 틀린 것을 바르게 고쳤을 때, 모든 해의 합을 구하시오.

$4^x-3\times 2^{x+1}+8=0$에서
$(2^x)^2-3\times 2^x\times 2+8=0$
이때, $2^x=t\,(t>0)$로 놓으면
$t^2-6t+8=0,\ (t-2)(t-4)=0$
$\therefore t=2$ 또는 $t=4$
따라서 구하는 모든 해의 합은 $2+4=6$

8 함수 $f(x)=\log_3 x+k\log_x 81$에 대하여 $f(81)=f(243)$일 때, 상수 k의 값을 구하시오.

9 함수 $y=\log_5(x-3)+1$의 그래프에 대한 다음 설명 중 옳은 것은?

① 정의역은 $\{x\,|\,x>-3\}$, 치역은 $\{y\,|\,y$는 실수$\}$이다.
② 그래프의 점근선의 방정식은 $x=3$이다.
③ x의 값이 증가하면 y의 값은 감소한다.
④ 점 $(4,2)$를 지난다.
⑤ 함수 $y=\log_5 x$의 그래프를 x축의 방향으로 -3만큼, y축의 방향으로 1만큼 평행이동한 것이다.

10 방정식 $\log_6 x+\log_6(x+1)=1$의 해를 구하시오.

(진수)>0임을 잊으면 안 돼!

1 다음 각의 동경 중에서 120°의 동경과 같은 사분면에 속하는 것은?

① 300°　　　　② −1020°　　　③ 860°

④ 1060°　　　　⑤ −470°

2 다음 중 옳지 <u>않은</u> 것은?

① $\dfrac{4}{5}\pi = 144°$　　　　② $135° = \dfrac{3}{4}\pi$

③ $210° = \dfrac{7}{6}\pi$　　　　④ $300° = \dfrac{5}{4}\pi$

⑤ $\dfrac{11}{6}\pi = 330°$

(육십분법의 각) $\times \dfrac{\pi}{180}$
$=$ (호도법의 각)

3 호의 길이가 6, 넓이가 9인 부채꼴의 중심각의 크기를 θ라 할 때, θ를 구하시오.

4 θ가 제4사분면의 각일 때, 다음 삼각함수의 값의 부호가 양수인 것은?

① $\sin\theta$　　　　　② $\tan\theta$

③ $\sin\theta\cos\theta$　　　④ $\sin\theta\tan\theta$

⑤ $\cos\theta\tan\theta$

얼(all) → 싸(sin)
→ 안(tan) → 코(cos)
를 떠올려 봐.

5 θ가 제3사분면의 각이고, $\cos\theta = -\dfrac{3}{5}$일 때,

$\dfrac{1}{\tan\theta} - \dfrac{1}{\sin\theta}$의 값을 구하시오.

6 함수 $y=4\sin 2x$의 그래프에 대한 다음 설명 중 옳은 것은?

① 정의역은 0이 아닌 실수 전체의 집합이다.

② 최댓값은 4이고, 최솟값은 -4이다.

③ 치역은 $\{y\,|\,-2\leq y\leq 2\}$이다.

④ 주기는 2π이다.

⑤ 함수 $y=\sin x$의 그래프를 x축의 방향으로 4배, y축의 방향으로 $\dfrac{1}{2}$배한 그래프이다.

8 다음 중 삼각함수의 변형이 옳지 <u>않은</u> 것을 고르시오.

까짓 거~
이 정도 쯤이야!

① $\sin\left(\dfrac{3}{2}\pi+\theta\right)=-\cos\theta$

② $\cos\left(\dfrac{\pi}{2}-\theta\right)=\sin\theta$

③ $\cos(\pi+\theta)=-\cos\theta$

④ $\tan\left(\dfrac{\pi}{2}-\theta\right)=-\dfrac{1}{\tan\theta}$

7 함수 $y=a\cos(bx-c)$의 그래프가 다음 그림과 같을 때, 상수 a, b, c에 대하여 abc의 값을 구하시오. (단, $a>0$, $b>0$, $0<c<\pi$)

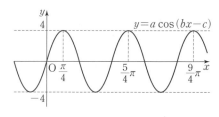

9 $0\leq x<2\pi$일 때, 방정식 $2\sin x=-\sqrt{2}$의 모든 근의 합을 구하시오.

10 $0\leq x<2\pi$일 때, 부등식 $2\cos x-1\geq 0$을 푸시오.

6일 서술형·사고력 테스트

1 $(1-2^{\frac{1}{4}})(1+2^{\frac{1}{4}})(1+2^{\frac{1}{2}})(1+2)(1+2^2)$의 값을 구하시오. [7점]

풀이

주어진 식의 값: _____

2 이차방정식 $x^2+6x+4=0$의 두 근이 $\log_4 a$, $\log_4 b$ 일 때, $\log_a b+\log_b a$의 값을 구하시오. [8점]

풀이

$\log_a b+\log_b a$의 값: _____

3 부등식 $\left(\dfrac{1}{3}\right)^{x^2}\leq\left(\dfrac{1}{9}\right)^{x^2+x-4}$을 만족시키는 실수 x의 최댓값과 최솟값의 곱을 구하시오. [8점]

풀이

밑을 같게 한 다음 지수를 비교하면 돼.

최댓값과 최솟값의 곱: _____

4 $0<a<1$일 때, 부등식
$$2\log_a(x-4)\geq\log_a(x-2)$$
를 만족시키는 정수 x의 개수를 구하시오. [10점]

풀이

정수 x의 개수: _____

5 $\sqrt{(\cos\theta-\sin\theta)^2}-\sqrt{\sin^2\theta}-\sqrt{(1+\cos\theta)^2}$의 값을 구하시오. $\left(\text{단, } \dfrac{3}{2}\pi<\theta<2\pi\right)$ [8점]

풀이

$\sqrt{a^2}=|a|$임을 이용해 봐.

주어진 식의 값: _____

6 $\sin\theta+\cos\theta=-\dfrac{1}{2}$일 때, $\dfrac{\cos\theta}{\sin\theta}+\dfrac{\sin\theta}{\cos\theta}$의 값을 구하시오. [8점]

풀이

주어진 식의 값: _____

7 사고력

오실로스코프에 교류 파형이 사인함수 그래프로 나타났어요.

교류의 파형에서 최댓값을 진폭, 한 번 진동하는 데 걸리는 시간을 주기, 1초 동안 진동한 횟수를 주파수라 하지.

위 교류에서 전류를 y, 시간을 t(초)라 할 때, 오실로스코프에 나타난 파형이 함수 $y=2\sin 60\pi t$의 그래프와 같았다고 한다. 교류 파형의 진폭을 a, 주기를 b, 주파수를 c라 할 때, $30(a+b+c)$의 값을 구하시오. [8점]

풀이

$30(a+b+c)$의 값: _____

창의·융합·코딩

1

다음은 기쁨이가 동생을 돌보고 있는 장면이다.

부피가 3^6, 3^5인 두 찰흙 덩어리를 합쳐서 부피가 같은 정육면체 블록 36개를 만들어 볼까?

응, 누나~ 나도 같이 만들래.

위의 대화를 읽고, 기쁨이와 동생이 만들어야 하는 정육면체 블록 한 개의 한 모서리의 길이를 구하시오.

2

다음 그림은 1이 아닌 두 양수 a, b에 대하여 두 연산 E, L을 실행한 결과를 각각 나타낸 것이다.

a
b — E — a^b

a
b — L — $\log_a b$

아래 그림과 같은 연산을 만족시키는 상수 x, y에 대하여 $x+y$의 값을 구하시오.

3
$\log_3 2$ — E — x
y — L — 5

3

다음 문제를 두 사람이 말한 방법으로 각각 푸시오.

> 방정식 $(\log_3 x)^2 - 5\log_3 x + 4 = 0$의 두 근을 α, β라 할 때, $\alpha\beta$의 값을 구하시오.

$\log_3 x$를 t로 치환한 식에서 근과 계수의 관계를 이용할래.

희진

$\log_3 x$를 t로 치환한 식을 풀어 두 근 α, β를 직접 구할 거야.

민석

4

다음 그림은 길이가 50 cm인 자동차 와이퍼가 $\dfrac{3}{5}\pi$만큼 회전한 모양을 나타낸 것이다. 이 와이퍼에서 유리창을 닦는 고무판의 길이가 40 cm일 때, 이 와이퍼의 고무판이 회전하면서 닦은 부분의 넓이를 구하시오.

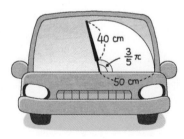

5

> 열차가 출발점에서 수평 방향으로 x m만큼 떨어진 위치에 있을 때, 이 열차의 높이를 y m라 하면 $y = a\sin bx + c$가 돼.

롤러코스터의 한 구간이 위 설명처럼 설계되었다고 하면 이 구간의 그래프는 다음 그림과 같다. 이때, 양수 a, b, c에 대하여 abc의 값을 구하시오.

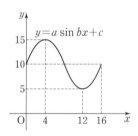

1. 지수와 로그 ▶ 1~5
2. 지수함수 ▶ 6~9
3. 로그함수 ▶ 10~13
4. 삼각함수 ▶ 14~17
5. 삼각함수의 그래프 ▶ 18~20

1 다음은 네 명의 학생이 거듭제곱근에 대하여 설명한 것이다. 바르게 설명한 학생을 찾으시오. [4점]

나래
−27의 세제곱근 중에서 실수인 것은 없어.

수현
4는 64의 세제곱근 중의 하나야.

지아
−81의 네제곱근 중에서 실수인 것은 $\sqrt[4]{-81}$이야.

준수
$\sqrt[3]{3}$은 27의 세제곱근이야.

2 $\sqrt{\sqrt[3]{64^2}} \times 16^{-\frac{1}{4}} \div (8^{\frac{2}{3}})^{-\frac{1}{4}} = 2^k$을 만족시키는 실수 k에 대하여 $2k$의 값은? [4점]

① 1　　　　② 2　　　　③ 3
④ 4　　　　⑤ 5

3 $\log_{x-1}(-x^2+x+20)$이 정의되도록 하는 정수 x의 개수는? [4점]

① 1　　　　② 2　　　　③ 3
④ 4　　　　⑤ 5

밑의 조건과
진수의 조건을
모두 만족해야 해.

4 $(\log_4 3 + \log_2 27)(\log_3 8 + \log_9 4)$의 값은? [4점]

① 8　　　　② 10　　　　③ 12
④ 14　　　　⑤ 16

5 $\log_5 2 = a$, $\log_5 3 = b$일 때, $\log_{24} 48$을 a, b로 나타낸 것은? [4점]

① $\dfrac{2a+b}{a+b}$　　② $\dfrac{3a+b}{2a+b}$　　③ $\dfrac{4a+b}{3a+b}$
④ $\dfrac{5a+b}{4a+b}$　　⑤ $\dfrac{6a+b}{5a+b}$

정답과 해설 **96**쪽

6 함수 $y=2^{-x}-1$의 그래프에 대한 다음 설명 중 옳지 <u>않은</u> 것은? [4점]

① 원점을 지난다.

② 점근선의 방정식은 $y=-1$이다.

③ 정의역은 실수 전체의 집합이다.

④ x의 값이 증가하면 y의 값은 감소한다.

⑤ 함수 $y=2^{-x}$의 그래프를 y축의 방향으로 1만큼 평행이동한 것이다.

7 함수 $y=2^x+a$의 그래프를 y축에 대하여 대칭이동한 그래프와 x축의 방향으로 b만큼 평행이동한 그래프가 모두 점 $(1, 3)$을 지날 때, 상수 a, b에 대하여 ab의 값은? [5점]

① 5 ② 6 ③ 7

④ 8 ⑤ 9

8 $-1 \le x \le 2$에서 함수 $y=2^{-3x} \times 3^x$의 최댓값 M과 최솟값 m에 대하여 Mm의 값을 구하고, 그 풀이 과정을 쓰시오. [8점]

9 부등식 $3^{x^2} \le 9^{4+x}$을 만족시키는 정수 x의 개수는? [5점]

① 6 ② 7 ③ 8

④ 9 ⑤ 10

밑을 같게 한 다음 지수를 비교하면 돼.

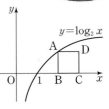

10 오른쪽 그림에서 사각형 ABCD는 한 변의 길이가 1인 정사각형이고, 점 A는 함수 $y=\log_2 x$의 그래프 위에 있다. 점 D의 좌표를 (a, b)라 할 때, $a-b$의 값은? [5점]

① 1 ② $\dfrac{3}{2}$ ③ 2

④ $\dfrac{5}{2}$ ⑤ 3

11 함수 $f(x) = 4\log_2(x+3) + 1$과 일대일대응인 함수 $g(x)$에 대하여 $f(g(x)) = x$일 때, $g(9)$의 값은? [5점]

① 1   ② 2   ③ 3

④ 4   ⑤ 5

$f(g(x)) = x$이므로 $g(x)$는 $f(x)$의 역함수야.

12 방정식 $\left(\log_2 \dfrac{x}{2}\right)^2 - \log_2 x - 2 = 0$의 두 근을 α, β라 할 때, $\alpha\beta$의 값은? [5점]

① $\dfrac{1}{8}$ ② $\dfrac{1}{2}$ ③ 1

④ 2   ⑤ 8

13 이차방정식 $x^2 - 2(1 + \log_2 a)x + 1 = 0$이 실근을 가지도록 하는 실수 a의 값의 범위가 $0 < a \le p$ 또는 $a \ge q$일 때, $80pq$의 값을 구하고, 그 풀이 과정을 쓰시오. [8점]

14 다음 각의 동경 중에서 다른 사분면에 속하는 것은? [4점]

① $-\dfrac{3}{4}\pi$ ② $-\dfrac{29}{6}\pi$ ③ $\dfrac{17}{3}\pi$

④ $\dfrac{43}{6}\pi$ ⑤ $\dfrac{5}{4}\pi$

15 반지름의 길이가 4, 넓이가 10π인 부채꼴의 둘레의 길이가 $a + b\pi$일 때, 자연수 a, b에 대하여 $a + b$의 값은? [4점]

① 11   ② 13   ③ 15

④ 17   ⑤ 19

부채꼴의 둘레의 길이는 $2r + l$이야.

정답과 해설 **96**쪽

16 $\sqrt{\cos^2\theta}+\sqrt{(1+\cos\theta)^2}$의 값은?

$$\left(단,\ \pi<\theta<\frac{3}{2}\pi\right)\ [4점]$$

① -2 ② -1 ③ 0
④ 1 ⑤ 2

서술형

17 θ가 제2사분면의 각이고, $\sin\theta+\cos\theta=\frac{1}{2}$일 때,
$\sin\theta-\cos\theta$의 값을 구하고, 그 풀이 과정을 쓰시오. [8점]

18 함수 $f(x)=a\cos\left(bx-\frac{\pi}{2}\right)+c$의 최댓값이 5, 최솟값이 -1, 주기가 π일 때, $f\left(\frac{\pi}{2}\right)$의 값은?

$$(단,\ a,\ b,\ c는\ 상수,\ a>0,\ b>0)\ [5점]$$

① -2 ② -1 ③ 0
④ 1 ⑤ 2

19 함수 $y=a\sin(bx-c)$의 그래프가 다음 그림과 같을 때, 상수 a, b, c에 대하여 abc의 값은?

$$(단,\ a>0,\ b>0,\ 0<c<\pi)\ [5점]$$

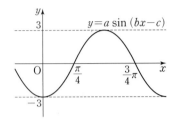

① -3π ② $-\frac{2}{3}\pi$ ③ $\frac{\pi}{3}$
④ $\frac{2}{3}\pi$ ⑤ 3π

20 이차방정식 $x^2+4x\sin\theta+3=0$이 중근을 가질 때, 모든 θ의 값의 합은? (단, $0\le\theta\le\pi$) [5점]

① $\frac{\pi}{3}$ ② $\frac{\pi}{2}$ ③ $\frac{2}{3}\pi$
④ π ⑤ $\frac{3}{2}\pi$

중근을 가지면
판별식 $D=0$이야.

1 $(\sqrt[3]{2^2})^6 \times (\sqrt{2})^{\frac{1}{2}} \div \sqrt[4]{2}$를 간단히 하면? [4점]

① 4   ② $4\sqrt{2}$ ③ 8

④ $8\sqrt{2}$ ⑤ 16

2 세 수 $A=\sqrt[3]{3\sqrt{3}}$, $B=\sqrt{2\sqrt[3]{2}}$, $C=\sqrt[6]{4\sqrt{4}}$의 대소 관계를 바르게 나타낸 것은? [4점]

① $A<B<C$ ② $A<C<B$

③ $B<C<A$ ④ $C<A<B$

⑤ $C<B<A$

3 $\log_2\left(1-\dfrac{1}{2}\right)+\log_2\left(1-\dfrac{1}{3}\right)+\log_2\left(1-\dfrac{1}{4}\right)$
$$+ \cdots +\log_2\left(1-\dfrac{1}{64}\right)$$

의 값은? [4점]

① -8 ② -7 ③ -6

④ 7   ⑤ 8

서술형

4 $3^a=2$, $3^b=5$일 때, $\log_{18} 20$을 a, b로 나타내고, 그 풀이 과정을 쓰시오. [7점]

5 다음 상용로그 중 소수 부분이 다른 것은? [4점]

① $\log 0.0057$ ② $\log 0.507$

③ $\log 5.07$ ④ $\log 507$

⑤ $\log 507000$

소수 부분을 구하지 않아도 알 수 있는 방법이 있지!

정답과 해설 **99**쪽

6 오른쪽 그림은 함수 $y=3^x$의 그래프와 직선 $y=x$를 그린 것이다. 실수 a, b, c에 대하여 $\dfrac{bc}{a}$의 값은? [4점]

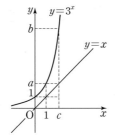

① 9   ② 27
③ 81   ④ 243
⑤ 729

7 함수 $y=2^{x-1}+1$의 그래프를 x축의 방향으로 a만큼, y축의 방향으로 b만큼 평행이동한 그래프가 함수 $y=2^x$의 그래프와 일치하였다. 이때, 상수 a, b에 대하여 $a+b$의 값은? [4점]

① -4 ② -3 ③ -2
④ -1 ⑤ 0

8 $0 \leq x \leq 3$에서 함수 $y=4^x-2^{x+2}+a$의 최솟값이 -3이다. 상수 a와 최댓값 M에 대하여 $a+M$의 값은? [5점]

① 28   ② 30   ③ 32
④ 34   ⑤ 36

9 방정식 $10^x=\left(\dfrac{1}{100}\right)^{1-x}$의 근을 α라 할 때, $4^\alpha+9^{\frac{1}{\alpha}}$의 값은? [5점]

① 15   ② 16   ③ 17
④ 18   ⑤ 19

밑을 같게 한 다음 지수를 비교하면 돼.

서술형

10 방정식 $\log_2\{\log_2(\log_2 x)\}=1$을 만족시키는 실수 x의 값을 구하고, 그 풀이 과정을 쓰시오. [7점]

(진수)>0임을 잊으면 안 돼!

11 $1 \leq x \leq 243$에서 함수 $y = \left(\log_3 \dfrac{x}{3} \right) \left(\log_3 \dfrac{x}{27} \right)$의 최댓값을 M, 최솟값을 m이라 할 때, $M-m$의 값은? [5점]

① 1   ② 3   ③ 9
④ 27   ⑤ 81

12 x에 대한 이차방정식 $x^2 + x \log a^2 + \log a^2 + 3 = 0$이 중근을 갖도록 하는 모든 상수 a의 값의 곱은? [5점]

① $\dfrac{1}{100}$ ② $\dfrac{1}{10}$ ③ 1
④ 10   ⑤ 100

이차방정식의 근에 대한 조건이 나오면 판별식 D를 이용해 봐.

13 부등식 $\log_2 (5-x) + \log_2 (5+x) > 4$를 만족시키는 정수 x의 최댓값은? [5점]

① -1 ② 0   ③ 1
④ 2   ⑤ 3

14 두 점 $P(\sqrt{3}, 1)$, $Q(-1, \sqrt{3})$과 원점 O를 각각 이은 두 동경 OP, OQ가 나타내는 각을 각각 α, β라 할 때, $\cos \alpha + \sin \beta$의 값은? [4점]

① $-\sqrt{3}$ ② -1 ③ 0
④ 1   ⑤ $\sqrt{3}$

좌표평면 위에 동경을 그려 봐.

15 길이가 16인 철사로 만든 부채꼴의 넓이가 최대일 때, 반지름의 길이 r, 중심각의 크기 θ라디안에 대하여 $r+\theta$의 값은? [5점]

① 3   ② 4   ③ 5
④ 6   ⑤ 7

16 θ가 제2사분면의 각이고, $\tan \theta = -2$일 때, $\sin \theta - \cos \theta$의 값은? [5점]

① $\dfrac{\sqrt{5}}{5}$ ② $\dfrac{2\sqrt{5}}{5}$ ③ $\dfrac{3\sqrt{5}}{5}$
④ $\dfrac{4\sqrt{5}}{5}$ ⑤ $\sqrt{5}$

서술형

17 이차방정식 $x^2 - ax + 2 = 0$의 두 근이 $\dfrac{1}{\sin \theta}$, $\dfrac{1}{\cos \theta}$ 일 때, a^2의 값을 구하고, 그 풀이 과정을 쓰시오. (단, a는 상수) [8점]

18 함수 $f(x) = \sin\left(\dfrac{\pi}{2}x - \dfrac{\pi}{6}\right) + \dfrac{1}{2}$에 대한 다음 설명 중 옳은 것은? [5점]

① $f(1) = 1$

② 최댓값은 $\dfrac{3}{2}$이고, 최솟값은 $-\dfrac{3}{2}$이다.

③ 함수 $y = f(x)$의 치역은 $\left\{ y \,\middle|\, -\dfrac{1}{2} \leq y \leq \dfrac{1}{2} \right\}$이다.

④ 모든 실수 x에 대하여 $f(x+2) = f(x)$이다.

⑤ 함수 $y = f(x)$의 그래프는 함수 $y = \sin \dfrac{\pi}{2}x$의 그래프를 x축의 방향으로 $\dfrac{1}{3}$만큼, y축의 방향으로 $\dfrac{1}{2}$만큼 평행이동한 것이다.

19 $\cos^2 \dfrac{\pi}{16} + \cos^2 \dfrac{2}{16}\pi + \cos^2 \dfrac{3}{16}\pi + \cdots + \cos^2 \dfrac{7}{16}\pi$ 의 값은? [5점]

① $\dfrac{7}{2}$ ② 4   ③ $\dfrac{9}{2}$

④ 5   ⑤ $\dfrac{11}{2}$

20 부등식 $2 \sin^2 x + 3 \cos x \leq 0$의 해는? (단, $0 \leq x < 2\pi$) [5점]

① $0 \leq x \leq \dfrac{\pi}{3}$ ② $\dfrac{\pi}{3} \leq x \leq \dfrac{2}{3}\pi$

③ $\dfrac{2}{3}\pi \leq x \leq \dfrac{4}{3}\pi$ ④ $\dfrac{4}{3}\pi \leq x \leq \dfrac{5}{3}\pi$

⑤ $\dfrac{5}{3}\pi \leq x < 2\pi$

$\sin^2 x + \cos^2 x = 1$임을 이용하여 하나의 삼각함수에 대한 부등식으로 고쳐 봐.

Memo

7일 끝! 중간

정답과 해설

1 (1) $\sqrt{5}, -\sqrt{5}$ (2) 4   (3) $-\dfrac{1}{3}$

2 (1) 5   (2) 2   (3) 6   (4) 2   (5) $\sqrt{7}$

3 (1) $5^{\frac{1}{4}}$ (2) $2^{\frac{9}{2}}$ (3) $3^{\frac{4}{7}}$ (4) $\left(\dfrac{1}{3}\right)^{\frac{2}{3}}$

4 (1) $3^{\sqrt{2}}$ (2) $5^{6\sqrt{5}}$ (3) $\dfrac{1}{64}$ (4) $2^{3\sqrt{2}}$

5 (1) $5 = \log_2 32$ (2) $-\dfrac{4}{3} = \log_{27}\dfrac{1}{81}$

    (3) $\left(\dfrac{1}{2}\right)^{-3} = 8$ (4) $7^{\frac{1}{2}} = \sqrt{7}$

6 (1) $1 < x < 2$ 또는 $x > 2$ (2) $x < \dfrac{3}{2}$ 또는 $\dfrac{3}{2} < x < 2$

    (3) $x > -3$ (4) $x < -2$ 또는 $x > \dfrac{1}{2}$

7 (1) 2   (2) -2 (3) -1

8 (1) $\dfrac{1}{\log_5 3}$ (2) $\dfrac{\log_5 3}{\log_5 2}$

9 (1) 2.4487   (2) 1.4487   (3) -0.5513

1 (1) 5의 제곱근을 x라 하면 $x^2 = 5$이므로
$x = \pm\sqrt{5}$
따라서 5의 제곱근 중 실수인 것은 $\sqrt{5}, -\sqrt{5}$이다.

    (2) 64의 세제곱근을 x라 하면 $x^3 = 64$이므로
$x^3 - 64 = 0, (x-4)(x^2+4x+16) = 0$
$\therefore x = 4$ 또는 $x = -2 \pm 2\sqrt{3}i$
따라서 64의 세제곱근 중 실수인 것은 4이다.

    (3) $-\dfrac{1}{27}$의 세제곱근을 x라 하면 $x^3 = -\dfrac{1}{27}$이므로
$x^3 + \dfrac{1}{27} = 0, \left(x+\dfrac{1}{3}\right)\left(x^2 - \dfrac{1}{3}x + \dfrac{1}{9}\right) = 0$
$\therefore x = -\dfrac{1}{3}$ 또는 $x = \dfrac{1 \pm \sqrt{3}i}{6}$
따라서 $-\dfrac{1}{27}$의 세제곱근 중 실수인 것은 $-\dfrac{1}{3}$이다.

2 (1) $\sqrt[3]{5}\,\sqrt[3]{25} = \sqrt[3]{5 \times 5^2} = \sqrt[3]{5^3} = 5$

    (2) $\dfrac{\sqrt[4]{48}}{\sqrt[4]{3}} = \sqrt[4]{\dfrac{48}{3}} = \sqrt[4]{16} = \sqrt[4]{2^4} = 2$

    (3) $(\sqrt[4]{36})^2 = \sqrt[4]{36^2} = \sqrt[4]{6^4} = 6$

    (4) $\sqrt{\sqrt[4]{256}} = \sqrt[8]{256} = \sqrt[8]{2^8} = 2$

    (5) $\sqrt[10]{7^5} = \sqrt[5\times2]{7^5} = \sqrt{7}$

3 (2) $\sqrt{2^9} = \sqrt[2]{2^9} = 2^{\frac{9}{2}}$

    (3) $\sqrt[7]{81} = \sqrt[7]{3^4} = 3^{\frac{4}{7}}$

    (4) $\sqrt[6]{3^{-4}} = \sqrt[6]{(3^{-1})^4} = (3^{-1})^{\frac{4}{6}} = \left(\dfrac{1}{3}\right)^{\frac{2}{3}}$

4 (1) $3^{-\sqrt{2}} \times 3^{\sqrt{8}} = 3^{-\sqrt{2}} \times 3^{2\sqrt{2}} = 3^{-\sqrt{2}+2\sqrt{2}} = 3^{\sqrt{2}}$

    (2) $5^{\sqrt{5}} \div 5^{-\sqrt{125}} = 5^{\sqrt{5}} \div 5^{-5\sqrt{5}} = 5^{\sqrt{5}-(-5\sqrt{5})} = 5^{6\sqrt{5}}$

    (3) $\left(4^{-\sqrt{3}}\right)^{\sqrt{3}} = 4^{-\sqrt{3}\times\sqrt{3}} = 4^{-3} = \dfrac{1}{4^3} = \dfrac{1}{64}$

    (4) $2^{\sqrt{32}} \div 2^{3\sqrt{2}} \times 2^{\sqrt{8}} = 2^{4\sqrt{2}} \div 2^{3\sqrt{2}} \times 2^{2\sqrt{2}}$
$= 2^{4\sqrt{2}-3\sqrt{2}+2\sqrt{2}} = 2^{3\sqrt{2}}$

6 (1) 밑의 조건에서 $x - 1 > 0, x - 1 \neq 1$이므로
$x > 1, x \neq 2$
$\therefore 1 < x < 2$ 또는 $x > 2$

    (2) 밑의 조건에서 $4 - 2x > 0, 4 - 2x \neq 1$이므로
$x < 2, x \neq \dfrac{3}{2}$
$\therefore x < \dfrac{3}{2}$ 또는 $\dfrac{3}{2} < x < 2$

    (3) 진수의 조건에서 $x + 3 > 0$이므로
$x > -3$

    (4) 진수의 조건에서 $2x^2 + 3x - 2 > 0$이므로
$(2x-1)(x+2) > 0$
$\therefore x < -2$ 또는 $x > \dfrac{1}{2}$

7 (1) $\log_6 4 + \log_6 9 = \log_6(4 \times 9) = \log_6 36$
$= \log_6 6^2$
$= 2$

    (2) $\log_2 36 - 4\log_2\sqrt{12} = \log_2 36 - \log_2 144$
$= \log_2\dfrac{36}{144} = \log_2\dfrac{1}{4}$
$= \log_2 2^{-2}$
$= -2$

    (3) $\log_3 12 + \log_3\dfrac{4}{3} - \log_3 48 = \log_3\left(12 \times \dfrac{4}{3} \times \dfrac{1}{48}\right)$
$= \log_3\dfrac{1}{3} = \log_3 3^{-1}$
$= -1$

8 (1) $\log_9 25 = \dfrac{\log_5 25}{\log_5 9} = \dfrac{\log_5 5^2}{\log_5 3^2} = \dfrac{2}{2\log_5 3} = \dfrac{1}{\log_5 3}$

    (2) $\log_{16} 81 = \dfrac{\log_5 81}{\log_5 16} = \dfrac{\log_5 3^4}{\log_5 2^4} = \dfrac{4\log_5 3}{4\log_5 2} = \dfrac{\log_5 3}{\log_5 2}$

9 (1) $\log 281 = \log(100 \times 2.81) = \log 10^2 + \log 2.81$
$= 2 + 0.4487 = 2.4487$

(2) $\log 28.1 = \log(10 \times 2.81) = \log 10 + \log 2.81$
$= 1 + 0.4487 = 1.4487$

(3) $\log 0.281 = \log(10^{-1} \times 2.81) = \log 10^{-1} + \log 2.81$
$= -1 + 0.4487 = -0.5513$

1일 교과서 기출 베스트 1회

12~13쪽

1 8	**2** 12	**3** ③
4 $\sqrt[6]{11} < \sqrt[3]{5} < \sqrt{3}$	**5** 7	**6** $-\dfrac{5}{2}$
7 $2a+4b$	**8** -5	

1 $a = \sqrt[3]{2^{12}} = 2^{\frac{12}{3}} = 2^4 = 16$

16의 네제곱근을 x라 하면 $x^4 = 16$이므로

$x^4 - 16 = 0$, $(x^2-4)(x^2+4) = 0$

$\therefore x = \pm 2$ 또는 $x = \pm 2i$

따라서 16의 네제곱근 중에서 실수인 것은 -2, 2이므로

$p^2 + q^2 = (-2)^2 + 2^2 = 4 + 4 = 8$

2 $\sqrt[5]{32^2} \times (\sqrt[3]{3})^6 \times \sqrt[3]{64} = \sqrt[5]{(2^5)^2} \times \sqrt[3]{3^6} \times \sqrt[3]{2^6}$
$= \sqrt[5]{(2^2)^5} \times \sqrt[3]{(3^3)^3} \times \sqrt[3]{(2^2)^3}$
$= 2^2 \times 3^2 \times 2^2$
$= (2^2 \times 3)^2 = 12^2$

$\therefore a = 12$

3 $a = \sqrt{2}$에서 $a = 2^{\frac{1}{2}}$

$b^3 = \sqrt{5}$에서 $b = \sqrt[3]{\sqrt{5}} = 5^{\frac{1}{6}}$

$\therefore (ab)^4 = (2^{\frac{1}{2}} \times 5^{\frac{1}{6}})^4 = 2^{\frac{1}{2} \times 4} \times 5^{\frac{1}{6} \times 4}$
$= 2^2 \times 5^{\frac{2}{3}} = 4 \times 5^{\frac{2}{3}}$

4 세 수 $\sqrt{3}$, $\sqrt[3]{5}$, $\sqrt[6]{11}$을 지수가 유리수인 거듭제곱 꼴로 나타내면

$\sqrt{3} = 3^{\frac{1}{2}}$, $\sqrt[3]{5} = 5^{\frac{1}{3}}$, $\sqrt[6]{11} = 11^{\frac{1}{6}}$

2, 3, 6의 최소공배수가 6이므로

$3^{\frac{1}{2}} = 3^{\frac{3}{6}} = (3^3)^{\frac{1}{6}} = 27^{\frac{1}{6}}$

$5^{\frac{1}{3}} = 5^{\frac{2}{6}} = (5^2)^{\frac{1}{6}} = 25^{\frac{1}{6}}$

이때, $11 < 25 < 27$이므로 $11^{\frac{1}{6}} < 25^{\frac{1}{6}} < 27^{\frac{1}{6}}$

$\therefore \sqrt[6]{11} < \sqrt[3]{5} < \sqrt{3}$

다른 풀이 1

2, 3, 6의 최소공배수가 6이므로

$(\sqrt{3})^6 = (3^{\frac{1}{2}})^6 = 3^3 = 27$

$(\sqrt[3]{5})^6 = (5^{\frac{1}{3}})^6 = 5^2 = 25$

$(\sqrt[6]{11})^6 = (11^{\frac{1}{6}})^6 = 11$

이때, $11 < 25 < 27$이므로 $\sqrt[6]{11} < \sqrt[3]{5} < \sqrt{3}$

다른 풀이 2

2, 3, 6의 최소공배수가 6이므로

$\sqrt{3} = \sqrt[6]{3^3} = \sqrt[6]{27}$, $\sqrt[3]{5} = \sqrt[6]{5^2} = \sqrt[6]{25}$

이때, $\sqrt[6]{11} < \sqrt[6]{25} < \sqrt[6]{27}$이므로 $\sqrt[6]{11} < \sqrt[3]{5} < \sqrt{3}$

5 $\log_{x-1}(-2x^2+11x-5)$가 정의되려면

밑의 조건에서 $x-1 > 0$, $x-1 \neq 1$이므로

$x > 1$, $x \neq 2$

$\therefore 1 < x < 2$ 또는 $x > 2$ ...... ㉠

진수의 조건에서 $-2x^2 + 11x - 5 > 0$이므로

$2x^2 - 11x + 5 < 0$, $(2x-1)(x-5) < 0$

$\therefore \dfrac{1}{2} < x < 5$ ...... ㉡

㉠, ㉡의 공통 범위를 구하면

$1 < x < 2$ 또는 $2 < x < 5$

따라서 $\log_{x-1}(-2x^2+11x-5)$가 정의되도록 하는 정수 x

는 3, 4이므로 구하는 합은

$3 + 4 = 7$

6 $(\log_5 2 - \log_{\sqrt{5}} 8)(\log_2 5 + \log_{\frac{1}{2}} \sqrt{5})$
$= (\log_5 2 - \log_{5^{\frac{1}{2}}} 2^3)(\log_2 5 + \log_{2^{-1}} 5^{\frac{1}{2}})$
$= (\log_5 2 - 6\log_5 2)(\log_2 5 - \dfrac{1}{2}\log_2 5)$
$= -5\log_5 2 \times \dfrac{1}{2}\log_2 5$
$= -\dfrac{5}{2}\log_5 2 \times \dfrac{1}{\log_5 2}$
$= -\dfrac{5}{2}$

7 $\log_{\sqrt{2}} 75 = \log_{2^{\frac{1}{2}}}(3 \times 5^2)$
$= 2\log_2(3 \times 5^2)$
$= 2(\log_2 3 + \log_2 5^2)$
$= 2\log_2 3 + 4\log_2 5$
$= 2a + 4b$

정답과 해설 **75**

8 이차방정식 $x^2-3x-3=0$의 근과 계수의 관계에 의하여

$\log_2\alpha+\log_2\beta=3$, $\log_2\alpha\times\log_2\beta=-3$

$$\therefore \log_\alpha\beta+\log_\beta\alpha=\frac{\log_2\beta}{\log_2\alpha}+\frac{\log_2\alpha}{\log_2\beta}$$
$$=\frac{(\log_2\beta)^2+(\log_2\alpha)^2}{\log_2\alpha\times\log_2\beta}$$
$$=\frac{(\log_2\alpha+\log_2\beta)^2-2\log_2\alpha\times\log_2\beta}{\log_2\alpha\times\log_2\beta}$$
$$=\frac{3^2-2\times(-3)}{-3}=-5$$

1일 교과서 기출 베스트 2회　14~15쪽

1 ③	**2** $6\sqrt{5}$	**3** 1
4 12	**5** $\dfrac{\sqrt{5}}{5}$	**6** $\sqrt[3]{2}<\sqrt[9]{10}<\sqrt[6]{5}$
7 6	**8** $\log_2 3$	**9** 21
10 5	**11** -2	**12** 3.9501

1 ① $\sqrt{(-2)^2}=\sqrt{2^2}=2$이므로 2의 제곱근은 $\pm\sqrt{2}$이다.

② $3^3=27$이므로 3은 27의 세제곱근이다.

③ 4의 네제곱근을 x라 하면 $x^4=4$이므로

$x^4-4=0$, $(x^2-2)(x^2+2)=0$

$\therefore x=\pm\sqrt{2}$ 또는 $x=\pm\sqrt{2}i$

따라서 4의 네제곱근은 4개이다.

④ n이 2 이상인 짝수일 때, 6의 n제곱근 중 실수인 것은 $\pm\sqrt[n]{6}$의 2개이다.

⑤ n이 2 이상인 홀수일 때, -7의 n제곱근 중 실수인 것은 $\sqrt[n]{-7}$로 1개뿐이다.

따라서 옳지 않은 것은 ③이다.

2 216의 세제곱근 중 실수인 것은

$\sqrt[3]{216}=\sqrt[3]{6^3}=6$　$\therefore a=6$

$\sqrt[3]{125}=\sqrt[3]{5^3}=5$이므로 5의 제곱근 중 양수인 것은 $\sqrt{5}$

$\therefore b=\sqrt{5}$

$\therefore ab=6\sqrt{5}$

3 $\sqrt[3]{-64}+\sqrt[4]{3}\times\sqrt[4]{27}+\sqrt{\sqrt[3]{64}}=\sqrt[3]{(-4)^3}+\sqrt[4]{3\times27}+\sqrt[2\times3]{64}$
$=\sqrt[3]{(-4)^3}+\sqrt[4]{3^4}+\sqrt[6]{2^6}$
$=-4+3+2=1$

4 $3^{-4}\times3^6\times\left[\left(\dfrac{27}{64}\right)^{0.5}\right]^{-\frac{2}{3}}=3^{-4+6}\times\left[\left\{\left(\dfrac{3}{4}\right)^3\right\}^{\frac{1}{2}}\right]^{-\frac{2}{3}}$
$=3^2\times\left\{\left(\dfrac{3}{4}\right)^{\frac{3}{2}}\right\}^{-\frac{2}{3}}=3^2\times\left(\dfrac{3}{4}\right)^{-1}$
$=3^2\times\dfrac{4}{3}=12$

5 $\left(\dfrac{1}{8}\right)^{\frac{a}{6}}=(2^{-3})^{\frac{a}{6}}=2^{-\frac{a}{2}}=(2^a)^{-\frac{1}{2}}=5^{-\frac{1}{2}}=\dfrac{1}{\sqrt{5}}=\dfrac{\sqrt{5}}{5}$

6 세 수 $\sqrt[3]{2}$, $\sqrt[6]{5}$, $\sqrt[9]{10}$을 지수가 유리수인 거듭제곱 꼴로 나타내면

$\sqrt[3]{2}=2^{\frac{1}{3}}$, $\sqrt[6]{5}=5^{\frac{1}{6}}$, $\sqrt[9]{10}=10^{\frac{1}{9}}$

3, 6, 9의 최소공배수는 18이므로

$2^{\frac{1}{3}}=2^{\frac{6}{18}}=(2^6)^{\frac{1}{18}}=64^{\frac{1}{18}}$

$5^{\frac{1}{6}}=5^{\frac{3}{18}}=(5^3)^{\frac{1}{18}}=125^{\frac{1}{18}}$

$10^{\frac{1}{9}}=10^{\frac{2}{18}}=(10^2)^{\frac{1}{18}}=100^{\frac{1}{18}}$

이때, $64<100<125$이므로 $64^{\frac{1}{18}}<100^{\frac{1}{18}}<125^{\frac{1}{18}}$

$\therefore \sqrt[3]{2}<\sqrt[9]{10}<\sqrt[6]{5}$

7 $\log_{x+3}(-x^2+3x+10)$이 정의되려면

밑의 조건에서 $x+3>0$, $x+3\neq1$이므로

$x>-3$, $x\neq-2$

$\therefore -3<x<-2$ 또는 $x>-2$　　　　……㉠

진수의 조건에서 $-x^2+3x+10>0$이므로

$x^2-3x-10<0$, $(x+2)(x-5)<0$

$\therefore -2<x<5$　　　　……㉡

㉠, ㉡의 공통 범위를 구하면 $-2<x<5$

따라서 $\log_{x+3}(-x^2+3x+10)$이 정의되도록 하는 정수 x는 $-1, 0, 1, 2, 3, 4$이므로 구하는 개수는 6이다.

8 $\dfrac{3}{2}\log_2 3-\log_2\sqrt{243}+\log_{\sqrt{2}}3$
$=\log_2 3^{\frac{3}{2}}-\log_2 9\sqrt{3}+2\log_2 3$
$=\log_2 3\sqrt{3}-\log_2 9\sqrt{3}+\log_2 3^2$
$=\log_2\left(\dfrac{3\sqrt{3}\times3^2}{9\sqrt{3}}\right)$
$=\log_2 3$

9 $\log_a 2\times\log_8 b=\log_a 2\times\dfrac{\log_a b}{\log_a 8}=\log_a 2\times\dfrac{\log_a b}{\log_a 2^3}$
$=\log_a 2\times\dfrac{\log_a b}{3\log_a 2}=\dfrac{\log_a b}{3}=7$

$\therefore \log_a b=21$

10 $2^a=3$, $2^b=5$에서 로그의 정의에 따라

$a=\log_2 3$, $b=\log_2 5$

이때, $\log_{15} 45$를 밑이 2인 로그로 바꾸면

$\log_{15} 45 = \dfrac{\log_2 45}{\log_2 15} = \dfrac{\log_2 3^2 + \log_2 5}{\log_2 3 + \log_2 5} = \dfrac{2a+b}{a+b}$

따라서 $m=2$, $n=1$이므로 $m^2+n^2=5$

11 이차방정식 $x^2-4x-1=0$의 근과 계수의 관계에 의하여

$\log_2 a + \log_2 b = 4$, $\log_2 a \times \log_2 b = -1$

$\therefore \log_{a^2} 2 + \log_b \sqrt{2} = \dfrac{1}{2}\log_a 2 + \dfrac{1}{2}\log_b 2$

$\qquad\qquad\qquad\qquad = \dfrac{1}{2}\left(\dfrac{1}{\log_2 a} + \dfrac{1}{\log_2 b}\right)$

$\qquad\qquad\qquad\qquad = \dfrac{1}{2} \times \dfrac{\log_2 b + \log_2 a}{\log_2 a \times \log_2 b}$

$\qquad\qquad\qquad\qquad = \dfrac{1}{2} \times (-4) = -2$

12 $\log 7500 = \log(10^3 \times 7.5) = 3 + \log 7.5$

$\qquad\qquad\quad = 3 + 0.8751 = 3.8751$

$\therefore a = 3.8751$

$\log b = -1.1249 = -1 - 0.1249$

$\qquad\quad = -1 - (1-0.8751) = -2 + 0.8751$

$\qquad\quad = \log 10^{-2} + \log 7.5$

$\qquad\quad = \log(0.01 \times 7.5)$

$\qquad\quad = \log 0.075$

$\therefore b = 0.075$

$\therefore a+b = 3.8751 + 0.075 = 3.9501$

2일 시험지 속 개념 문제   19, 21쪽

1 풀이 참조   **2** 풀이 참조

3 (1) $y=2^{x-2}-3$ (2) $y=-2^x$ (3) $y=\left(\dfrac{1}{2}\right)^x$ (4) $y=-\left(\dfrac{1}{2}\right)^x$

4 (1) 최댓값: 8, 최솟값: $\dfrac{1}{4}$ (2) 최댓값: 9, 최솟값: $\dfrac{1}{3}$

   (3) 최댓값: 59, 최솟값: 3

5 (1) $x=-3$ (2) $x=2$

6 (1) $x=1$ (2) $x=3$ (3) $x=0$ 또는 $x=2$

7 (1) $x=2$ (2) $x=4$ 또는 $x=5$

8 (1) $x \geq 1$ (2) $x > 5$ (3) $x < -1$ 또는 $x > 0$

9 (1) $1 < x < 3$ (2) $x \geq 2$ (3) $x > 0$

1

(1) 정의역: 실수 전체의 집합

(2) 치역: 양의 실수 전체의 집합

(3) 점근선의 방정식: $y=0$

2

(1) 정의역: 실수 전체의 집합

(2) 치역: 양의 실수 전체의 집합

(3) 점근선의 방정식: $y=0$

3 (1) $y=2^x$에 x 대신 $x-2$, y 대신 $y+3$을 대입하면

$y+3=2^{x-2}$ $\therefore y=2^{x-2}-3$

(2) $y=2^x$에 y 대신 $-y$를 대입하면

$-y=2^x$ $\therefore y=-2^x$

(3) $y=2^x$에 x 대신 $-x$를 대입하면

$y=2^{-x}$ $\therefore y=\left(\dfrac{1}{2}\right)^x$

(4) $y=2^x$에 x 대신 $-x$, y 대신 $-y$를 대입하면

$-y=2^{-x}$ $\therefore y=-\left(\dfrac{1}{2}\right)^x$

4 (1) 함수 $y=2^x$은 밑이 2이고 $2>1$이므로 x의 값이 증가하면 y의 값도 증가한다.

따라서 최댓값은 $x=3$일 때, $y=2^3=8$

최솟값은 $x=-2$일 때, $y=2^{-2}=\dfrac{1}{4}$

(2) 함수 $y=\left(\dfrac{1}{3}\right)^{x-3}$은 밑이 $\dfrac{1}{3}$이고 $0<\dfrac{1}{3}<1$이므로 x의 값이 증가하면 y의 값은 감소한다.

따라서 최댓값은 $x=1$일 때, $y=\left(\dfrac{1}{3}\right)^{-2}=3^2=9$

최솟값은 $x=4$일 때, $y=\left(\dfrac{1}{3}\right)^1=\dfrac{1}{3}$

(3) 함수 $y=2^{3x}-5=8^x-5$는 밑이 8이고 $8>1$이므로 x의 값이 증가하면 y의 값도 증가한다.

따라서 최댓값은 $x=2$일 때, $y=8^2-5=59$

최솟값은 $x=1$일 때, $y=8^1-5=3$

5 (1) $\left(\dfrac{1}{3}\right)^{x-1}=81$에서 $3^{-x+1}=3^4$이므로

$-x+1=4$ $\therefore x=-3$

(2) $8^x=(2^3)^x=2^{3x}$, $16 \times 2^x=2^4 \times 2^x=2^{4+x}$이므로

$2^{3x}=2^{4+x}$에서 $3x=4+x$ $\therefore x=2$

6 (1) $3^x=t\,(t>0)$로 놓으면 $t^2-t-6=0$

$(t+2)(t-3)=0$ $\therefore t=3\,(\because t>0)$

따라서 $3^x=3=3^1$이므로 $x=1$

(2) $2^x=t\,(t>0)$로 놓으면 $t^2-5t-24=0$

$(t+3)(t-8)=0$ $\therefore t=8\,(\because t>0)$

따라서 $2^x=8=2^3$이므로 $x=3$

(3) $4^x-5 \times 2^x+4=0$에서 $(2^x)^2-5 \times 2^x+4=0$

$2^x=t\,(t>0)$로 놓으면 $t^2-5t+4=0$

$(t-1)(t-4)=0$ $\therefore t=1$ 또는 $t=4$

따라서 $2^x=1=2^0$ 또는 $2^x=4=2^2$이므로

$x=0$ 또는 $x=2$

7 (1) $\left(\dfrac{3}{4}\right)^{x-2}=7^{x-2}$에서 $x-2=0$ $\therefore x=2$

(2) $x^{x-4}=5^{x-4}$에서 지수가 같으므로 밑이 같거나 지수가 0이

어야 한다.

(ⅰ) 밑이 같은 경우

$x=5$

(ⅱ) 지수가 0인 경우

$x-4=0$ $\therefore x=4$

(ⅰ), (ⅱ)에서 $x=4$ 또는 $x=5$

8 (1) $2^{3x+1} \geq 16$에서 $2^{3x+1} \geq 2^4$

밑이 2이고 $2>1$이므로

$3x+1 \geq 4$ $\therefore x \geq 1$

(2) $\left(\dfrac{1}{10}\right)^{x-2}<0.001$에서 $\left(\dfrac{1}{10}\right)^{x-2}<\left(\dfrac{1}{10}\right)^3$

밑이 $\dfrac{1}{10}$이고 $0<\dfrac{1}{10}<1$이므로

$x-2>3$ $\therefore x>5$

(3) $\left(\dfrac{1}{9}\right)^{x^2}<3^{2x}$에서 $3^{-2x^2}<3^{2x}$

밑이 3이고 $3>1$이므로 $-2x^2<2x$

$2x^2+2x>0$, $2x(x+1)>0$

$\therefore x<-1$ 또는 $x>0$

9 (1) $2^{2x}-10 \times 2^x+16<0$에서 $2^x=t\,(t>0)$로 놓으면

$t^2-10t+16<0$, $(t-2)(t-8)<0$

$\therefore 2<t<8$

따라서 $2<2^x<8$이므로 $2^1<2^x<2^3$

밑이 2이고 $2>1$이므로 $1<x<3$

(2) $3^{2x}-8 \times 3^x-9 \geq 0$에서 $3^x=t\,(t>0)$로 놓으면

$t^2-8t-9 \geq 0$, $(t+1)(t-9) \geq 0$

$\therefore t \leq -1$ 또는 $t \geq 9$

그런데 $t>0$이므로 $t \geq 9$

따라서 $3^x \geq 9$이므로 $3^x \geq 3^2$

밑이 3이고 $3>1$이므로 $x \geq 2$

(3) $\left(\dfrac{1}{4}\right)^x+\left(\dfrac{1}{2}\right)^{x-1}-3<0$에서 $\left(\dfrac{1}{2}\right)^{2x}+2 \times \left(\dfrac{1}{2}\right)^x-3<0$

$\left(\dfrac{1}{2}\right)^x=t\,(t>0)$로 놓으면 $t^2+2t-3<0$

$(t+3)(t-1)<0$에서 $-3<t<1$

그런데 $t>0$이므로 $0<t<1$

따라서 $0<\left(\dfrac{1}{2}\right)^x<1$이므로 $\left(\dfrac{1}{2}\right)^x<\left(\dfrac{1}{2}\right)^0$

밑이 $\dfrac{1}{2}$이고 $0<\dfrac{1}{2}<1$이므로 $x>0$

2일 교과서 기출 베스트 1회

22~23쪽

1 -1 **2** ㄱ, ㄴ, ㄷ **3** -4

4 $a=6$, 최솟값: $\dfrac{25}{4}$ **5** -10

6 2 **7** 5 **8** -1

1 주어진 그래프의 점근선의 방정식이 $y=-2$이므로

$b=-2$

또, 함수 $y=2^{x-a}-2$의 그래프가 점 $(2, 0)$을 지나므로

$0=2^{2-a}-2$, $2^{2-a}=2^1$, $2-a=1$

$\therefore a=1$

$\therefore a+b=1+(-2)=-1$

2 ㄱ. $y=9^x$의 그래프를 x축의 방향으로 -2만큼 평행이동한

것이다.

ㄴ. $y=\dfrac{81}{9^x}=81 \times 9^{-x}=9^{-(x-2)}$에서 $y=9^x$의 그래프를 y축

에 대하여 대칭이동한 후 x축의 방향으로 2만큼 평행이동

한 것이다.

ㄷ. $y=3^{2x-6}=9^{x-3}$에서 $y=9^x$의 그래프를 x축의 방향으로 3
만큼 평행이동한 것이다.

ㄹ. $y=3^x$의 그래프를 x축에 대하여 대칭이동한 후 x축의 방
향으로 -1만큼 평행이동한 것이다.

따라서 $y=9^x$의 그래프를 평행이동 또는 대칭이동하여 겹쳐
질 수 있는 그래프의 식은 ㄱ, ㄴ, ㄷ이다.

3 함수 $y=\left(\dfrac{1}{4}\right)^{x-1}+n$의 그래프가

제3사분면을 지나지 않을 때는 오
른쪽 그림과 같다.

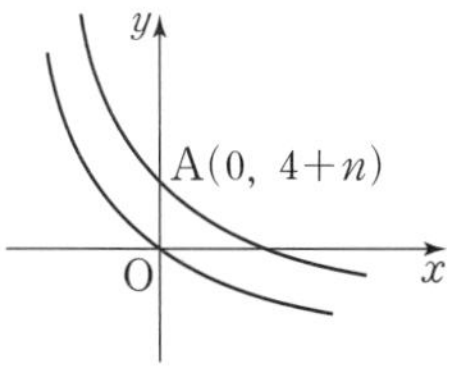

즉, 그래프와 y축과의 교점

$A(0,\ 4+n)$이 x축 또는 x축보다

위쪽에 놓이는 경우이므로

$4+n\geq0$ $\quad\therefore n\geq-4$

따라서 구하는 정수 n의 최솟값은 -4이다.

4 함수 $y=\left(\dfrac{1}{2}\right)^{x-3}+a$는 밑이 $\dfrac{1}{2}$이고 $0<\dfrac{1}{2}<1$이므로 x의 값이

증가하면 y의 값은 감소한다.

따라서 $x=2$일 때 최댓값을 가지므로

$8=\left(\dfrac{1}{2}\right)^{-1}+a=2+a$ $\quad\therefore a=6$

또, $x=5$일 때 최솟값은

$\left(\dfrac{1}{2}\right)^{5-3}+a=\dfrac{1}{4}+6=\dfrac{25}{4}$

5 $y=\left(\dfrac{1}{4}\right)^x-2^{-x+2}-3=\left\{\left(\dfrac{1}{2}\right)^2\right\}^x-2^{-x}\times2^2-3$

$=\left\{\left(\dfrac{1}{2}\right)^x\right\}^2-4\times\left(\dfrac{1}{2}\right)^x-3$

$\left(\dfrac{1}{2}\right)^x=t\ (t>0)$로 놓으면 $-2\leq x\leq0$에서

$\left(\dfrac{1}{2}\right)^0\leq\left(\dfrac{1}{2}\right)^x\leq\left(\dfrac{1}{2}\right)^{-2}$이므로 $1\leq t\leq4$

└→ 밑이 $\dfrac{1}{2}$이고 $0<\dfrac{1}{2}<1$이므로 지수가 작을수록 크다.

$1\leq t\leq4$에서 함수

$y=t^2-4t-3=(t-2)^2-7$의

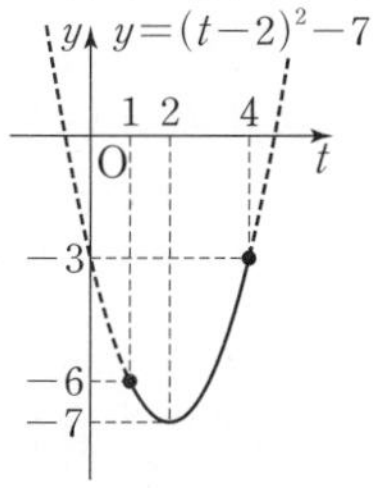

최댓값은 $t=4$일 때,

$y=(4-2)^2-7=-3$

최솟값은 $t=2$일 때,

$y=(2-2)^2-7=-7$

따라서 $M=-3,\ m=-7$이므로

$M+m=-10$

6 $3^{x^2-4}=3\times9^{x+1}$에서

$3^{x^2-4}=3\times3^{2x+2}$, $3^{x^2-4}=3^{2x+3}$

이때, $x^2-4=2x+3$이므로

$x^2-2x-7=0$

따라서 이차방정식 $x^2-2x-7=0$의 근과 계수의 관계에 의
하여 모든 근의 합은 2이다.

7 $4^x+32=12\times2^x$에서 $4^x=(2^2)^x=(2^x)^2$이므로 $2^x=t\ (t>0)$
로 놓으면

$t^2+32=12t$, $t^2-12t+32=0$

$(t-4)(t-8)=0$ $\quad\therefore t=4$ 또는 $t=8$

$2^x=4$ 또는 $2^x=8$에서 $x=2$ 또는 $x=3$

따라서 두 함수의 그래프가 만나는 점 A, B의 x좌표가 2, 3이
므로 구하는 x좌표의 합은

$2+3=5$

8 $\left(\dfrac{1}{9}\right)^x-\left(\dfrac{1}{3}\right)^x\leq6$에서 $\left\{\left(\dfrac{1}{3}\right)^x\right\}^2-\left(\dfrac{1}{3}\right)^x-6\leq0$

$\left(\dfrac{1}{3}\right)^x=t\ (t>0)$로 놓으면

$t^2-t-6\leq0$, $(t+2)(t-3)\leq0$

$\therefore -2\leq t\leq3$

그런데 $t>0$이므로 $0<t\leq3$

이때, $0<\left(\dfrac{1}{3}\right)^x\leq3$, 즉 $\left(\dfrac{1}{3}\right)^x\leq\left(\dfrac{1}{3}\right)^{-1}$에서 밑이 $\dfrac{1}{3}$이고

$0<\dfrac{1}{3}<1$이므로 $x\geq-1$

따라서 구하는 x의 최솟값은 -1이다.

2일 **교과서 기출 베스트** ②회   **24~25쪽**

1 5	**2** -2	**3** -9	**4** 10
5 -9	**6** 10	**7** -1	**8** 3
9 100	**10** 6	**11** 2	

1 함수 $y=3^{x+a}-b$의 그래프의 점근선의 방정식이 $y=-3$이
므로 $b=3$

또, 그래프가 점 $(0,6)$을 지나므로

$6=3^a-3$, $3^a=9$

$\therefore a=2$

$\therefore a+b=2+3=5$

2 함수 $y=2^x$의 그래프를 y축에 대하여 대칭이동한 그래프의 식은

$y=2^{-x}$ $\therefore y=\left(\dfrac{1}{2}\right)^x$ ……㉠

㉠의 그래프를 x축의 방향으로 m만큼, y축의 방향으로 n만큼 평행이동한 그래프의 식은

$y=\left(\dfrac{1}{2}\right)^{x-m}+n$

따라서 $y=\left(\dfrac{1}{2}\right)^{x-m}+n$이 $y=8\times\left(\dfrac{1}{2}\right)^x-5=\left(\dfrac{1}{2}\right)^{x-3}-5$와 일치하므로

$m=3,\ n=-5$

$\therefore m+n=3+(-5)=-2$

3 함수 $y=\left(\dfrac{1}{3}\right)^{x-2}+n$의 그래프가

제1사분면을 지나지 않을 때는 오른쪽 그림과 같다.

즉, 그래프와 y축과의 교점

$A(0,\ 9+n)$이 x축 또는 x축보다

아래쪽에 놓이는 경우이므로

$9+n\leq 0$ $\therefore n\leq -9$

따라서 구하는 정수 n의 최댓값은 -9이다.

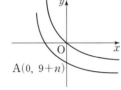

A$(0,\ 9+n)$

4 함수 $y=\left(\dfrac{1}{2}\right)^{x-1}+b$는 밑이 $\dfrac{1}{2}$이고 $0<\dfrac{1}{2}<1$이므로 x의 값이 증가하면 y의 값은 감소한다.

따라서 $-2\leq x\leq a$에서 함수 $y=\left(\dfrac{1}{2}\right)^{x-1}+b$의

최댓값은 $x=-2$일 때,

$y=\left(\dfrac{1}{2}\right)^{-2-1}+b=8+b=18$ $\therefore b=10$

최솟값은 $x=a$일 때,

$y=\left(\dfrac{1}{2}\right)^{a-1}+b=2^{-a+1}+10=12$

$2^{-a+1}=2,\ -a+1=1$ $\therefore a=0$

$\therefore a+b=0+10=10$

5 $y=\left(\dfrac{1}{3}\right)^{x^2+2x-1}$에서 $f(x)=x^2+2x-1$로 놓으면

$f(x)=(x+1)^2-2$이므로 $x=-1$일 때, 최솟값 -2를 갖는다.

이때, 함수 $y=\left(\dfrac{1}{3}\right)^{f(x)}$은 밑이 $\dfrac{1}{3}$이고 $0<\dfrac{1}{3}<1$이므로 $f(x)$가

최소일 때 최대가 된다.

따라서 $f(x)=-2$, 즉 $x=-1$일 때, 최댓값은 $y=\left(\dfrac{1}{3}\right)^{-2}=9$

이므로 $a=-1,\ b=9$

$\therefore ab=-9$

6 $y=4^x-2^{x+3}+a=(2^2)^x-2^3\times 2^x+a=(2^x)^2-8\times 2^x+a$

$2^x=t\ (t>0)$로 놓으면

$y=t^2-8t+a=(t-4)^2+a-16$

$t>0$에서 함수 $y=(t-4)^2+a-16$의 최솟값은 $t=4$일 때,

$y=(4-4)^2+a-16=a-16$

따라서 $t=4$에서 $2^x=2^2$이므로 $x=2$

$\therefore b=2$

또, $a-16=-4$에서 $a=12$

$\therefore a-b=12-2=10$

7 $\left(\dfrac{1}{3}\right)^{x^2+2}=\dfrac{1}{27}\times 3^{-x}$에서

$\left(\dfrac{1}{3}\right)^{x^2+2}=\left(\dfrac{1}{3}\right)^3\times\left(\dfrac{1}{3}\right)^x,\ \left(\dfrac{1}{3}\right)^{x^2+2}=\left(\dfrac{1}{3}\right)^{3+x}$

이때, $x^2+2=3+x$이므로

$x^2-x-1=0$

따라서 이차방정식 $x^2-x-1=0$의 근과 계수의 관계에 의하여 모든 근의 곱은 -1이다.

8 $4^x-5\times 2^{x+1}+16=0$에서

$(2^2)^x-5\times 2\times 2^x+16=0$

$(2^x)^2-10\times 2^x+16=0$

$2^x=t\ (t>0)$로 놓으면

$t^2-10t+16=0,\ (t-2)(t-8)=0$

$\therefore t=2$ 또는 $t=8$

$t=2$일 때, $2^x=2=2^1$에서 $x=1$

$t=8$일 때, $2^x=8=2^3$에서 $x=3$

이때, $\alpha=1,\ \beta=3$ 또는 $\alpha=3,\ \beta=1$이므로

$\alpha\beta=3$

9 $9^x+9=10\times 3^x$에서 $9^x=(3^2)^x=(3^x)^2$이므로 $3^x=t\ (t>0)$로 놓으면

$t^2+9=10t,\ t^2-10t+9=0$

$(t-1)(t-9)=0$

$\therefore t=1$ 또는 $t=9$

$3^x=1$ 또는 $3^x=9$에서 $x=0$ 또는 $x=2$

따라서 두 함수의 그래프가 만나는 두 점 A, B의 좌표는

$(0,\ 10),\ (2,\ 90)$이므로 구하는 y좌표의 합은

$10+90=100$

10 $2^{x^2-2x+3} \geq 4^{x^2-x}$에서

$2^{x^2-2x+3} \geq (2^2)^{x^2-x}$, $2^{x^2-2x+3} \geq 2^{2x^2-2x}$

밑이 2이고 2>1이므로

$x^2-2x+3 \geq 2x^2-2x$

$x^2-3 \leq 0$, $(x+\sqrt{3})(x-\sqrt{3}) \leq 0$

$\therefore -\sqrt{3} \leq x \leq \sqrt{3}$

따라서 $\alpha = -\sqrt{3}$, $\beta = \sqrt{3}$이므로

$\alpha^2 + \beta^2 = 3+3 = 6$

11 $3^{2x}+3 < 9 \times 3^x + 3^{x-1}$에서 $3^{2x}-(9 \times 3^x + 3^{-1} \times 3^x)+3 < 0$

$(3^x)^2 - \dfrac{28}{3} \times 3^x + 3 < 0$

$3^x = t \, (t>0)$로 놓으면

$t^2 - \dfrac{28}{3}t + 3 < 0$, $3t^2 - 28t + 9 < 0$

$(3t-1)(t-9) < 0$ $\therefore \dfrac{1}{3} < t < 9$

이때, $\dfrac{1}{3} < 3^x < 9$, 즉 $3^{-1} < 3^x < 3^2$에서 밑이 3이고 3>1이므로

$-1 < x < 2$

따라서 정수 x는 0, 1이므로 그 개수는 2이다.

3일 시험지 속 개념 문제
29, 31쪽

1 풀이 참조   **2** 풀이 참조

3 (1) $y = \log_5(x+1)+2$ (2) $y = -\log_5 x$

(3) $y = \log_5(-x)$ (4) $y = -\log_5(-x)$

4 (1) 최댓값: 1, 최솟값: -1 (2) 최댓값: 3, 최솟값: 1

(3) 최댓값: $\dfrac{1}{2}$, 최솟값: $-\dfrac{3}{2}$

5 (1) $x = \dfrac{11}{2}$ (2) $x = \dfrac{5}{3}$

6 (1) $x = \dfrac{1}{2}$ (2) $x = 2$

7 (1) $x = \dfrac{1}{2}$ 또는 $x = 2$ (2) $x = \dfrac{1}{36}$ 또는 $x = 6$

8 (1) $2 \leq x < 16$ (2) $x > 2$ (3) $-6 < x < 1$

9 (1) $0 < x < \dfrac{1}{8}$ 또는 $x > 4$ (2) $x = 2$ (3) $\dfrac{1}{125} < x < \dfrac{1}{5}$

1

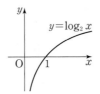

(1) 정의역: 양의 실수 전체의 집합

(2) 치역: 실수 전체의 집합

(3) 점근선의 방정식: $x = 0$

2

(1) 정의역: 양의 실수 전체의 집합

(2) 치역: 실수 전체의 집합

(3) 점근선의 방정식: $x = 0$

3 (1) $y = \log_5 x$에 x 대신 $x+1$, y 대신 $y-2$를 대입하면

$y - 2 = \log_5(x+1)$

$\therefore y = \log_5(x+1)+2$

(2) $y = \log_5 x$에 y 대신 $-y$를 대입하면

$-y = \log_5 x$

$\therefore y = -\log_5 x$

(3) $y = \log_5 x$에 x 대신 $-x$를 대입하면

$y = \log_5(-x)$

(4) $y = \log_5 x$에 x 대신 $-x$, y 대신 $-y$를 대입하면

$-y = \log_5(-x)$

$\therefore y = -\log_5(-x)$

4 (1) 함수 $y = \log_3 x$는 밑이 3이고 3>1이므로 x의 값이 증가하면 y의 값도 증가한다.

따라서 최댓값은 $x = 3$일 때, $y = \log_3 3 = 1$

최솟값은 $x = \dfrac{1}{3}$일 때, $y = \log_3 \dfrac{1}{3} = \log_3 3^{-1} = -1$

(2) 함수 $y = \log_2(x+2)$는 밑이 2이고 2>1이므로 x의 값이 증가하면 y의 값도 증가한다.

따라서 최댓값은 $x = 6$일 때,

$y = \log_2(6+2) = \log_2 8 = \log_2 2^3 = 3$

최솟값은 $x = 0$일 때, $y = \log_2(0+2) = \log_2 2 = 1$

(3) 함수 $y = \log_{\frac{1}{4}} x$는 밑이 $\dfrac{1}{4}$이고 $0 < \dfrac{1}{4} < 1$이므로 x의 값이 증가하면 y의 값은 감소한다.

따라서 최댓값은 $x = \dfrac{1}{2}$일 때, $y = \log_{\frac{1}{4}} \dfrac{1}{2} = \log_{2^{-2}} 2^{-1} = \dfrac{1}{2}$

최솟값은 $x = 8$일 때, $y = \log_{\frac{1}{4}} 8 = \log_{2^{-2}} 2^3 = -\dfrac{3}{2}$

5 (1) 진수의 조건에서 $2x+5>0$ $\quad\therefore x>-\dfrac{5}{2}$ $\quad\cdots\cdots\ \bigcirc$

로그의 정의에 의하여 $2x+5=2^4$ $\quad\therefore x=\dfrac{11}{2}$

따라서 $\bigcirc$에 의하여 구하는 해는 $x=\dfrac{11}{2}$

(2) 진수의 조건에서 $3x-2>0$ $\quad\therefore x>\dfrac{2}{3}$ $\quad\cdots\cdots\ \bigcirc$

로그의 정의에 의하여 $3x-2=\left(\dfrac{1}{3}\right)^{-1}=3$ $\quad\therefore x=\dfrac{5}{3}$

따라서 $\bigcirc$에 의하여 구하는 해는 $x=\dfrac{5}{3}$

6 (1) 진수의 조건에서 $x+3>0$, $3x+2>0$이므로

$x>-\dfrac{2}{3}$ $\quad\cdots\cdots\ \bigcirc$

밑이 같으므로 $x+3=3x+2$ $\quad\therefore x=\dfrac{1}{2}$

따라서 $\bigcirc$에 의하여 구하는 해는 $x=\dfrac{1}{2}$

(2) 진수의 조건에서 $x+2>0$, $4(x-1)>0$이므로

$x>1$ $\quad\cdots\cdots\ \bigcirc$

밑이 같으므로 $x+2=4(x-1)$ $\quad\therefore x=2$

따라서 $\bigcirc$에 의하여 구하는 해는 $x=2$

7 (1) 진수의 조건에서 $x>0$ $\quad\cdots\cdots\ \bigcirc$

$\log_2 x=t$로 놓으면

$t^2-1=0$, $(t+1)(t-1)=0$

$\therefore t=-1$ 또는 $t=1$

$t=-1$일 때, $\log_2 x=-1$에서 $x=\dfrac{1}{2}$

$t=1$일 때, $\log_2 x=1$에서 $x=2$

따라서 $\bigcirc$에 의하여 구하는 해는

$x=\dfrac{1}{2}$ 또는 $x=2$

(2) 진수의 조건에서 $x>0$ $\quad\cdots\cdots\ \bigcirc$

$\log_6 x=t$로 놓으면

$t^2+t-2=0$, $(t+2)(t-1)=0$

$\therefore t=-2$ 또는 $t=1$

$t=-2$일 때, $\log_6 x=-2$에서 $x=\dfrac{1}{36}$

$t=1$일 때, $\log_6 x=1$에서 $x=6$

따라서 $\bigcirc$에 의하여 구하는 해는

$x=\dfrac{1}{36}$ 또는 $x=6$

8 (1) 진수의 조건에서 $x>0$ $\quad\cdots\cdots\ \bigcirc$

$1\le\log_2 x<4$에서 $\log_2 2\le\log_2 x<\log_2 16$

밑이 2이고 $2>1$이므로 $2\le x<16$ $\quad\cdots\cdots\ \bigcirc$

$\bigcirc$, $\bigcirc$의 공통 범위를 구하면 $2\le x<16$

(2) 진수의 조건에서 $2x-1>0$ $\quad\therefore x>\dfrac{1}{2}$ $\quad\cdots\cdots\ \bigcirc$

$\log_3(2x-1)>1$에서 $\log_3(2x-1)>\log_3 3$

밑이 3이고 $3>1$이므로 $2x-1>3$

$\therefore x>2$ $\quad\cdots\cdots\ \bigcirc$

$\bigcirc$, $\bigcirc$의 공통 범위를 구하면 $x>2$

(3) 진수의 조건에서 $x+6>0$, $10-3x>0$이므로

$-6<x<\dfrac{10}{3}$ $\quad\cdots\cdots\ \bigcirc$

밑이 $\dfrac{1}{2}$이고 $0<\dfrac{1}{2}<1$이므로

$x+6<10-3x$, $4x<4$ $\quad\therefore x<1$ $\quad\cdots\cdots\ \bigcirc$

$\bigcirc$, $\bigcirc$의 공통 범위를 구하면 $-6<x<1$

9 (1) 진수의 조건에서 $x>0$ $\quad\cdots\cdots\ \bigcirc$

$\log_2 x=t$로 놓으면

$t^2+t-6>0$, $(t+3)(t-2)>0$

$\therefore t<-3$ 또는 $t>2$

따라서 $\log_2 x<-3$ 또는 $\log_2 x>2$이므로

$\log_2 x<\log_2\dfrac{1}{8}$ 또는 $\log_2 x>\log_2 4$

밑이 2이고 $2>1$이므로 $x<\dfrac{1}{8}$ 또는 $x>4$ $\quad\cdots\cdots\ \bigcirc$

$\bigcirc$, $\bigcirc$의 공통 범위를 구하면

$0<x<\dfrac{1}{8}$ 또는 $x>4$

(2) 진수의 조건에서 $x>0$ $\quad\cdots\cdots\ \bigcirc$

$\log_{\frac{1}{2}} x=t$로 놓으면

$t^2+2t+1\le0$, $(t+1)^2\le0$ $\quad\therefore t=-1$

따라서 $\log_{\frac{1}{2}} x=-1$이므로 $x=2$

$x=2$는 $\bigcirc$을 만족시키므로 구하는 해이다.

(3) 진수의 조건에서 $x>0$ $\quad\cdots\cdots\ \bigcirc$

$\log_{\frac{1}{5}} x=t$로 놓으면

$t^2+3<4t$, $t^2-4t+3<0$

$(t-1)(t-3)<0$ $\quad\therefore 1<t<3$

따라서 $1<\log_{\frac{1}{5}} x<3$이므로

$\log_{\frac{1}{5}}\dfrac{1}{5}<\log_{\frac{1}{5}} x<\log_{\frac{1}{5}}\dfrac{1}{125}$

밑이 $\dfrac{1}{5}$이고 $0<\dfrac{1}{5}<1$이므로 $\dfrac{1}{125}<x<\dfrac{1}{5}$ $\quad\cdots\cdots\ \bigcirc$

$\bigcirc$, $\bigcirc$의 공통 범위를 구하면

$\dfrac{1}{125}<x<\dfrac{1}{5}$

1 2	**2** 3	**3** $m=2, n=1$
4 $\log_{25}36 < 3\log_5 2 < 2$	**5** 1	**6** 2
7 2	**8** 4	

1 주어진 그래프의 점근선의 방정식이 $x=1$이므로

$m=-1$

또, 함수 $y=\log_{\frac{1}{3}}(x-1)+n$의 그래프가 점 $(4, 0)$을 지나므로

$0=\log_{\frac{1}{3}}(4-1)+n$, $0=-\log_3 3+n$

$\therefore n=1$

$\therefore m^2+n^2=(-1)^2+1^2=2$

2 점 $(1, b)$가 함수 $y=2^x$의 그래프 위의 점이므로

$b=2$

또, 점 $A(a, b)$가 함수 $y=\log_2 x$의 그래프 위의 점이므로

$b=\log_2 a$에서 $2=\log_2 a$

$\therefore a=2^2=4$

$\therefore \log_2 ab=\log_2(4\times 2)=\log_2 2^3=3$

3 함수 $y=\log_3 x$의 그래프를 x축의 방향으로 m만큼, y축의 방향으로 n만큼 평행이동한 그래프의 식은

$y-n=\log_3(x-m)$

$\therefore y=\log_3(x-m)+n$ ······ ㉠

㉠의 그래프를 x축에 대하여 대칭이동한 그래프의 식은

$-y=\log_3(x-m)+n$

$\therefore y=-\log_3(x-m)-n$

따라서 $y=-\log_3(x-m)-n$이

$y=\log_{\frac{1}{3}}(x-2)-1=-\log_3(x-2)-1$과 일치하므로

$m=2, n=1$

4 $\log_{25}36$과 2를 밑이 5인 로그로 나타내면

$\log_{25}36=\log_{5^2}6^2=\log_5 6$

$2=\log_5 5^2=\log_5 25$

또, $3\log_5 2=\log_5 2^3=\log_5 8$

이때, 함수 $y=\log_5 x$는 밑이 5이고 $5>1$이므로 x의 값이 증가하면 y의 값도 증가한다.

즉, 진수가 큰 수가 크다.

따라서 진수의 크기를 비교하면 $6<8<25$이므로

$\log_5 6<\log_5 8<\log_5 25$

$\therefore \log_{25}36<3\log_5 2<2$

5 함수 $y=\log_{\frac{1}{2}}(x-a)$에서 밑이 $\frac{1}{2}$이고 $0<\frac{1}{2}<1$이므로

$x-a$의 값이 증가하면 y의 값은 감소한다.

따라서 $4\le x\le 9$에서 함수 $y=\log_{\frac{1}{2}}(x-a)$는 $x=9$일 때 최소이고, 최솟값이 -3이므로

$\log_{\frac{1}{2}}(9-a)=-3$, $9-a=8$

$\therefore a=1$

6 진수의 조건에서 $x>0, x^2>0$

$\therefore x>0$ ······ ㉠

$(\log_3 x)^2-\log_3 x^2-8=0$에서

$(\log_3 x)^2-2\log_3 x-8=0$

$\log_3 x=t$로 놓으면

$t^2-2t-8=0$, $(t+2)(t-4)=0$

$\therefore t=-2$ 또는 $t=4$

즉, $\log_3 x=-2$ 또는 $\log_3 x=4$이므로

$x=3^{-2}$ 또는 $x=3^4$

이 값은 ㉠을 만족시키므로 주어진 방정식의 해이다.

따라서 $\alpha\beta=3^{-2}\times 3^4=3^2$이므로

$\log_3 \alpha\beta=\log_3 3^2=2$

7 진수의 조건에서 $x-1>0, 5-2x>0$이므로

$1<x<\frac{5}{2}$ ······ ㉠

$\log_2(x-1)<\log_4(5-2x)$에서

$\log_2(x-1)<\frac{1}{2}\log_2(5-2x)$

$2\log_2(x-1)<\log_2(5-2x)$

$\log_2(x-1)^2<\log_2(5-2x)$

밑이 2이고 $2>1$이므로

$(x-1)^2<5-2x$, $x^2-4<0$

$(x+2)(x-2)<0$ 　$\therefore -2<x<2$ ······ ㉡

㉠, ㉡의 공통 범위를 구하면

$1<x<2$

따라서 $\alpha=1, \beta=2$이므로 $\alpha\beta=2$

8 진수의 조건에서 $x>0$ ······ ㉠

$\log_5 x=t$로 놓으면

$t^2+2t-3<0$, $(t+3)(t-1)<0$

$\therefore -3<t<1$

즉, $-3<\log_5 x<1$이므로

$\log_5 \frac{1}{125}<\log_5 x<\log_5 5$

밑이 5이고 $5>1$이므로 $\frac{1}{125}<x<5$ ······ ㉡

$\bigcirc$, $\bigcirc$의 공통 범위를 구하면 $\dfrac{1}{125} < x < 5$

따라서 정수 x는 1, 2, 3, 4이므로 그 개수는 4이다.

3일 교과서 기출 베스트 2회   34~35쪽

1 ㄴ, ㄹ	**2** 2	**3** 8	**4** -3
5 $\log_{\frac{1}{2}} 9 < -3 < \log_{\frac{1}{8}} 27$		**6** 2	**7** 3
8 27	**9** 1	**10** $\dfrac{33}{4}$	

1 ㄱ. 진수는 양수이어야 하므로 $5-x>0$ $\therefore x<5$
    따라서 정의역은 $\{x \mid x<5\}$이다.
   ㄴ, ㄹ. 함수 $y=\log_3(5-x)+1$의 그래프는 함수 $y=\log_3 x$
     의 그래프를 y축에 대하여 대칭이동한 후 x축의 방향으로
     5만큼, y축의 방향으로 1만큼 평행이동한 것이므로 점근
     선의 방정식은 $x=5$이다.
   ㄷ. $y=\log_3(5-x)+1$에 $x=2$를 대입하면 $y=2$이므로 그
     래프는 점 $(2, 2)$를 지난다.
   이상에서 옳은 것은 ㄴ, ㄹ이다.

2 주어진 그래프의 점근선의 방정식이 $x=-1$이므로
   $a=1$
   또, 함수 $y=\log_3(x+1)+b$의 그래프가 점 $(2, 0)$을 지나므로
   $0=\log_3(2+1)+b$, $0=1+b$
   $\therefore b=-1$
   $\therefore a-b=1-(-1)=2$

3 점 $(a, 1)$은 함수 $y=\log_2 x$의
   그래프 위의 점이므로
   $1=\log_2 a$ $\therefore a=2$
   또, 점 (b, a), 즉 $(b, 2)$가 함
   수 $y=\log_2 x$의 그래프 위의
   점이므로
   $2=\log_2 b$ $\therefore b=2^2=4$
   $\therefore ab=2\times4=8$

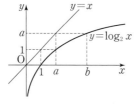

4 함수 $y=\log_4 x$의 그래프를 x축의 방향으로 a만큼, y축의 방
   향으로 2만큼 평행이동한 그래프의 식은
   $y-2=\log_4(x-a)$ $\therefore y=\log_4(x-a)+2$ …… $\bigcirc$
   $\bigcirc$의 그래프를 원점에 대하여 대칭이동한 그래프의 식은
   $-y=\log_4(-x-a)+2$ $\therefore y=-\log_4(-x-a)-2$

이때, 함수 $y=-\log_4(-x-a)-2$의 그래프가 점 $(2, -2)$
를 지나므로
$-2=-\log_4(-2-a)-2$, $\log_4(-a-2)=0$
$-a-2=1$ $\therefore a=-3$

5 -3과 $\log_{\frac{1}{8}} 27$을 밑이 $\dfrac{1}{2}$인 로그로 나타내면
$-3=\log_{\frac{1}{2}}\left(\dfrac{1}{2}\right)^{-3}=\log_{\frac{1}{2}} 8$
$\log_{\frac{1}{8}} 27=\log_{\left(\frac{1}{2}\right)^3} 3^3=\log_{\frac{1}{2}} 3$
이때, 함수 $y=\log_{\frac{1}{2}} x$는 밑이 $\dfrac{1}{2}$이고 $0<\dfrac{1}{2}<1$이므로 x의 값
이 증가하면 y의 값은 감소한다.
즉, 진수가 작은 수가 크다.
따라서 진수의 크기를 비교하면 $3<8<9$이므로
$\log_{\frac{1}{2}} 9 < \log_{\frac{1}{2}} 8 < \log_{\frac{1}{2}} 3$
$\therefore \log_{\frac{1}{2}} 9 < -3 < \log_{\frac{1}{8}} 27$

6 함수 $y=\log_2(x^2-2x+3)$에서 밑이 2이고 $2>1$이므로
x^2-2x+3의 값이 증가하면 y의 값도 증가한다.
$f(x)=x^2-2x+3$으로 놓으면
$f(x)=(x-1)^2+2$
이므로 $x=1$일 때 최소이고 $f(x)\geq2$
따라서 함수 $y=\log_2(x^2-2x+3)=\log_2 f(x)$의 최솟값은
$y=\log_2 2=1$
$\therefore a=1, b=1$ $\therefore a+b=2$

7 진수의 조건에서 $x^2-x+2>0$, $2x^2>0$
모든 실수 x에 대하여 $\left(x-\dfrac{1}{2}\right)^2+\dfrac{7}{4}>0$이고, $x\neq0$이면
$x^2>0$이므로 x는 0이 아닌 모든 실수이다.   …… $\bigcirc$
$\log_2(x^2-x+2)=\log_2 2x^2$에서
$x^2-x+2=2x^2$, $x^2+x-2=0$
$(x+2)(x-1)=0$
$\therefore x=-2$ 또는 $x=1$
따라서 $\bigcirc$에 의하여 주어진 방정식의 해는
$x=-2$ 또는 $x=1$
$\therefore \alpha=1, \beta=-2$ $(\because \alpha>\beta)$
$\therefore \alpha-\beta=1-(-2)=3$

8 진수의 조건에서 $x>0$ …… $\bigcirc$
$(\log_3 x)^2-\log_3 x^3-4=0$에서
$(\log_3 x)^2-3\log_3 x-4=0$

$\log_3 x = t$로 놓으면

$t^2 - 3t - 4 = 0$, $(t+1)(t-4) = 0$

$\therefore t = -1$ 또는 $t = 4$

$t = -1$일 때, $\log_3 x = -1$에서 $x = \dfrac{1}{3}$

$t = 4$일 때, $\log_3 x = 4$에서 $x = 81$

따라서 ㉠에 의하여 주어진 방정식의 해는

$x = \dfrac{1}{3}$ 또는 $x = 81$

이므로 모든 근의 곱은

$\dfrac{1}{3} \times 81 = 27$

9 진수의 조건에서 $x - 2 > 0$, $4 - x > 0$이므로

$2 < x < 4$ ...... ㉠

$\log_{\frac{1}{3}}(x-2) \le \dfrac{1}{2}\log_{\frac{1}{3}}(4-x)$에서

$2\log_{\frac{1}{3}}(x-2) \le \log_{\frac{1}{3}}(4-x)$

$\log_{\frac{1}{3}}(x-2)^2 \le \log_{\frac{1}{3}}(4-x)$

밑이 $\dfrac{1}{3}$이고 $0 < \dfrac{1}{3} < 1$이므로

$(x-2)^2 \ge 4 - x$, $x^2 - 3x \ge 0$

$x(x-3) \ge 0$ $\therefore x \le 0$ 또는 $x \ge 3$ ...... ㉡

㉠, ㉡의 공통 범위를 구하면 $3 \le x < 4$

따라서 정수 x는 3이므로 그 개수는 1이다.

10 진수의 조건에서 $4x > 0$, $\dfrac{x}{8} > 0$이므로 $x > 0$ ...... ㉠

$\log_{\frac{1}{2}} 4x \times \log_2 \dfrac{x}{8} > 0$에서

$\log_2 4x \times \log_2 \dfrac{x}{8} < 0$

$(\log_2 4 + \log_2 x)(\log_2 x - \log_2 8) < 0$

$(\log_2 x + 2)(\log_2 x - 3) < 0$

$\log_2 x = t$로 놓으면

$(t+2)(t-3) < 0$ $\therefore -2 < t < 3$

따라서 $-2 < \log_2 x < 3$이므로

$\log_2 \dfrac{1}{4} < \log_2 x < \log_2 8$

밑이 2이고 $2 > 1$이므로

$\dfrac{1}{4} < x < 8$ ...... ㉡

㉠, ㉡의 공통 범위를 구하면 $\dfrac{1}{4} < x < 8$

따라서 $\alpha = \dfrac{1}{4}$, $\beta = 8$이므로

$\alpha + \beta = \dfrac{1}{4} + 8 = \dfrac{33}{4}$

4일 시험지 속 개념 문제 39, 41쪽

1 (1) 제1사분면 (2) 제2사분면 (3) 제4사분면

2 (1) $\dfrac{\pi}{10}$ (2) $-\dfrac{2}{3}\pi$ (3) $15°$ (4) $-315°$

3 (1) 8π (2) 40π **4** (1) 9π (2) 54π

5 (1) $\sin\theta = \dfrac{1}{2}$, $\cos\theta = -\dfrac{\sqrt{3}}{2}$, $\tan\theta = -\dfrac{\sqrt{3}}{3}$

   (2) $\sin\theta = -\dfrac{3}{5}$, $\cos\theta = -\dfrac{4}{5}$, $\tan\theta = \dfrac{3}{4}$

6 (1) $\sin\theta > 0$, $\cos\theta < 0$, $\tan\theta < 0$

   (2) $\sin\theta > 0$, $\cos\theta > 0$, $\tan\theta > 0$

7 (1) 제2사분면 (2) 제4사분면

8 (1) $\cos\theta = -\dfrac{1}{2}$, $\tan\theta = \sqrt{3}$

   (2) $\sin\theta = \dfrac{5}{13}$, $\tan\theta = -\dfrac{5}{12}$

1 (1) $440° = 360° \times 1 + 80°$이므로 제1사분면의 각이다.

   (2) $-200° = 360° \times (-1) + 160°$이므로 제2사분면의 각이다.

   (3) $-420° = 360° \times (-2) + 300°$이므로 제4사분면의 각이다.

2 (1) $18° = 18 \times 1° = 18 \times \dfrac{\pi}{180} = \dfrac{\pi}{10}$

   (2) $-120° = -120 \times 1° = -120 \times \dfrac{\pi}{180} = -\dfrac{2}{3}\pi$

   (3) $\dfrac{\pi}{12} = \dfrac{\pi}{12} \times \dfrac{180°}{\pi} = 15°$

   (4) $-\dfrac{7}{4}\pi = -\dfrac{7}{4}\pi \times \dfrac{180°}{\pi} = -315°$

3 (1) $l = 10 \times \dfrac{4}{5}\pi = 8\pi$

   (2) $S = \dfrac{1}{2} \times 10^2 \times \dfrac{4}{5}\pi = 40\pi$

4 $135° = 135 \times \dfrac{\pi}{180} = \dfrac{3}{4}\pi$이므로

   (1) $l = 12 \times \dfrac{3}{4}\pi = 9\pi$

   (2) $S = \dfrac{1}{2} \times 12^2 \times \dfrac{3}{4}\pi = 54\pi$

5 (1) 오른쪽 그림에서

   $\overline{\mathrm{OP}} = \sqrt{(-\sqrt{3})^2 + 1^2} = 2$

   이므로

   $\sin\theta = \dfrac{1}{2}$, $\cos\theta = -\dfrac{\sqrt{3}}{2}$

   $\tan\theta = -\dfrac{1}{\sqrt{3}} = -\dfrac{\sqrt{3}}{3}$

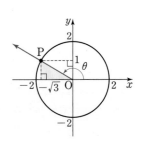

(2) 오른쪽 그림에서
$\overline{OP} = \sqrt{(-4)^2+(-3)^2} = 5$
이므로

$\sin\theta = -\dfrac{3}{5}$, $\cos\theta = -\dfrac{4}{5}$

$\tan\theta = \dfrac{3}{4}$

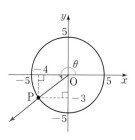

6 (1) $520° = 360° \times 1 + 160°$는 제2사분면의 각이므로
$\sin\theta > 0$, $\cos\theta < 0$, $\tan\theta < 0$

(2) $-\dfrac{5}{3}\pi = 2\pi \times (-1) + \dfrac{\pi}{3}$는 제1사분면의 각이므로
$\sin\theta > 0$, $\cos\theta > 0$, $\tan\theta > 0$

7 (1) $\sin\theta > 0$에서 각 θ는 제1사분면 또는 제2사분면의 각이고,
$\cos\theta < 0$에서 각 θ는 제2사분면 또는 제3사분면의 각이다.
따라서 각 θ는 제2사분면의 각이다.

(2) $\cos\theta > 0$에서 각 θ는 제1사분면 또는 제4사분면의 각이고,
$\tan\theta < 0$에서 각 θ는 제2사분면 또는 제4사분면의 각이다.
따라서 각 θ는 제4사분면의 각이다.

8 (1) $\sin^2\theta + \cos^2\theta = 1$이므로
$\cos^2\theta = 1 - \sin^2\theta = 1 - \left(-\dfrac{\sqrt{3}}{2}\right)^2 = \dfrac{1}{4}$

이때, θ가 제3사분면의 각이므로 $\cos\theta < 0$

$\therefore \cos\theta = -\dfrac{1}{2}$

또, $\tan\theta = \dfrac{\sin\theta}{\cos\theta}$에서 $\tan\theta = \left(-\dfrac{\sqrt{3}}{2}\right) \div \left(-\dfrac{1}{2}\right) = \sqrt{3}$

(2) $\sin^2\theta + \cos^2\theta = 1$이므로
$\sin^2\theta = 1 - \cos^2\theta = 1 - \left(-\dfrac{12}{13}\right)^2 = \dfrac{25}{169}$

이때, θ가 제2사분면의 각이므로 $\sin\theta > 0$

$\therefore \sin\theta = \dfrac{5}{13}$

또, $\tan\theta = \dfrac{\sin\theta}{\cos\theta}$에서 $\tan\theta = \dfrac{5}{13} \div \left(-\dfrac{12}{13}\right) = -\dfrac{5}{12}$

4일 **교과서 기출 베스트 1회** 42~43쪽

1 ④	**2** ③	**3** $10\pi+8$	**4** $25\,\text{m}^2$
5 -1	**6** $-\dfrac{\sqrt{3}}{2}$	**7** $\dfrac{7}{8}$	**8** -1

1 $70° = 360° \times 0 + 70°$이다.

① $420° = 360° \times 1 + 60°$이므로 $420°$는 $60°$의 동경과 같다.

② $290° = 360° \times 0 + 290°$이므로 $290°$의 동경과 같다.

③ $-70° = 360° \times (-1) + 290°$이므로 $290°$의 동경과 같다.

④ $-290° = 360° \times (-1) + 70°$이므로 $70°$의 동경과 같다.

⑤ $-610° = 360° \times (-2) + 110°$이므로 $110°$의 동경과 같다.

따라서 $70°$의 동경과 일치하는 것은 ④이다.

2 ① $60° = 60 \times \dfrac{\pi}{180} = \dfrac{\pi}{3}$ ② $150° = 150 \times \dfrac{\pi}{180} = \dfrac{5}{6}\pi$

③ $225° = 225 \times \dfrac{\pi}{180} = \dfrac{5}{4}\pi$ ④ $\dfrac{3}{4}\pi = \dfrac{3}{4}\pi \times \dfrac{180°}{\pi} = 135°$

⑤ $\dfrac{5}{3}\pi = \dfrac{5}{3}\pi \times \dfrac{180°}{\pi} = 300°$

따라서 옳지 않은 것은 ③이다.

3 부채꼴의 반지름의 길이를 r, 호의 길이를 l, 넓이를 S라 하면
$S = \dfrac{1}{2}rl$에서 $20\pi = \dfrac{1}{2} \times 4 \times l$ $\therefore l = 10\pi$

따라서 부채꼴의 둘레의 길이는
$2 \times 4 + 10\pi = 10\pi + 8$

4 부채꼴의 반지름의 길이를 r, 호의 길이를 l이라 하면
$l = 20 - 2r$ (단, $0 < r < 10$)
부채꼴의 넓이를 S라 하면

$S = \dfrac{1}{2}rl = \dfrac{1}{2}r(20-2r)$

$\quad = -r^2 + 10r = -(r-5)^2 + 25$

따라서 $r = 5$일 때, S의 최댓값이 25이므로 만들 수 있는 화단의 최대 넓이는 $25\,\text{m}^2$이다.

5 $\left(\tan\theta + \dfrac{1}{\cos\theta}\right)\left(\tan\theta - \dfrac{1}{\cos\theta}\right) = \tan^2\theta - \dfrac{1}{\cos^2\theta}$

$\qquad\qquad = \dfrac{\sin^2\theta}{\cos^2\theta} - \dfrac{1}{\cos^2\theta}$

$\qquad\qquad = \dfrac{\sin^2\theta - 1}{\cos^2\theta}$

$\qquad\qquad = \dfrac{-\cos^2\theta}{\cos^2\theta} = -1$

6 $\sin^2\theta + \cos^2\theta = 1$이므로
$\sin^2\theta = 1 - \cos^2\theta = 1 - \left(-\dfrac{1}{2}\right)^2 = \dfrac{3}{4}$

이때, θ가 제2사분면의 각이므로 $\sin\theta > 0$

$\therefore \sin\theta = \dfrac{\sqrt{3}}{2}$

또, $\tan\theta = \dfrac{\sin\theta}{\cos\theta}$에서 $\tan\theta = \dfrac{\sqrt{3}}{2} \div \left(-\dfrac{1}{2}\right) = -\sqrt{3}$

$\therefore \sin\theta + \tan\theta = \dfrac{\sqrt{3}}{2} - \sqrt{3} = -\dfrac{\sqrt{3}}{2}$

7 $\sin\theta-\cos\theta=-\dfrac{\sqrt{2}}{2}$의 양변을 제곱하면

$\sin^2\theta-2\sin\theta\cos\theta+\cos^2\theta=\dfrac{1}{2}$

$1-2\sin\theta\cos\theta=\dfrac{1}{2}$ $\therefore \sin\theta\cos\theta=\dfrac{1}{4}$

$\therefore \sin^4\theta+\cos^4\theta=(\sin^2\theta+\cos^2\theta)^2-2\sin^2\theta\cos^2\theta$

$\qquad\qquad\qquad\quad =1-2(\sin\theta\cos\theta)^2$

$\qquad\qquad\qquad\quad =1-2\times\left(\dfrac{1}{4}\right)^2=\dfrac{7}{8}$

8 x에 대한 이차방정식 $2x^2-4ax+a^2-1=0$의 두 근이 $\sin\theta$, $\cos\theta$이므로 근과 계수의 관계에 의하여

$\sin\theta+\cos\theta=2a$, $\sin\theta\cos\theta=\dfrac{a^2-1}{2}$

$\sin\theta+\cos\theta=2a$의 양변을 제곱하면

$\sin^2\theta+2\sin\theta\cos\theta+\cos^2\theta=4a^2$

$1+2\sin\theta\cos\theta=4a^2$, $1+2\times\dfrac{a^2-1}{2}=4a^2$

$1+a^2-1=4a^2$, $a^2=0$ $\therefore a=0$

따라서 $\sin\theta+\cos\theta=0$에서 $\sin\theta=-\cos\theta$이므로

$\tan\theta=\dfrac{\sin\theta}{\cos\theta}=\dfrac{-\cos\theta}{\cos\theta}=-1$

4일 교과서 기출 베스트 2회   44~45쪽

1 ④	**2** ④	**3** $\dfrac{4}{3}$	**4** 2
5 $a=-4$, $\sin\theta=-\dfrac{4}{5}$, $\cos\theta=\dfrac{3}{5}$			**6** 2
7 $\dfrac{1}{5}$	**8** $\dfrac{1}{16}$	**9** -2	

1 ① $410°=360°\times1+50°$

② $770°=360°\times2+50°$

③ $-310°=360°\times(-1)+50°$

④ $-250°=360°\times(-1)+\boxed{110°}$

⑤ $1130°=360°\times3+50°$

따라서 각을 나타내는 동경이 나머지 넷과 다른 하나는 ④이다.

2 ① $72°=72\times\dfrac{\pi}{180}=\dfrac{2}{5}\pi$ ② $420°=420\times\dfrac{\pi}{180}=\dfrac{7}{3}\pi$

③ $\dfrac{5}{6}\pi=\dfrac{5}{6}\pi\times\dfrac{180°}{\pi}=150°$ ④ $\dfrac{7}{12}\pi=\dfrac{7}{12}\pi\times\dfrac{180°}{\pi}=\boxed{105°}$

⑤ $\dfrac{7}{4}\pi=\dfrac{7}{4}\pi\times\dfrac{180°}{\pi}=315°$

따라서 옳지 않은 것은 ④이다.

3 부채꼴의 반지름의 길이를 r, 호의 길이를 l이라 하면 부채꼴의 둘레의 길이는 $2r+l$이므로

$2\times6+l=20$ $\therefore l=8$

이때, $l=r\theta$에서 $8=6\theta$ $\therefore \theta=\dfrac{4}{3}$

4 부채꼴의 반지름의 길이를 r, 호의 길이를 l이라 하면

$l=12-2r$ (단, $0<r<6$)

부채꼴의 넓이를 S라 하면

$S=\dfrac{1}{2}rl=\dfrac{1}{2}r(12-2r)=-r^2+6r=-(r-3)^2+9$

따라서 $r=3$일 때 S는 최댓값을 갖는다.

즉, $r=3$일 때 $l=6$이므로 $l=r\theta$에서 $6=3\theta$ $\therefore \theta=2$

5 $\tan\theta=\dfrac{a}{3}=-\dfrac{4}{3}$에서 $a=-4$

즉, $\mathrm{P}(3,-4)$이므로

$\overline{\mathrm{OP}}=\sqrt{3^2+(-4)^2}=5$에서

$\sin\theta=-\dfrac{4}{5}$, $\cos\theta=\dfrac{3}{5}$

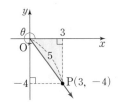

6 $\sin^2\theta\left(1-\dfrac{1}{\tan\theta}\right)^2+\sin^2\theta\left(1+\dfrac{1}{\tan\theta}\right)^2$

$=\sin^2\theta\left(1-\dfrac{2}{\tan\theta}+\dfrac{1}{\tan^2\theta}\right)+\sin^2\theta\left(1+\dfrac{2}{\tan\theta}+\dfrac{1}{\tan^2\theta}\right)$

$=\sin^2\theta\left(2+\dfrac{2}{\tan^2\theta}\right)$

$=2\sin^2\theta\left(1+\dfrac{\cos^2\theta}{\sin^2\theta}\right)$

$=2(\sin^2\theta+\cos^2\theta)=2$

7 $\tan\theta=-\dfrac{3}{4}$에서 $\dfrac{\sin\theta}{\cos\theta}=-\dfrac{3}{4}$이므로

$\sin\theta=-\dfrac{3}{4}\cos\theta$ ...... ㉠

이때, $\sin^2\theta+\cos^2\theta=1$이므로 $\left(-\dfrac{3}{4}\cos\theta\right)^2+\cos^2\theta=1$

$9\cos^2\theta+16\cos^2\theta=16$, $25\cos^2\theta=16$, $\cos^2\theta=\dfrac{16}{25}$

그런데 각 θ가 제4사분면의 각이므로 $\cos\theta>0$

$\therefore \cos\theta=\dfrac{4}{5}$

또, ㉠에서 $\sin\theta=-\dfrac{3}{4}\times\dfrac{4}{5}=-\dfrac{3}{5}$

$\therefore \sin\theta+\cos\theta=-\dfrac{3}{5}+\dfrac{4}{5}=\dfrac{1}{5}$

다른 풀이

제4사분면 위의 점 $\mathrm{P}(4,-3)$에서 $\overline{\mathrm{OP}}=\sqrt{4^2+(-3)^2}=5$이므로

$\sin\theta=-\dfrac{3}{5}$, $\cos\theta=\dfrac{4}{5}$ $\therefore \sin\theta+\cos\theta=\dfrac{1}{5}$

8 $\sin\theta+\cos\theta=\dfrac{\sqrt{2}}{2}$의 양변을 제곱하면

$$\sin^2\theta+2\sin\theta\cos\theta+\cos^2\theta=\dfrac{1}{2}$$

$$1+2\sin\theta\cos\theta=\dfrac{1}{2}\qquad\therefore\sin\theta\cos\theta=-\dfrac{1}{4}$$

$$\therefore(1-\sin^2\theta)(1-\cos^2\theta)$$

$$=1-\sin^2\theta-\cos^2\theta+\sin^2\theta\cos^2\theta$$

$$=1-1+\left(-\dfrac{1}{4}\right)^2=\dfrac{1}{16}$$

9 $\sin\theta+\cos\theta=\dfrac{1}{2}$의 양변을 제곱하면

$$\sin^2\theta+2\sin\theta\cos\theta+\cos^2\theta=\dfrac{1}{4}$$

$$1+2\sin\theta\cos\theta=\dfrac{1}{4}\qquad\therefore\sin\theta\cos\theta=-\dfrac{3}{8}$$

한편, 이차방정식 $16x^2+ax+b=0$의 두 근이 $\sin\theta$, $\cos\theta$
이므로 근과 계수의 관계에 의하여

$$\sin\theta+\cos\theta=-\dfrac{a}{16},\ \sin\theta\cos\theta=\dfrac{b}{16}$$

따라서 $-\dfrac{a}{16}=\dfrac{1}{2}$에서 $a=-8$, $\dfrac{b}{16}=-\dfrac{3}{8}$에서 $b=-6$

$$\therefore a-b=-8-(-6)=-2$$

5일 시험지 속 개념 문제   49, 51쪽

1 (1) 그래프: 풀이 참조, 치역: $\{y\,|-1\le y\le1\}$, 주기: π

  (2) 그래프: 풀이 참조, 치역: $\{y\,|-1\le y\le1\}$, 주기: 2π

  (3) 그래프: 풀이 참조, 치역: $\{y\,|-2\le y\le2\}$, 주기: $\dfrac{2}{3}\pi$

2 (1) 그래프: 풀이 참조, 치역: $\{y\,|-1\le y\le1\}$, 주기: $\dfrac{2}{3}\pi$

  (2) 그래프: 풀이 참조, 치역: $\{y\,|-2\le y\le2\}$, 주기: 2π

  (3) 그래프: 풀이 참조, 치역: $\{y\,|-2\le y\le2\}$, 주기: $\dfrac{2}{3}\pi$

3 (1) 그래프: 풀이 참조, 주기: 2π

    점근선의 방정식: $x=(2n+1)\pi$ (단, n은 정수)

  (2) 그래프: 풀이 참조, 주기: π

    점근선의 방정식: $x=n\pi+\dfrac{\pi}{2}$ (단, n은 정수)

  (3) 그래프: 풀이 참조, 주기: 3π

    점근선의 방정식: $x=3n\pi+\dfrac{3}{2}\pi$ (단, n은 정수)

4 (1) 최댓값: 3, 최솟값: -3, 주기: π

  (2) 최댓값: 2, 최솟값: 0, 주기: $\dfrac{2}{3}\pi$

  (3) 최댓값: 없다, 최솟값: 없다, 주기: $\dfrac{\pi}{4}$

5 (1) $-\dfrac{\sqrt{3}}{2}$ (2) $-\dfrac{\sqrt{3}}{2}$ (3) $-\dfrac{\sqrt{3}}{3}$

6 (1) $-\dfrac{\sqrt{2}}{2}$ (2) $-\dfrac{1}{2}$ (3) 1

7 (1) $x=\dfrac{7}{6}\pi$ 또는 $x=\dfrac{11}{6}\pi$ (2) $x=\dfrac{\pi}{4}$ 또는 $x=\dfrac{7}{4}\pi$

8 (1) $\dfrac{4}{3}\pi<x<\dfrac{5}{3}\pi$ (2) $\dfrac{\pi}{3}\le x<\dfrac{\pi}{2}$ 또는 $\dfrac{4}{3}\pi\le x<\dfrac{3}{2}\pi$

1 (1) 함수 $y=\sin2x$의 그래프는 다음과 같다.

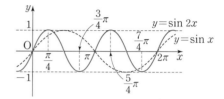

치역: $\{y\,|-1\le y\le1\}$, 주기: $\dfrac{2\pi}{2}=\pi$

  (2) 함수 $y=-\sin x$의 그래프는 다음과 같다.

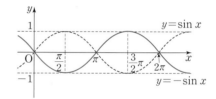

치역: $\{y\,|-1\le y\le1\}$, 주기: $\dfrac{2\pi}{1}=2\pi$

  (3) 함수 $y=2\sin3x$의 그래프는 다음과 같다.

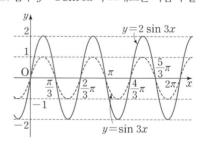

치역: $\{y\,|-2\le y\le2\}$, 주기: $\dfrac{2\pi}{3}=\dfrac{2}{3}\pi$

2 (1) 함수 $y=\cos3x$의 그래프는 다음과 같다.

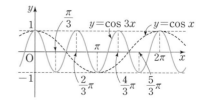

치역: $\{y \mid -1 \leq y \leq 1\}$, 주기: $\dfrac{2\pi}{3} = \dfrac{2}{3}\pi$

(2) 함수 $y = 2\cos x$의 그래프는 다음과 같다.

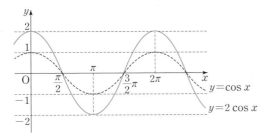

치역: $\{y \mid -2 \leq y \leq 2\}$, 주기: $\dfrac{2\pi}{1} = 2\pi$

(3) 함수 $y = 2\cos 3x$의 그래프는 다음과 같다.

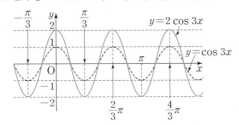

치역: $\{y \mid -2 \leq y \leq 2\}$, 주기: $\dfrac{2\pi}{3} = \dfrac{2}{3}\pi$

3 (1) 함수 $y = \tan \dfrac{x}{2}$의 그래프는 다음과 같다.

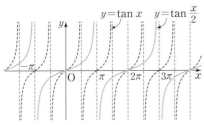

주기: $\dfrac{\pi}{\frac{1}{2}} = 2\pi$

점근선의 방정식: $\dfrac{x}{2} = n\pi + \dfrac{\pi}{2}$에서

$$x = (2n+1)\pi \ (\text{단, } n\text{은 정수})$$

(2) 함수 $y = 3\tan x$의 그래프는 다음과 같다.

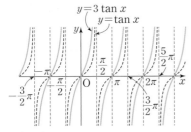

주기: $\dfrac{\pi}{1} = \pi$

점근선의 방정식: $x = n\pi + \dfrac{\pi}{2}$ (단, n은 정수)

(3) 함수 $y = 2\tan \dfrac{x}{3}$의 그래프는 다음과 같다.

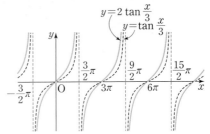

주기: $\dfrac{\pi}{\frac{1}{3}} = 3\pi$

점근선의 방정식: $\dfrac{x}{3} = n\pi + \dfrac{\pi}{2}$에서

$$x = 3n\pi + \dfrac{3}{2}\pi \ (\text{단, } n\text{은 정수})$$

참고

함수 $y = \tan x$의 그래프의 점근선의 방정식은 $x = n\pi + \dfrac{\pi}{2}$ (n은 정수)

이므로 함수 $y = a\tan(bx+c)+d$의 그래프의 점근선의 방정식은

$bx + c = n\pi + \dfrac{\pi}{2}$에서 $x = \dfrac{1}{b}\left(n\pi + \dfrac{\pi}{2}\right) - \dfrac{c}{b}$ (n은 정수)이다.

5 (1) $\sin \dfrac{4}{3}\pi = \sin\left(\pi + \dfrac{\pi}{3}\right) = -\sin\dfrac{\pi}{3} = -\dfrac{\sqrt{3}}{2}$

(2) $\cos \dfrac{7}{6}\pi = \cos\left(\pi + \dfrac{\pi}{6}\right) = -\cos\dfrac{\pi}{6} = -\dfrac{\sqrt{3}}{2}$

(3) $\tan \dfrac{5}{6}\pi = \tan\left(\pi - \dfrac{\pi}{6}\right) = -\tan\dfrac{\pi}{6} = -\dfrac{\sqrt{3}}{3}$

6 (1) $\sin \dfrac{7}{4}\pi = \sin\left(\dfrac{\pi}{2} \times 3 + \dfrac{\pi}{4}\right) = -\cos\dfrac{\pi}{4} = -\dfrac{\sqrt{2}}{2}$

(2) $\cos \dfrac{10}{3}\pi = \cos\left(\dfrac{\pi}{2} \times 6 + \dfrac{\pi}{3}\right) = -\cos\dfrac{\pi}{3} = -\dfrac{1}{2}$

(3) $\tan \dfrac{13}{4}\pi = \tan\left(\dfrac{\pi}{2} \times 6 + \dfrac{\pi}{4}\right) = \tan\dfrac{\pi}{4} = 1$

7 (1) $2\sin x + 1 = 0$에서 $\sin x = -\dfrac{1}{2}$

$0 \leq x < 2\pi$일 때, 함수 $y = \sin x$의 그래프와 직선 $y = -\dfrac{1}{2}$

은 다음 그림과 같으므로 교점의 x좌표는 $\dfrac{7}{6}\pi$, $\dfrac{11}{6}\pi$이다.

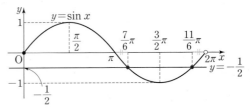

따라서 구하는 방정식의 해는 $x = \dfrac{7}{6}\pi$ 또는 $x = \dfrac{11}{6}\pi$

(2) $2\cos x - \sqrt{2} = 0$에서 $\cos x = \dfrac{\sqrt{2}}{2}$

$0 \leq x < 2\pi$일 때, 함수 $y=\cos x$의 그래프와 직선 $y=\dfrac{\sqrt{2}}{2}$는 다음 그림과 같으므로 교점의 x좌표는 $\dfrac{\pi}{4}$, $\dfrac{7}{4}\pi$이다.

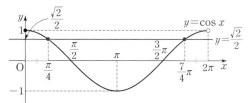

따라서 구하는 방정식의 해는 $x=\dfrac{\pi}{4}$ 또는 $x=\dfrac{7}{4}\pi$

8 (1) $0 \leq x < 2\pi$일 때, 함수 $y=\sin x$의 그래프와 직선 $y=-\dfrac{\sqrt{3}}{2}$은 다음 그림과 같으므로 교점의 x좌표는 $\dfrac{4}{3}\pi$, $\dfrac{5}{3}\pi$이다.

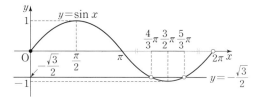

따라서 구하는 부등식의 해는 함수 $y=\sin x$의 그래프가 직선 $y=-\dfrac{\sqrt{3}}{2}$보다 아래쪽에 있는 x의 값의 범위이므로

$\dfrac{4}{3}\pi < x < \dfrac{5}{3}\pi$

(2) $0 \leq x < 2\pi$일 때, 함수 $y=\tan x$의 그래프와 직선 $y=\sqrt{3}$은 다음 그림과 같으므로 교점의 x좌표는 $\dfrac{\pi}{3}$, $\dfrac{4}{3}\pi$이다.

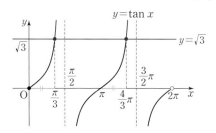

따라서 구하는 부등식의 해는 함수 $y=\tan x$의 그래프가 직선 $y=\sqrt{3}$보다 위쪽(경계선 포함)에 있는 x의 값의 범위이므로 $\dfrac{\pi}{3} \leq x < \dfrac{\pi}{2}$ 또는 $\dfrac{4}{3}\pi \leq x < \dfrac{3}{2}\pi$

5일 교과서 기출 베스트 1회 52~53쪽

| **1** 4 | **2** ② | **3** π | **4** 0 |
| **5** 22 | **6** 2π | **7** $\dfrac{\pi}{2}$ | **8** $\dfrac{\pi}{2}$ |

1 함수 $y=-3\cos 2\pi x+2$의

주기는 $\dfrac{2\pi}{2\pi}=1$ $\quad \therefore a=1$

최댓값은 $|-3|+2=5$ $\quad \therefore b=5$

최솟값은 $-|-3|+2=-1$ $\quad \therefore c=-1$

따라서 $a=1$, $b=5$, $c=-1$이므로

$2a+b+3c=2+5-3=4$

2 함수 $y=3\sin 2x$의 그래프는 다음 그림과 같다.

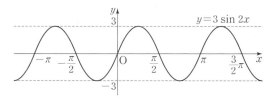

① 정의역은 실수 전체의 집합이다.

③ 치역은 $\{y|-3 \leq y \leq 3\}$이다.

④ 주기는 $\dfrac{2\pi}{2}=\pi$이다.

⑤ $y=3\sin 2x$의 그래프는 $y=\sin x$의 그래프를 x축의 방향으로 $\dfrac{1}{2}$배, y축의 방향으로 3배한 것과 같다.

따라서 옳은 것은 ②이다.

3 함수 $y=a\sin(bx-c)$의 그래프에서

최댓값은 $\dfrac{1}{4}$, 최솟값은 $-\dfrac{1}{4}$이므로 $a=\dfrac{1}{4}$ $(\because a>0)$

그래프의 주기가 $\dfrac{4}{3}\pi-\dfrac{\pi}{3}=\pi$이므로

$\dfrac{2\pi}{|b|}=\pi$에서 $b=2$ $(\because b>0)$

또, $0<c<\pi$에서 주어진 그래프는 함수 $y=\dfrac{1}{4}\sin 2x$의 그래프를 x축의 방향으로 $\dfrac{\pi}{3}$만큼 평행이동한 것이므로

$y=\dfrac{1}{4}\sin 2\left(x-\dfrac{\pi}{3}\right)=\dfrac{1}{4}\sin\left(2x-\dfrac{2}{3}\pi\right)$ $\quad \therefore c=\dfrac{2}{3}\pi$

$\therefore 3abc=3\times\dfrac{1}{4}\times2\times\dfrac{2}{3}\pi=\pi$

4 $\sin\left(\dfrac{\pi}{2}+\theta\right)=\cos\theta$, $\sin(\pi-\theta)=\sin\theta$,

$\cos\left(\dfrac{\pi}{2}+\theta\right)=-\sin\theta$, $\cos(\pi-\theta)=-\cos\theta$이므로

$\sin\left(\dfrac{\pi}{2}+\theta\right)\sin(\pi-\theta)-\cos\left(\dfrac{\pi}{2}+\theta\right)\cos(\pi-\theta)$

$=\cos\theta\sin\theta-(-\sin\theta)(-\cos\theta)$

$=\cos\theta\sin\theta-\sin\theta\cos\theta=0$

5 $\sin 88° = \sin(90° - 2°) = \cos 2°$ $\quad\therefore \sin^2 88° = \cos^2 2°$

이때, $\sin^2 2° + \sin^2 88° = \sin^2 2° + \cos^2 2° = 1$

같은 방법으로 생각하면

$\sin^2 4° + \sin^2 86° = \sin^2 4° + \cos^2 4° = 1$

$\vdots$

$\sin^2 44° + \sin^2 46° = \sin^2 44° + \cos^2 44° = 1$

$\therefore \sin^2 2° + \sin^2 4° + \sin^2 6° + \cdots + \sin^2 88°$

$\quad = (\sin^2 2° + \sin^2 88°) + (\sin^2 4° + \sin^2 86°)$

$\quad\quad\quad\quad\quad\quad\quad + \cdots + (\sin^2 44° + \sin^2 46°)$

$\quad = (\sin^2 2° + \cos^2 2°) + (\sin^2 4° + \cos^2 4°)$

$\quad\quad\quad\quad\quad\quad\quad + \cdots + (\sin^2 44° + \cos^2 44°)$

$\quad = 1 \times 22 = 22$

6 $3\cos x + 1 = 0$에서 $\cos x = -\dfrac{1}{3}$

$0 \le x < 2\pi$일 때, 함수 $y = \cos x$의 그래프와 직선 $y = -\dfrac{1}{3}$은 다음 그림과 같고 교점의 x좌표를 α, β $(\alpha < \beta)$라 하자.

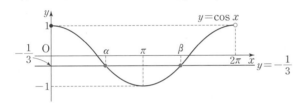

함수 $y = \cos x$의 그래프는 직선 $x = \pi$에 대하여 대칭이므로

$\dfrac{\alpha + \beta}{2} = \pi$ $\quad \therefore \alpha + \beta = 2\pi$

7 $\cos^2 x = 1 - \sin^2 x$이므로 $2(1 - \sin^2 x) = 1 - \sin x$

$2\sin^2 x - \sin x - 1 = 0$, $(2\sin x + 1)(\sin x - 1) = 0$

$\therefore \sin x = -\dfrac{1}{2}$ 또는 $\sin x = 1$

이때, $0 \le x < \pi$에서 $\sin x \ge 0$이므로

$\sin x = 1$ $\quad \therefore x = \dfrac{\pi}{2}$ $(\because 0 \le x < \pi)$

8 $2\cos x + \sqrt{2} > 0$에서 $\cos x > -\dfrac{\sqrt{2}}{2}$

$0 \le x < 2\pi$일 때, 함수 $y = \cos x$의 그래프와 직선 $y = -\dfrac{\sqrt{2}}{2}$는 다음 그림과 같으므로 교점의 x좌표는 $\dfrac{3}{4}\pi$, $\dfrac{5}{4}\pi$이다.

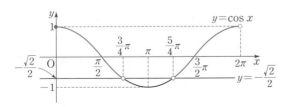

부등식의 해는 함수 $y = \cos x$의 그래프가 직선 $y = -\dfrac{\sqrt{2}}{2}$보다 위쪽에 있는 x의 값의 범위이므로

$0 \le x < \dfrac{3}{4}\pi$ 또는 $\dfrac{5}{4}\pi < x < 2\pi$

따라서 $\alpha = \dfrac{3}{4}\pi$, $\beta = \dfrac{5}{4}\pi$이므로 $\beta - \alpha = \dfrac{5}{4}\pi - \dfrac{3}{4}\pi = \dfrac{\pi}{2}$

5일 교과서 기출 베스트 2회 54~55쪽

1 8	**2** ⑤	**3** 4	**4** 0
5 7	**6** $\dfrac{\pi}{2}$	**7** 2π	**8** $-\pi$

9 $0 \le x < \dfrac{7}{6}\pi$ 또는 $\dfrac{11}{6}\pi < x < 2\pi$

1 a, b가 양수이고, 함수 $y = a\sin bx + 1$의 최댓값이 7이므로

$a + 1 = 7$에서 $a = 6$

또, 주기가 6π이므로 $\dfrac{2\pi}{b} = 6\pi$에서 $b = \dfrac{1}{3}$

$\therefore a + 6b = 6 + 6 \times \dfrac{1}{3} = 8$

2 함수 $y = \cos(3x + \pi) + 2 = \cos 3\left(x + \dfrac{\pi}{3}\right) + 2$에서

① 주기는 $\dfrac{2\pi}{3} = \dfrac{2}{3}\pi$이다.

② 최댓값은 $1 + 2 = 3$이다.

③ 최솟값은 $-1 + 2 = 1$이다.

④ $x = 0$을 대입하면 $y = \cos \pi + 2 = -1 + 2 = 1$

즉, 함수 $y = \cos(3x + \pi) + 2$의 그래프는 점 $(0, 1)$을 지난다.

⑤ $y = \cos 3\left(x + \dfrac{\pi}{3}\right) + 2$의 그래프는 $y = \cos 3x$의 그래프를 x축의 방향으로 $-\dfrac{\pi}{3}$만큼, y축의 방향으로 2만큼 평행이동한 것이다.

따라서 옳지 않은 것은 ⑤이다.

3 함수 $y = a\sin b\left(x - \dfrac{\pi}{4}\right)$의 그래프에서

최댓값은 2, 최솟값은 -2이므로 $a = 2$ $(\because a > 0)$

그래프의 주기가 $\dfrac{5}{4}\pi - \dfrac{\pi}{4} = \pi$이므로

$\dfrac{2\pi}{|b|} = \pi$에서 $b = 2$ $(\because b > 0)$

$\therefore a + b = 2 + 2 = 4$

4 $\sin\left(\dfrac{\pi}{2}-\theta\right)=\cos\theta,\ \cos\left(\dfrac{\pi}{2}-\theta\right)=\sin\theta$

$\sin\left(\dfrac{3}{2}\pi-\theta\right)=-\cos\theta,\ \cos\left(\dfrac{3}{2}\pi-\theta\right)=-\sin\theta$이므로

$\sin\left(\dfrac{\pi}{2}-\theta\right)+\cos\left(\dfrac{\pi}{2}-\theta\right)+\sin\left(\dfrac{3}{2}\pi-\theta\right)+\cos\left(\dfrac{3}{2}\pi-\theta\right)$

$=\cos\theta+\sin\theta+(-\cos\theta)+(-\sin\theta)=0$

5 $\theta=\dfrac{\pi}{30}$일 때, $15\theta=\dfrac{\pi}{2}$이므로 두 각의 크기의 합이 $\dfrac{\pi}{2}$인 것끼리 묶으면

$\sin^2\theta+\sin^2 2\theta+\sin^2 3\theta+\cdots+\sin^2 14\theta$

$=(\sin^2\theta+\sin^2 14\theta)+\cdots+(\sin^2 7\theta+\sin^2 8\theta)$

$=\left(\sin^2\dfrac{\pi}{30}+\sin^2\dfrac{14}{30}\pi\right)+\cdots+\left(\sin^2\dfrac{7}{30}\pi+\sin^2\dfrac{8}{30}\pi\right)$

$=\left\{\sin^2\dfrac{\pi}{30}+\sin^2\left(\dfrac{\pi}{2}-\dfrac{\pi}{30}\right)\right\}$

$\qquad\qquad+\cdots+\left\{\sin^2\dfrac{7}{30}\pi+\sin^2\left(\dfrac{\pi}{2}-\dfrac{7}{30}\pi\right)\right\}$

$=\left(\sin^2\dfrac{\pi}{30}+\cos^2\dfrac{\pi}{30}\right)+\cdots+\left(\sin^2\dfrac{7}{30}\pi+\cos^2\dfrac{7}{30}\pi\right)$

$=1\times 7=7$

6 이차방정식 $x^2+2x+\sin\theta=0$의 판별식을 D라 하면

$\dfrac{D}{4}=1-\sin\theta=0$ $\quad\therefore\ \sin\theta=1$

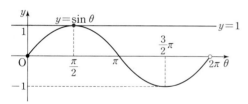

$\sin\theta=1$의 근은 함수 $y=\sin\theta\,(0\le\theta<2\pi)$의 그래프와 직선 $y=1$의 교점의 θ좌표이므로 $\theta=\dfrac{\pi}{2}$

7 $2\sin^2 x-\sqrt2\sin x=0$에서 $\sin x(2\sin x-\sqrt2)=0$

$\therefore\ \sin x=0$ 또는 $\sin x=\dfrac{\sqrt2}{2}$

$0\le x<2\pi$일 때, 함수 $y=\sin x$의 그래프와 직선 $y=0$, $y=\dfrac{\sqrt2}{2}$는 다음 그림과 같다.

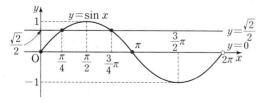

(i) $\sin x=0$이면 $x=0$ 또는 $x=\pi$

(ii) $\sin x=\dfrac{\sqrt2}{2}$이면 $x=\dfrac{\pi}{4}$ 또는 $x=\dfrac{3}{4}\pi$

(i), (ii)에서 $x=0$ 또는 $x=\dfrac{\pi}{4}$ 또는 $x=\dfrac{3}{4}\pi$ 또는 $x=\pi$

따라서 구하는 모든 근의 합은 $0+\dfrac{\pi}{4}+\dfrac{3}{4}\pi+\pi=2\pi$

8 $-\dfrac{\pi}{2}<x<\dfrac{\pi}{2}$에서 $\cos x>0$이므로 $\cos x\ge\sin x$의 양변을 $\cos x$로 나누면 $1\ge\tan x$

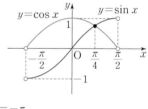

$-\dfrac{\pi}{2}<x<\dfrac{\pi}{2}$일 때, 함수 $y=\tan x$의 그래프와 직선 $y=1$은 오른쪽 그림과 같으므로 교점의 x좌표는 $\dfrac{\pi}{4}$이다.

부등식의 해는 함수 $y=\tan x$의 그래프가 직선 $y=1$보다 아래쪽(경계선 포함)에 있는 x의 값의 범위이므로

$-\dfrac{\pi}{2}<x\le\dfrac{\pi}{4}$

따라서 $\alpha=-\dfrac{\pi}{2}$, $\beta=\dfrac{\pi}{4}$이므로

$4(\alpha+\beta)=4\times\left(-\dfrac{\pi}{2}+\dfrac{\pi}{4}\right)=-\pi$

다른 풀이

$-\dfrac{\pi}{2}<x<\dfrac{\pi}{2}$에서 $y=\cos x$, $y=\sin x$의 그래프를 함께 나타내면 오른쪽 그림과 같다.

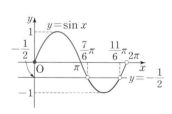

이때, $\cos x\ge\sin x$의 해는 $-\dfrac{\pi}{2}<x\le\dfrac{\pi}{4}$이므로

$\alpha=-\dfrac{\pi}{2}$, $\beta=\dfrac{\pi}{4}$ $\quad\therefore\ 4(\alpha+\beta)=-\pi$

9 $2\cos^2 x+5\sin x+1>0$에서 $2(1-\sin^2 x)+5\sin x+1>0$

$2\sin^2 x-5\sin x-3<0$ $\quad\therefore\ (\sin x-3)(2\sin x+1)<0$

이때, $0\le x<2\pi$에서 $\sin x-3<0$이므로 $2\sin x+1>0$

$\therefore\ \sin x>-\dfrac{1}{2}$

$0\le x<2\pi$일 때, 함수 $y=\sin x$의 그래프와 직선 $y=-\dfrac{1}{2}$은 오른쪽 그림과 같으므로 교점의 x좌표는 $\dfrac{7}{6}\pi$, $\dfrac{11}{6}\pi$이다.

따라서 구하는 부등식의 해는 함수 $y=\sin x$의 그래프가 직선 $y=-\dfrac{1}{2}$보다 위쪽에 있는 x의 값의 범위이므로

$0\le x<\dfrac{7}{6}\pi$ 또는 $\dfrac{11}{6}\pi<x<2\pi$

1 수현	**2** ④	**3** $\dfrac{3}{2}$	**4** $\dfrac{1}{2}a+\dfrac{3}{2}b$
5 ③	**6** ⑤	**7** 3	**8** 5
9 ②	**10** $x=2$		

1 나래: 5의 세제곱근은 $x^3=5$의 근이므로 3개이다.
수현: 25의 네제곱근은 $x^4=25$의 근이므로 4개이다.
지아: 27의 세제곱근 중 실수인 것은 3의 1개이다.
준수: -16의 네제곱근 중 실수인 것은 없다.
따라서 바르게 말한 사람은 수현이다.

2 $\sqrt[4]{9^2}+\sqrt[4]{8}\sqrt[4]{2}+\sqrt{\sqrt[3]{64}}=\sqrt[4]{3^4}+\sqrt[4]{8\times2}+\sqrt[6]{64}$
$\qquad\qquad\qquad\qquad\quad=3+\sqrt[4]{2^4}+\sqrt[6]{2^6}$
$\qquad\qquad\qquad\qquad\quad=3+2+2=7$

3 $\dfrac{1}{2}\log_2 3+\log_2\sqrt{6}-\log_2\dfrac{3}{2}$
$=\log_2 3^{\frac{1}{2}}+\log_2\sqrt{6}-\log_2\dfrac{3}{2}$
$=\log_2\sqrt{3}+\log_2\sqrt{6}-\log_2\dfrac{3}{2}$
$=\log_2\left(\sqrt{3}\times\sqrt{6}\div\dfrac{3}{2}\right)$
$=\log_2\left(3\sqrt{2}\times\dfrac{2}{3}\right)$
$=\log_2 2\sqrt{2}=\log_2 2^{\frac{3}{2}}=\dfrac{3}{2}$

4 $\log_{10}\sqrt{54}=\log_{10}54^{\frac{1}{2}}=\dfrac{1}{2}\log_{10}54$
$\qquad\qquad=\dfrac{1}{2}\log_{10}(2\times3^3)$
$\qquad\qquad=\dfrac{1}{2}(\log_{10}2+3\log_{10}3)$
$\qquad\qquad=\dfrac{1}{2}(a+3b)=\dfrac{1}{2}a+\dfrac{3}{2}b$

5 $a<b$일 때 $f(a)>f(b)$를 만족시키는 함수는 x의 값이 증가하면 y의 값은 감소하는 함수이므로 주어진 지수함수 중 $0<($밑$)<1$인 것을 찾으면 된다.
따라서 주어진 조건을 만족시키는 함수는 ③이다.

6 ㄱ. $y=2^{2x-1}=4^{x-\frac{1}{2}}$이므로 $y=2^{2x-1}$의 그래프는 $y=4^x$의 그래프를 x축의 방향으로 $\dfrac{1}{2}$만큼 평행이동한 것이다.

ㄴ. $y=\left(\dfrac{1}{4}\right)^{x-2}=4^{-(x-2)}$이므로 $y=\left(\dfrac{1}{4}\right)^{x-2}$의 그래프는 $y=4^x$의 그래프를 y축에 대하여 대칭이동한 후 x축의 방향으로 2만큼 평행이동한 것이다.

ㄷ. $y=-\sqrt{2}\times4^x-1=-4^{x+\frac{1}{4}}-1$이므로 $y=-\sqrt{2}\times4^x-1$의 그래프는 $y=4^x$의 그래프를 x축에 대하여 대칭이동한 후 x축의 방향으로 $-\dfrac{1}{4}$만큼, y축의 방향으로 -1만큼 평행이동한 것이다.
따라서 $y=4^x$의 그래프를 평행이동 또는 대칭이동하여 겹쳐질 수 있는 그래프의 식은 ㄱ, ㄴ, ㄷ이다.

7 치환한 결과를 그대로 답이라 생각하면 안 된다.
$t=2$ 또는 $t=4$에서 $2^x=2=2^1$ 또는 $2^x=4=2^2$이므로
$x=1$ 또는 $x=2$
따라서 구하는 모든 해의 합은 $1+2=3$

8 $f(81)=\log_3 81+k\log_{81}81$
$\qquad\quad=\log_3 3^4+k=4+k$
$f(243)=\log_3 243+k\log_{243}81$
$\qquad\qquad=\log_3 3^5+k\log_{3^5}3^4=5+\dfrac{4}{5}k$
$f(81)=f(243)$에서 $4+k=5+\dfrac{4}{5}k$
$\dfrac{k}{5}=1$ $\quad\therefore k=5$

9 ① 진수가 양수이어야 하므로 $x-3>0$ $\quad\therefore x>3$
따라서 정의역은 $\{x|x>3\}$, 치역은 $\{y|y$는 실수$\}$이다.
③ 밑이 5이고 $5>1$이므로 $x-3$의 값이 증가하면 y의 값도 증가한다.
즉, x의 값이 증가하면 y의 값도 증가한다.
④ $y=\log_5(x-3)+1$에 $x=4$를 대입하면 $y=1$이므로 점 $(4, 1)$을 지난다.
⑤ 함수 $y=\log_5 x$의 그래프를 x축의 방향으로 3만큼, y축의 방향으로 1만큼 평행이동한 것이다.
따라서 옳은 것은 ②이다.

10 진수의 조건에서 $x>0$, $x+1>0$ $\quad\therefore x>0$ $\quad\cdots\cdots\bigcirc$
$\log_6 x+\log_6(x+1)=1$에서
$\log_6 x(x+1)=\log_6 6$이므로 $x(x+1)=6$
$x^2+x-6=0$, $(x+3)(x-2)=0$
$\therefore x=-3$ 또는 $x=2$
따라서 $\bigcirc$에 의하여 구하는 해는 $x=2$

1 ③	**2** ④	**3** 2	**4** ④
5 2	**6** ②	**7** 4π	**8** ④
9 3π	**10** $0 \leq x \leq \dfrac{\pi}{3}$ 또는 $\dfrac{5}{3}\pi \leq x < 2\pi$		

1 120° ➡ 제2사분면

　① $300° = 360° \times 0 + 300°$ ➡ 제4사분면

　② $-1020° = 360° \times (-3) + 60°$ ➡ 제1사분면

　③ $860° = 360° \times 2 + 140°$ ➡ 제2사분면

　④ $1060° = 360° \times 2 + 340°$ ➡ 제4사분면

　⑤ $-470° = 360° \times (-2) + 250°$ ➡ 제3사분면

　따라서 동경이 120°의 동경과 같은 사분면에 속하는 것은 ③
이다.

2 ① $\dfrac{4}{5}\pi = \dfrac{4}{5}\pi \times \dfrac{180°}{\pi} = 144°$

　② $135° = 135 \times \dfrac{\pi}{180} = \dfrac{3}{4}\pi$

　③ $210° = 210 \times \dfrac{\pi}{180} = \dfrac{7}{6}\pi$

　④ $300° = 300 \times \dfrac{\pi}{180} = \dfrac{5}{3}\pi$

　⑤ $\dfrac{11}{6}\pi = \dfrac{11}{6}\pi \times \dfrac{180°}{\pi} = 330°$

　따라서 옳지 않은 것은 ④이다.

3 반지름의 길이가 r, 중심각의 크기가 θ인 부채꼴에서 호의 길
이를 l, 넓이를 S라 하면

　$l = 6, S = \dfrac{1}{2}rl = \dfrac{1}{2}r \times 6 = 3r = 9$에서 $r = 3$

　이때, $l = r\theta$에서 $3\theta = 6$이므로 $\theta = 2$

4 θ가 제4사분면의 각이므로 $\sin\theta < 0, \cos\theta > 0, \tan\theta < 0$

　④ $\sin\theta \tan\theta = (음수) \times (음수) = (양수)$

5 $\sin^2\theta + \cos^2\theta = 1$이므로

　$\sin^2\theta = 1 - \cos^2\theta = 1 - \left(-\dfrac{3}{5}\right)^2 = \dfrac{16}{25}$

　이때, θ가 제3사분면의 각이므로

　$\sin\theta < 0$　∴ $\sin\theta = -\dfrac{4}{5}$

　또, $\tan\theta = \dfrac{\sin\theta}{\cos\theta}$에서

　$\tan\theta = -\dfrac{4}{5} \div \left(-\dfrac{3}{5}\right) = \dfrac{4}{3}$

　∴ $\dfrac{1}{\tan\theta} - \dfrac{1}{\sin\theta} = \dfrac{3}{4} - \left(-\dfrac{5}{4}\right) = 2$

6 ① 정의역: 실수 전체의 집합

　③ 치역: $\{y \,|\, -4 \leq y \leq 4\}$

　④ 주기: $\dfrac{2\pi}{2} = \pi$

　⑤ 함수 $y = \sin x$의 그래프를 x축의 방향으로 $\dfrac{1}{2}$배, y축의 방

　향으로 4배한 그래프이다.

　따라서 옳은 것은 ②이다.

7 함수 $y = a\cos(bx - c)$의 그래프에서

　최댓값은 4, 최솟값은 -4이므로 $a = 4$ ($\because a > 0$)

　또, 그래프의 주기가 $\dfrac{5}{4}\pi - \dfrac{\pi}{4} = \pi$이므로

　$\dfrac{2\pi}{|b|} = \pi$에서 $b = 2$ ($\because b > 0$)

　즉, $y = 4\cos(2x - c)$의 그래프가 점 $(0, 0)$을 지나므로

　$0 = 4\cos(-c), \cos c = 0$에서 $c = \dfrac{\pi}{2}$ ($\because 0 < c < \pi$)

　∴ $abc = 4 \times 2 \times \dfrac{\pi}{2} = 4\pi$

8 ① $\sin\left(\dfrac{3}{2}\pi + \theta\right) = \sin\left(\dfrac{\pi}{2} \times 3 + \theta\right) = -\cos\theta$

　　　　➡ 제4사분면 ➡ 사인값 $-$

　② $\cos\left(\dfrac{\pi}{2} - \theta\right) = \cos\left(\dfrac{\pi}{2} \times 1 - \theta\right) = \sin\theta$

　　　　➡ 제1사분면 ➡ 코사인값 $+$

　③ $\cos(\pi + \theta) = \cos\left(\dfrac{\pi}{2} \times 2 + \theta\right) = -\cos\theta$

　　　　➡ 제3사분면 ➡ 코사인값 $-$

　④ $\tan\left(\dfrac{\pi}{2} - \theta\right) = \tan\left(\dfrac{\pi}{2} \times 1 - \theta\right) = \dfrac{1}{\tan\theta}$

　　　　➡ 제1사분면 ➡ 탄젠트값 $+$

　따라서 옳지 않은 것은 ④이다.

9 $2\sin x = -\sqrt{2}$에서 $\sin x = -\dfrac{\sqrt{2}}{2}$

　$0 \leq x < 2\pi$일 때, 함수 $y = \sin x$의 그래프와 직선 $y = -\dfrac{\sqrt{2}}{2}$

　는 다음 그림과 같으므로 교점의 x좌표는 $\dfrac{5}{4}\pi, \dfrac{7}{4}\pi$이다.

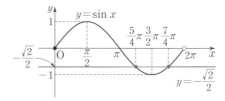

　따라서 주어진 방정식의 해는 $x = \dfrac{5}{4}\pi$ 또는 $x = \dfrac{7}{4}\pi$이므로

　구하는 모든 근의 합은

　$\dfrac{5}{4}\pi + \dfrac{7}{4}\pi = 3\pi$

10 $2\cos x-1\geq0$에서 $\cos x\geq\dfrac{1}{2}$

$0\leq x<2\pi$일 때, 함수 $y=\cos x$의 그래프와 직선 $y=\dfrac{1}{2}$은 다음 그림과 같으므로 교점의 x좌표는 $\dfrac{\pi}{3}$, $\dfrac{5}{3}\pi$이다.

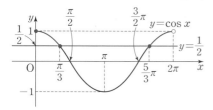

따라서 구하는 부등식의 해는 함수 $y=\cos x$의 그래프가 직선 $y=\dfrac{1}{2}$보다 위쪽(경계선 포함)에 있는 x의 값의 범위이므로

$0\leq x\leq\dfrac{\pi}{3}$ 또는 $\dfrac{5}{3}\pi\leq x<2\pi$

6일 서술형·사고력 테스트   60~61쪽

1 -15	**2** 7	**3** -8	**4** 2
5 -1	**6** $-\dfrac{8}{3}$	**7** 961	

1 $(1-2^{\frac{1}{4}})(1+2^{\frac{1}{4}})(1+2^{\frac{1}{2}})(1+2)(1+2^2)$

$=(1-2^{\frac{1}{2}})(1+2^{\frac{1}{2}})(1+2)(1+2^2)$ …… [3점]

$=(1-2)(1+2)(1+2^2)$

$=(1-2^2)(1+2^2)$

$=1-2^4$ …… [3점]

$=-15$ …… [1점]

2 이차방정식 $x^2+6x+4=0$의 근과 계수의 관계에 의하여

$\log_4 a+\log_4 b=-6$, $\log_4 a\times\log_4 b=4$ …… [2점]

이때, $\log_a b+\log_b a$를 밑이 4인 로그로 바꾸면

$\log_a b+\log_b a=\dfrac{\log_4 b}{\log_4 a}+\dfrac{\log_4 a}{\log_4 b}$

$=\dfrac{(\log_4 a)^2+(\log_4 b)^2}{\log_4 a\times\log_4 b}$

$=\dfrac{(\log_4 a+\log_4 b)^2-2\log_4 a\times\log_4 b}{\log_4 a\times\log_4 b}$ …… [4점]

$=\dfrac{(-6)^2-2\times4}{4}=7$ …… [2점]

3 $\left(\dfrac{1}{3}\right)^{x^2}\leq\left(\dfrac{1}{9}\right)^{x^2+x-4}$에서 $\left(\dfrac{1}{3}\right)^{x^2}\leq\left(\dfrac{1}{3}\right)^{2x^2+2x-8}$ …… [3점]

밑이 $\dfrac{1}{3}$이고 $0<\dfrac{1}{3}<1$이므로 $x^2\geq2x^2+2x-8$

$x^2+2x-8\leq0$, $(x+4)(x-2)\leq0$

$\therefore -4\leq x\leq2$ …… [3점]

따라서 실수 x의 최댓값은 2, 최솟값은 -4이므로 구하는 최댓값과 최솟값의 곱은

$2\times(-4)=-8$ …… [2점]

4 진수의 조건에서 $x-4>0$, $x-2>0$

$\therefore x>4$ …… ㉠   …… [3점]

$2\log_a(x-4)\geq\log_a(x-2)$에서

$\log_a(x-4)^2\geq\log_a(x-2)$

$0<a<1$이므로 $(x-4)^2\leq x-2$

$x^2-9x+18\leq0$, $(x-3)(x-6)\leq0$

$\therefore 3\leq x\leq6$ …… ㉡   …… [5점]

㉠, ㉡의 공통 범위를 구하면 $4<x\leq6$

따라서 구하는 정수 x의 개수는 5, 6으로 2이다.   …… [2점]

5 θ가 제4사분면의 각이므로 $\sin\theta<0$, $\cos\theta>0$ …… [2점]

이때, $\cos\theta-\sin\theta>0$, $1+\cos\theta>0$이므로

$\sqrt{(\cos\theta-\sin\theta)^2}-\sqrt{\sin^2\theta}-\sqrt{(1+\cos\theta)^2}$

$=|\cos\theta-\sin\theta|-|\sin\theta|-|1+\cos\theta|$

$=\cos\theta-\sin\theta+\sin\theta-1-\cos\theta$

$=-1$ …… [6점]

6 $\sin\theta+\cos\theta=-\dfrac{1}{2}$의 양변을 제곱하면

$\sin^2\theta+2\sin\theta\cos\theta+\cos^2\theta=\dfrac{1}{4}$

즉, $2\sin\theta\cos\theta=-\dfrac{3}{4}$이므로

$\sin\theta\cos\theta=-\dfrac{3}{8}$ …… [3점]

$\therefore \dfrac{\cos\theta}{\sin\theta}+\dfrac{\sin\theta}{\cos\theta}=\dfrac{\sin^2\theta+\cos^2\theta}{\sin\theta\cos\theta}$

$=\dfrac{1}{\sin\theta\cos\theta}=-\dfrac{8}{3}$ …… [5점]

7 $-2\leq2\sin60\pi t\leq2$이므로 함수 $y=2\sin60\pi t$의 치역은 $\{y\,|\,-2\leq y\leq2\}$, 주기는 $\dfrac{2\pi}{60\pi}=\dfrac{1}{30}$이다.

따라서 함수 $y=2\sin 60\pi t$의 그래프는 다음 그림과 같다.

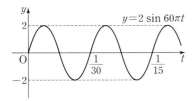

진폭 $a=(최댓값)=2$, 주기 $b=\dfrac{1}{30}$ ······ [4점]

또, 한 번 진동하는 데 $\dfrac{1}{30}$초 걸리므로 1초 동안 30번 진동한다.

즉, 주파수 $c=30$ ······ [2점]

$\therefore 30(a+b+c)=30\left(2+\dfrac{1}{30}+30\right)=961$ ······ [2점]

6일 창의·융합·코딩 62~63쪽

1 3	**2** 34	**3** 243	**4** $720\pi\ \mathrm{cm}^2$
5 $\dfrac{25}{4}\pi$			

1 만들어야 하는 정육면체 블록 한 개의 부피는

$$\frac{3^6+3^5}{36}=\frac{3^5(3+1)}{36}=\frac{3^5\times 4}{3^2\times 4}=3^3$$

이때, 정육면체 블록의 한 모서리의 길이를 x라 하면

$x^3=3^3$에서 $x=3$

> **참고**
> $x^3=3^3$에서 $(x-3)(x^2+3x+9)=0$이므로
> $x=3$ 또는 $x=\dfrac{-3\pm 3\sqrt{3}i}{2}$
> 그런데 $\dfrac{-3\pm 3\sqrt{3}i}{2}$는 허수이므로 길이가 될 수 없다.

2 두 수 3, $\log_3 2$에 대하여 연산 E를 실행하면

$3^{\log_3 2}=x$에서 로그의 정의에 의하여

$\log_3 2=\log_3 x$ $\therefore x=2$

또, 두 수 2, y에 대하여 연산 L을 실행하면

$\log_2 y=5$ $\therefore y=2^5=32$

$\therefore x+y=2+32=34$

3 [희진이의 방법]

$(\log_3 x)^2-5\log_3 x+4=0$에서 $\log_3 x=t$라 하면

$t^2-5t+4=0$ ······ ㉠

이때, 주어진 방정식의 두 근이 α, β이므로 방정식 ㉠의 두 근은 $\log_3 \alpha$, $\log_3 \beta$이다.

따라서 이차방정식의 근과 계수의 관계에 의하여

$\log_3 \alpha+\log_3 \beta=\log_3 \alpha\beta=5$ $\therefore \alpha\beta=3^5=243$

[민석이의 방법]

$(\log_3 x)^2-5\log_3 x+4=0$에서 $\log_3 x=t$라 하면

$t^2-5t+4=0,\ (t-1)(t-4)=0$

$\therefore t=1$ 또는 $t=4$

즉, $\log_3 x=1$ 또는 $\log_3 x=4$이므로 $x=3$ 또는 $x=81$

진수의 조건에서 $x>0$이므로 $x=3$ 또는 $x=81$은 이 방정식의 해이다.

$\therefore \alpha\beta=3\times 81=243$

4 와이퍼가 지나간 부분은 부채꼴 모양이다.

큰 부채꼴의 넓이를 S_1, 작은 부채꼴의 넓이를 S_2라 하면

$$S_1=\frac{1}{2}\times 50^2\times\frac{3}{5}\pi=750\pi\ (\mathrm{cm}^2)$$

$$S_2=\frac{1}{2}\times (50-40)^2\times\frac{3}{5}\pi=30\pi\ (\mathrm{cm}^2)$$

따라서 구하는 부분의 넓이는

$$S_1-S_2=750\pi-30\pi=720\pi\ (\mathrm{cm}^2)$$

5 함수 $y=a\sin bx+c$에서 $a>0$이고

최댓값이 15이므로 $a+c=15$

최솟값이 5이므로 $-a+c=5$

두 식을 더하면 $2c=20$ $\therefore c=10$

이때, $a=5$

한편, $b>0$이고 주기가 16이므로 $\dfrac{2\pi}{b}=16$에서 $b=\dfrac{\pi}{8}$

$\therefore abc=5\times\dfrac{\pi}{8}\times 10=\dfrac{25}{4}\pi$

7일 중간고사 기본 테스트 1회 64~67쪽

1 수현	**2** ③	**3** ②	**4** ④
5 ③	**6** ⑤	**7** ①	**8** $\dfrac{3}{8}$
9 ②	**10** ③	**11** ①	**12** ⑤
13 20	**14** ③	**15** ②	**16** ④
17 $\dfrac{\sqrt{7}}{2}$	**18** ⑤	**19** ⑤	**20** ④

1 나래: -27의 세제곱근 중에서 실수인 것은
$$\sqrt[3]{-27}=\sqrt[3]{(-3)^3}=-3\text{이다.}$$
수현: $4^3=64$이므로 4는 64의 세제곱근 중의 하나이다.
지아: -81의 네제곱근 중에서 실수인 것은 없다.
준수: $\sqrt[3]{3}$은 3의 세제곱근이다.
따라서 바르게 설명한 학생은 수현이다.

2 $\sqrt{\sqrt[3]{64^2}}\times16^{-\frac{1}{4}}\div(8^{\frac{2}{3}})^{-\frac{1}{4}}=\sqrt[6]{(2^6)^2}\times(2^4)^{-\frac{1}{4}}\div8^{\frac{2}{3}\times(-\frac{1}{4})}$
$\qquad\qquad\qquad\qquad\qquad\qquad =\sqrt[6]{(2^2)^6}\times2^{4\times(-\frac{1}{4})}\div(2^3)^{-\frac{1}{6}}$
$\qquad\qquad\qquad\qquad\qquad\qquad =2^2\times2^{-1}\div2^{-\frac{1}{2}}$
$\qquad\qquad\qquad\qquad\qquad\qquad =2^{2+(-1)-(-\frac{1}{2})}=2^{\frac{3}{2}}$

따라서 $k=\dfrac{3}{2}$이므로 $2k=2\times\dfrac{3}{2}=3$

3 밑의 조건에서 $x-1>0$, $x-1\neq1$이므로
$x>1$, $x\neq2$ $\quad\therefore 1<x<2$ 또는 $x>2$ $\qquad$ ······ ㉠
진수의 조건에서 $-x^2+x+20>0$이므로
$x^2-x-20<0$, $(x+4)(x-5)<0$
$\therefore -4<x<5$ $\qquad\qquad\qquad\qquad$ ······ ㉡
㉠, ㉡의 공통 범위를 구하면
$1<x<2$ 또는 $2<x<5$
따라서 $\log_{x-1}(-x^2+x+20)$이 정의되도록 하는 정수 x는
3, 4의 2개이다.

4 $(\log_4 3+\log_2 27)(\log_3 8+\log_9 4)$
$=(\log_{2^2}3+\log_2 3^3)(\log_3 2^3+\log_{3^2}2^2)$
$=\left(\dfrac{1}{2}\log_2 3+3\log_2 3\right)(3\log_3 2+\log_3 2)$
$=\dfrac{7}{2}\log_2 3\times4\log_3 2$
$=\left(\dfrac{7}{2}\times4\right)\times(\log_2 3\times\log_3 2)$ $\qquad\quad\underrightarrow{\dfrac{1}{\log_2 3}}$
$=14$

5 $\log_{24}48=\dfrac{\log_5 48}{\log_5 24}=\dfrac{\log_5(2^4\times3)}{\log_5(2^3\times3)}$
$\qquad\quad =\dfrac{4\log_5 2+\log_5 3}{3\log_5 2+\log_5 3}$
$\qquad\quad =\dfrac{4a+b}{3a+b}$

6 ① $2^0-1=1-1=0$이므로 원점을 지난다.
④ $2^{-x}=\left(\dfrac{1}{2}\right)^x$이므로 함수 $y=2^{-x}-1$의 그래프는 x의 값이
증가하면 y의 값은 감소한다.

⑤ 함수 $y=2^{-x}-1$의 그래프는 함수 $y=2^{-x}$의 그래프를 y축
의 방향으로 -1만큼 평행이동한 것이다.
따라서 옳지 않은 것은 ⑤이다.

7 함수 $y=2^x+a$의 그래프를 y축에 대하여 대칭이동한 그래프
의 식은 $y=2^{-x}+a$
이 그래프가 점 $(1,3)$을 지나므로
$3=2^{-1}+a$ $\quad\therefore a=\dfrac{5}{2}$
한편, 함수 $y=2^x+a$의 그래프를 x축의 방향으로 b만큼 평행
이동한 그래프의 식은
$y=2^{x-b}+a$ $\quad\therefore y=2^{x-b}+\dfrac{5}{2}$
이 그래프가 점 $(1,3)$을 지나므로
$3=2^{1-b}+\dfrac{5}{2}$, $2^{1-b}=\dfrac{1}{2}=2^{-1}$
$1-b=-1$ $\quad\therefore b=2$
따라서 $a=\dfrac{5}{2}$, $b=2$이므로 $ab=5$

8 함수 $y=2^{-3x}\times3^x$, 즉 $y=\left(\dfrac{3}{8}\right)^x$은 x의 값이 증가하면 y의 값
은 감소하는 함수이다. $\qquad\qquad\qquad\qquad$ ······ [2점]
$-1\leq x\leq2$이므로
최댓값은 $x=-1$일 때 $\left(\dfrac{3}{8}\right)^{-1}=\dfrac{8}{3}$ $\qquad\qquad$ ······ [2점]
최솟값은 $x=2$일 때 $\left(\dfrac{3}{8}\right)^2=\dfrac{9}{64}$ $\qquad\qquad$ ······ [2점]
따라서 $M=\dfrac{8}{3}$, $m=\dfrac{9}{64}$이므로 $Mm=\dfrac{3}{8}$ $\qquad$ ······ [2점]

9 $3^{x^2}\leq9^{4+x}$에서 $9^{4+x}=3^{2(4+x)}=3^{8+2x}$이므로
$3^{x^2}\leq3^{8+2x}$
밑이 3이고 $3>1$이므로 $x^2\leq8+2x$
$x^2-2x-8\leq0$, $(x+2)(x-4)\leq0$
$\therefore -2\leq x\leq4$
따라서 주어진 부등식을 만족시키는 정수 x는
$-2,-1,0,1,2,3,4$의 7개이다.

10 점 B의 좌표를 $(c,0)$이라 하면 정사각형 ABCD의 한 변의
길이가 1이므로 점 A의 좌표는 $(c,1)$이다.
이때, 점 A는 함수 $y=\log_2 x$의 그래프 위의 점이므로
$1=\log_2 c$ $\quad\therefore c=2$
즉, 점 A의 좌표는 $(2,1)$이고, $\overline{AD}=1$이므로
점 D의 좌표는 $(3,1)$이다.
따라서 $a=3$, $b=1$이므로 $a-b=2$

11 $f(g(x))=x$이므로 $g(x)$는 $f(x)$의 역함수이다.

$g(9)=k$라 하면 $f(k)=9$이므로

$4\log_2(k+3)+1=9$

$\log_2(k+3)=2$, $k+3=2^2$ $\qquad \therefore k=1$

다른 풀이

$f(x)=4\log_2(x+3)+1$, 즉 $y=4\log_2(x+3)+1$에서 x와 y를 서로 바꾸면

$x=4\log_2(y+3)+1$, $\dfrac{x-1}{4}=\log_2(y+3)$

$y+3=2^{\frac{x-1}{4}}$ $\qquad \therefore y=2^{\frac{x-1}{4}}-3$

따라서 $g(x)=2^{\frac{x-1}{4}}-3$이므로

$g(9)=2^2-3=1$

12 $\left(\log_2\dfrac{x}{2}\right)^2-\log_2 x-2=0$에서 $(\log_2 x-1)^2-\log_2 x-2=0$

$\log_2 x=t$라 하면 $(t-1)^2-t-2=0$

$t^2-3t-1=0$ $\qquad\qquad\qquad$ ……㉠

이때, 주어진 방정식의 두 근이 α, β이므로 방정식 ㉠의 두 근은 $\log_2\alpha$, $\log_2\beta$이다.

따라서 이차방정식 ㉠의 근과 계수의 관계에 의하여

$\log_2\alpha+\log_2\beta=\log_2\alpha\beta=3$ $\qquad \therefore \alpha\beta=2^3=8$

13 이차방정식 $x^2-2(1+\log_2 a)x+1=0$이 실근을 가지려면 주어진 이차방정식의 판별식 $D\geq0$이어야 한다. …… [2점]

즉, $\dfrac{D}{4}=(1+\log_2 a)^2-1\geq0$에서

$(\log_2 a)^2+2\log_2 a\geq0$

$\log_2 a=t$라 하면

$t^2+2t\geq0$, $t(t+2)\geq0$ $\qquad \therefore t\leq-2$ 또는 $t\geq0$

즉, $\log_2 a\leq\log_2\dfrac{1}{4}$ 또는 $\log_2 a\geq\log_2 1$ …… [3점]

이때, 밑이 2이고 $2>1$이므로 $a\leq\dfrac{1}{4}$ 또는 $a\geq1$ …… ㉠

또, 진수의 조건에서 $a>0$ …… ㉡

㉠, ㉡의 공통 범위를 구하면 $0<a\leq\dfrac{1}{4}$ 또는 $a\geq1$ …… [2점]

따라서 $p=\dfrac{1}{4}$, $q=1$이므로

$80pq=80\times\dfrac{1}{4}\times1=20$ …… [1점]

14 ① $-\dfrac{3}{4}\pi=-2\pi+\dfrac{5}{4}\pi$ ➡ 제3사분면

② $-\dfrac{29}{6}\pi=-6\pi+\dfrac{7}{6}\pi$ ➡ 제3사분면

③ $\dfrac{17}{3}\pi=4\pi+\dfrac{5}{3}\pi$ ➡ 제4사분면

④ $\dfrac{43}{6}\pi=6\pi+\dfrac{7}{6}\pi$ ➡ 제3사분면

⑤ $\dfrac{5}{4}\pi$ ➡ 제3사분면

따라서 동경이 다른 사분면에 속하는 것은 ③이다.

15 부채꼴의 반지름의 길이를 r, 넓이를 S, 호의 길이를 l이라 하면

$S=\dfrac{1}{2}rl$에서 $10\pi=\dfrac{1}{2}\times4\times l$ $\qquad \therefore l=5\pi$

부채꼴의 둘레의 길이는 $2r+l$이므로

$2\times4+5\pi=8+5\pi$

따라서 $a=8$, $b=5$이므로 $a+b=13$

16 θ가 제3사분면의 각이므로

$-1<\cos\theta<0$, $0<1+\cos\theta<1$

$\therefore \sqrt{\cos^2\theta}+\sqrt{(1+\cos\theta)^2}=|\cos\theta|+|1+\cos\theta|$

$\qquad\qquad\qquad\qquad\qquad\qquad =-\cos\theta+1+\cos\theta=1$

17 $\sin\theta+\cos\theta=\dfrac{1}{2}$의 양변을 제곱하면

$\sin^2\theta+2\sin\theta\cos\theta+\cos^2\theta=\dfrac{1}{4}$

즉, $2\sin\theta\cos\theta=-\dfrac{3}{4}$이므로

$\sin\theta\cos\theta=-\dfrac{3}{8}$ …… [2점]

한편,

$(\sin\theta-\cos\theta)^2=\sin^2\theta-2\sin\theta\cos\theta+\cos^2\theta$

$\qquad\qquad\qquad\quad =1-2\sin\theta\cos\theta$

$\qquad\qquad\qquad\quad =1-2\times\left(-\dfrac{3}{8}\right)=\dfrac{7}{4}$ …… [3점]

이므로 $\sin\theta-\cos\theta=\pm\dfrac{\sqrt{7}}{2}$

그런데 θ가 제2사분면의 각이므로

$\sin\theta>0$, $\cos\theta<0$에서 $\sin\theta-\cos\theta>0$

$\therefore \sin\theta-\cos\theta=\dfrac{\sqrt{7}}{2}$ …… [3점]

18 함수 $f(x)=a\cos\left(bx-\dfrac{\pi}{2}\right)+c$에서 $a>0$이고

최댓값이 5이므로 $a+c=5$

최솟값이 -1이므로 $-a+c=-1$

두 식을 더하면 $2c=4$ $\qquad \therefore c=2$

이때, $a=3$

한편, $b>0$이고 주기가 π이므로 $\dfrac{2\pi}{b}=\pi$에서 $b=2$

$\therefore f(x)=3\cos\left(2x-\dfrac{\pi}{2}\right)+2$

$\therefore f\left(\dfrac{\pi}{2}\right)=3\cos\dfrac{\pi}{2}+2=2$

19 함수 $y=a\sin(bx-c)$의 그래프에서

최댓값은 3, 최솟값은 -3이므로 $a=3$ ($\because a>0$)

그래프의 주기가 $2\left(\dfrac{3}{4}\pi-\dfrac{\pi}{4}\right)=\pi$이므로

$\dfrac{2\pi}{|b|}=\pi$에서 $b=2$ ($\because b>0$)

또, $0<c<\pi$에서 주어진 그래프는 함수 $y=3\sin 2x$의 그래프를 x축의 방향으로 $\dfrac{\pi}{4}$만큼 평행이동한 것이므로

$y=3\sin 2\left(x-\dfrac{\pi}{4}\right)=3\sin\left(2x-\dfrac{\pi}{2}\right)$ $\quad\therefore c=\dfrac{\pi}{2}$

$\therefore abc=3\times 2\times\dfrac{\pi}{2}=3\pi$

20 이차방정식 $x^2+4x\sin\theta+3=0$이 중근을 가지므로 판별식을 D라 하면

$\dfrac{D}{4}=(2\sin\theta)^2-3=0$

즉, $4\sin^2\theta-3=0$에서 $\sin^2\theta=\dfrac{3}{4}$

$\therefore \sin\theta=\dfrac{\sqrt{3}}{2}$ ($\because 0\leq\theta\leq\pi$에서 $0\leq\sin\theta\leq1$)

$0\leq\theta\leq\pi$에서 함수 $y=\sin\theta$의 그래프와 직선 $y=\dfrac{\sqrt{3}}{2}$은 다음 그림과 같으므로 교점의 θ좌표는 $\dfrac{\pi}{3}$, $\dfrac{2}{3}\pi$이다.

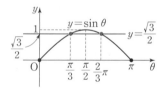

따라서 $\theta=\dfrac{\pi}{3}$ 또는 $\theta=\dfrac{2}{3}\pi$이므로 구하는 모든 θ의 값의 합은

$\dfrac{\pi}{3}+\dfrac{2}{3}\pi=\pi$

7일 중간고사 기본 테스트 2회 · 68~71쪽

1 ⑤	**2** ⑤	**3** ③	**4** $\dfrac{2a+b}{a+2}$
5 ①	**6** ②	**7** ③	**8** ④
9 ⑤	**10** 16	**11** ③	**12** ⑤
13 ④	**14** ⑤	**15** ④	**16** ③
17 8	**18** ⑤	**19** ①	**20** ③

1 $(\sqrt[3]{2^2})^6\times(\sqrt{2})^{\frac{1}{2}}\div\sqrt[4]{2}=2^{\frac{2}{3}\times 6}\times 2^{\frac{1}{2}\times\frac{1}{2}}\div 2^{\frac{1}{4}}$

$\qquad =2^{4+\frac{1}{4}-\frac{1}{4}}=2^4=16$

2 $A=\sqrt[3]{3\sqrt{3}}=(3\times 3^{\frac{1}{2}})^{\frac{1}{3}}=(3^{1+\frac{1}{2}})^{\frac{1}{3}}=3^{\frac{1}{2}}$

$B=\sqrt{2\sqrt[3]{2}}=(2\times 2^{\frac{1}{3}})^{\frac{1}{2}}=(2^{1+\frac{1}{3}})^{\frac{1}{2}}=2^{\frac{2}{3}}$

$C=\sqrt[6]{4\sqrt{4}}=(4\times 4^{\frac{1}{2}})^{\frac{1}{6}}=(4^{1+\frac{1}{2}})^{\frac{1}{6}}=4^{\frac{1}{4}}$

지수의 분모인 2, 3, 4의 최소공배수는 12이므로

$3^{\frac{1}{2}}=3^{\frac{6}{12}}=(3^6)^{\frac{1}{12}}=729^{\frac{1}{12}}$

$2^{\frac{2}{3}}=2^{\frac{8}{12}}=(2^8)^{\frac{1}{12}}=256^{\frac{1}{12}}$

$4^{\frac{1}{4}}=4^{\frac{3}{12}}=(4^3)^{\frac{1}{12}}=64^{\frac{1}{12}}$

이때, $64<256<729$이므로

$64^{\frac{1}{12}}<256^{\frac{1}{12}}<729^{\frac{1}{12}}$

$\therefore C<B<A$

3 $\log_2\left(1-\dfrac{1}{2}\right)+\log_2\left(1-\dfrac{1}{3}\right)+\log_2\left(1-\dfrac{1}{4}\right)$

$\qquad\qquad +\cdots+\log_2\left(1-\dfrac{1}{64}\right)$

$=\log_2\dfrac{1}{2}+\log_2\dfrac{2}{3}+\log_2\dfrac{3}{4}+\cdots+\log_2\dfrac{63}{64}$

$=\log_2\left(\dfrac{1}{2}\times\dfrac{2}{3}\times\dfrac{3}{4}\times\cdots\times\dfrac{63}{64}\right)$

$=\log_2\dfrac{1}{64}=\log_2 2^{-6}=-6$

4 $3^a=2$, $3^b=5$에서 로그의 정의에 따라

$a=\log_3 2$, $b=\log_3 5$ $\qquad\qquad$ ······ [3점]

이때, $\log_{18}20$을 밑이 3인 로그로 바꾸면

$\log_{18}20=\dfrac{\log_3 20}{\log_3 18}=\dfrac{\log_3(2^2\times 5)}{\log_3(2\times 3^2)}$

$\qquad =\dfrac{2\log_3 2+\log_3 5}{\log_3 2+2\log_3 3}=\dfrac{2a+b}{a+2}$ $\qquad$ ······ [4점]

5 $\log 0.507$, $\log 5.07$, $\log 507$, $\log 507000$은 진수의 숫자의 배열이 507로 모두 같으므로 소수 부분이 모두 같지만, $\log 0.0057$은 진수의 숫자의 배열이 57로 507과 다르므로 나머지 상용로그와 소수 부분이 다르다.

6 함수 $y=3^x$의 그래프가 점 $(1, a)$를 지나므로

$a=3^1=3$

이때, $a=c$이므로 $c=3$

함수 $y=3^x$의 그래프가 점 (c, b), 즉 $(3, b)$를 지나므로

$b=3^3=27$

$\therefore \dfrac{bc}{a}=\dfrac{27\times 3}{3}=27$

7 함수 $y=2^{x-1}+1$의 그래프를 x축의 방향으로 a만큼, y축의 방향으로 b만큼 평행이동한 그래프의 식은

$y-b=2^{(x-a)-1}+1$ $\quad\therefore y=2^{x-a-1}+1+b$

이 함수의 그래프가 함수 $y=2^x$의 그래프와 일치하므로

$-a-1=0,\ 1+b=0$

$\therefore a=-1,\ b=-1$

$\therefore a+b=-2$

8 $y=4^x-2^{x+2}+a$

$\quad =(2^x)^2-4\times 2^x+a$

$2^x=t\ (t>0)$로 놓으면 $0\le x\le 3$에서

$2^0\le 2^x\le 2^3$이므로 $1\le t\le 8$

$1\le t\le 8$에서 함수 $y=t^2-4t+a=(t-2)^2+a-4$의 최솟값은 $t=2$일 때, $a-4$

즉, $a-4=-3$이므로 $a=1$

또, 최댓값은 $t=8$일 때, $y=(8-2)^2+a-4=a+32=33$

$\therefore M=33$

$\therefore a+M=34$

9 $10^x=\left(\dfrac{1}{100}\right)^{1-x}$, 즉 $10^x=\left(\dfrac{1}{10^2}\right)^{1-x}$에서

$10^x=10^{-2(1-x)}$이므로

$x=-2+2x$ $\quad\therefore x=2$

따라서 $\alpha=2$이므로

$4^{\alpha}+9^{\frac{1}{\alpha}}=4^2+9^{\frac{1}{2}}$

$\qquad\qquad =16+3=19$

10 $\log_2\{\log_2(\log_2 x)\}=1$에서 $\log_2(\log_2 x)=2$

$\log_2 x=2^2=4$ $\quad\therefore x=2^4=16$ ······ ㉠ ······ [4점]

이때, 진수의 조건에서 $\log_2(\log_2 x)>0$

$\log_2 x>1$ $\quad\therefore x>2$ ······ ㉡

㉠은 ㉡을 만족시키므로 주어진 방정식을 만족시키는 실수 x의 값은 16이다. ······ [3점]

11 $y=\left(\log_3\dfrac{x}{3}\right)\left(\log_3\dfrac{x}{27}\right)$

$\quad =(\log_3 x-\log_3 3)(\log_3 x-\log_3 27)$

$\quad =(\log_3 x-1)(\log_3 x-3)$

$\quad =(\log_3 x)^2-4\log_3 x+3$

$\log_3 x=t$로 놓으면 $1\le x\le 243$에서

$\log_3 1\le \log_3 x\le \log_3 243$이므로 $0\le t\le 5$

$0\le t\le 5$에서 함수 $y=t^2-4t+3=(t-2)^2-1$의

최댓값은 $t=5$일 때, 8

최솟값은 $t=2$일 때, -1

따라서 $M=8,\ m=-1$이므로 $M-m=9$

12 이차방정식 $x^2+x\log a^2+\log a^2+3=0$, 즉

$x^2+2x\log a+2\log a+3=0$이 중근을 가지려면 판별식 $D=0$이어야 하므로

$\dfrac{D}{4}=(\log a)^2-(2\log a+3)=0$

$\therefore (\log a)^2-2\log a-3=0$

$\log a=t$로 놓으면

$t^2-2t-3=0,\ (t+1)(t-3)=0$

$\therefore t=-1$ 또는 $t=3$

즉, $\log a=-1$ 또는 $\log a=3$이므로

$a=10^{-1}=\dfrac{1}{10}$ 또는 $a=10^3=1000$

따라서 구하는 모든 상수 a의 값의 곱은

$\dfrac{1}{10}\times 1000=100$

13 진수의 조건에서

$5-x>0,\ 5+x>0$ $\quad\therefore -5<x<5$ ······ ㉠

$\log_2(5-x)+\log_2(5+x)>4$에서

$\log_2(5-x)(5+x)>\log_2 2^4$

밑이 2이고 $2>1$이므로

$(5-x)(5+x)>16,\ x^2-9<0$

$(x+3)(x-3)<0$ $\quad\therefore -3<x<3$ ······ ㉡

㉠, ㉡의 공통 범위를 구하면 $-3<x<3$

따라서 주어진 부등식을 만족시키는 정수 x의 최댓값은 2이다.

14 오른쪽 그림에서

$\overline{\text{OP}}=\overline{\text{OQ}}=\sqrt{(\sqrt{3})^2+1^2}=2$

이므로

$\cos\alpha=\dfrac{\sqrt{3}}{2},\ \sin\beta=\dfrac{\sqrt{3}}{2}$

$\therefore \cos\alpha+\sin\beta=\dfrac{\sqrt{3}}{2}+\dfrac{\sqrt{3}}{2}=\sqrt{3}$

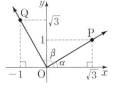

15 부채꼴의 호의 길이를 l이라 하면 $2r+l=16$에서

$l=16-2r$ (단, $0<r<8$)

부채꼴의 넓이를 S라 하면

$S=\dfrac{1}{2}rl=\dfrac{1}{2}r(16-2r)$

$\quad =-r^2+8r=-(r-4)^2+16$

따라서 $r=4$일 때 부채꼴의 넓이가 최대이므로

$l=16-2\times 4=8$

또, $l=r\theta$에서 $8=4\theta$이므로 $\theta=2$(라디안)

$\therefore r+\theta=4+2=6$

16 $\tan\theta=\dfrac{\sin\theta}{\cos\theta}=-2$에서 $\sin\theta=-2\cos\theta$

이것을 $\sin^2\theta+\cos^2\theta=1$에 대입하면

$(-2\cos\theta)^2+\cos^2\theta=1,\ \cos^2\theta=\dfrac{1}{5}$

$\therefore\cos\theta=\pm\dfrac{\sqrt{5}}{5}$

그런데 θ가 제2사분면의 각이므로 $\cos\theta<0$

$\therefore\cos\theta=-\dfrac{\sqrt{5}}{5}$

이때, $\sin\theta=-2\cos\theta=\dfrac{2\sqrt{5}}{5}$이므로

$\sin\theta-\cos\theta=\dfrac{2\sqrt{5}}{5}-\left(-\dfrac{\sqrt{5}}{5}\right)=\dfrac{3\sqrt{5}}{5}$

17 이차방정식 $x^2-ax+2=0$의 두 근이 $\dfrac{1}{\sin\theta},\ \dfrac{1}{\cos\theta}$이므로

이차방정식의 근과 계수의 관계에 의하여

$\dfrac{1}{\sin\theta}+\dfrac{1}{\cos\theta}=a,\ \dfrac{1}{\sin\theta\cos\theta}=2$

$\therefore\sin\theta\cos\theta=\dfrac{1}{2}$ ......[3점]

또, $\dfrac{1}{\sin\theta}+\dfrac{1}{\cos\theta}=\dfrac{\cos\theta+\sin\theta}{\sin\theta\cos\theta}=2(\sin\theta+\cos\theta)=a$이

므로

$a^2=4(\sin\theta+\cos\theta)^2$
$=4(\sin^2\theta+2\sin\theta\cos\theta+\cos^2\theta)$
$=4(1+2\sin\theta\cos\theta)$
$=4\left(1+2\times\dfrac{1}{2}\right)=8$ ......[5점]

18 ① $f(1)=\sin\dfrac{\pi}{3}+\dfrac{1}{2}=\dfrac{\sqrt{3}+1}{2}$

② 최댓값: $1+\dfrac{1}{2}=\dfrac{3}{2}$, 최솟값: $-1+\dfrac{1}{2}=-\dfrac{1}{2}$

③ 치역: $\left\{y\,\middle|\,-\dfrac{1}{2}\le y\le\dfrac{3}{2}\right\}$

④ $f(x)=\sin\left(\dfrac{\pi}{2}x-\dfrac{\pi}{6}\right)+\dfrac{1}{2}$의 주기는 $\dfrac{2\pi}{\dfrac{\pi}{2}}=4$이므로

모든 실수 x에 대하여 $f(x+4)=f(x)$이다.

⑤ $f(x)=\sin\left(\dfrac{\pi}{2}x-\dfrac{\pi}{6}\right)+\dfrac{1}{2}=\sin\dfrac{\pi}{2}\left(x-\dfrac{1}{3}\right)+\dfrac{1}{2}$이므로

함수 $y=f(x)$의 그래프는 함수 $y=\sin\dfrac{\pi}{2}x$의 그래프를 x

축의 방향으로 $\dfrac{1}{3}$만큼, y축의 방향으로 $\dfrac{1}{2}$만큼 평행이동한

것이다.

따라서 옳은 것은 ⑤이다.

19 $\cos\dfrac{7}{16}\pi=\cos\left(\dfrac{\pi}{2}-\dfrac{\pi}{16}\right)=\sin\dfrac{\pi}{16}$

$\cos\dfrac{6}{16}\pi=\cos\left(\dfrac{\pi}{2}-\dfrac{2}{16}\pi\right)=\sin\dfrac{2}{16}\pi$

$\cos\dfrac{5}{16}\pi=\cos\left(\dfrac{\pi}{2}-\dfrac{3}{16}\pi\right)=\sin\dfrac{3}{16}\pi$

$\therefore\cos^2\dfrac{\pi}{16}+\cos^2\dfrac{2}{16}\pi+\cos^2\dfrac{3}{16}\pi+\cdots+\cos^2\dfrac{7}{16}\pi$

$=\left(\cos^2\dfrac{\pi}{16}+\cos^2\dfrac{7}{16}\pi\right)+\left(\cos^2\dfrac{2}{16}\pi+\cos^2\dfrac{6}{16}\pi\right)$
$\qquad+\left(\cos^2\dfrac{3}{16}\pi+\cos^2\dfrac{5}{16}\pi\right)+\cos^2\dfrac{4}{16}\pi$

$=\left(\cos^2\dfrac{\pi}{16}+\sin^2\dfrac{\pi}{16}\right)+\left(\cos^2\dfrac{2}{16}\pi+\sin^2\dfrac{2}{16}\pi\right)$
$\qquad+\left(\cos^2\dfrac{3}{16}\pi+\sin^2\dfrac{3}{16}\pi\right)+\cos^2\dfrac{\pi}{4}$

$=1\times3+\dfrac{1}{2}$

$=\dfrac{7}{2}$

20 $2\sin^2 x+3\cos x\le0$에서

$2(1-\cos^2 x)+3\cos x\le0$

$2\cos^2 x-3\cos x-2\ge0$

$\therefore(\cos x-2)(2\cos x+1)\ge0$

이때, $0\le x<2\pi$에서 $\cos x-2<0$이므로

$2\cos x+1\le0$

$\therefore\cos x\le-\dfrac{1}{2}$

$0\le x\le2\pi$일 때, 함수 $y=\cos x$의 그래프와 직선 $y=-\dfrac{1}{2}$은

다음 그림과 같으므로 교점의 x좌표는 $\dfrac{2}{3}\pi,\ \dfrac{4}{3}\pi$이다.

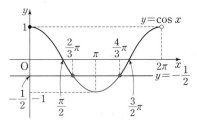

따라서 구하는 부등식의 해는 함수 $y=\cos x$의 그래프가 직

선 $y=-\dfrac{1}{2}$보다 아래쪽(경계선 포함)에 있는 x의 값의 범위

이므로

$\dfrac{2}{3}\pi\le x\le\dfrac{4}{3}\pi$

Memo

Memo

Memo

핵심정리 01 거듭제곱근과 거듭제곱근의 성질

(1) a의 n제곱근

n제곱하여 a가 되는 수, 즉 방정식 $x^n=$ ❶ 를 만족시키는 수 x

(2) 실수 a의 n제곱근 중 실수인 것

	$a>0$	$a=0$	$a<0$
n이 짝수	$\sqrt[n]{a},\ -\sqrt[n]{a}$	0	❷
n이 홀수	$\sqrt[n]{a}$	0	❸

(3) 거듭제곱근의 성질

$a>0,\ b>0$이고 $m,\ n$이 2 이상의 정수일 때

① $\sqrt[n]{a}\,\sqrt[n]{b}=\sqrt[n]{ab}$

② $\dfrac{\sqrt[n]{a}}{\sqrt[n]{b}}=\sqrt[n]{\dfrac{a}{b}}$

③ $(\sqrt[n]{a})^m=\sqrt[n]{a^m}$

④ $\sqrt[m]{\sqrt[n]{a}}=$ ❹$\sqrt{a}$

⑤ $\sqrt[np]{a^{mp}}=$ ❺$\sqrt{a^m}$ (단, p는 양의 정수)

답 ❶ a ❷ 없다. ❸ $\sqrt[n]{a}$ ❹ mn ❺ n

핵심정리 02 지수의 확장과 지수법칙

(1) 지수의 확장

① $a\neq0$이고 지수가 0 또는 음의 정수일 때

→ $a^0=$ ❶ , $a^{-n}=\dfrac{1}{a^n}$ (단, n은 양의 정수)

② $a>0$이고 지수가 유리수일 때

→ $a^{\frac{m}{n}}=\sqrt[n]{a^m}$, $a^{\frac{1}{n}}=$ ❷$\sqrt{a}$

(단, m은 정수, n은 2 이상의 정수)

(2) 지수법칙

$a>0,\ b>0$이고 $x,\ y$가 실수일 때

① $a^x a^y=a$❸

② $a^x \div a^y=a^{x-y}$

③ $(a^x)^y=a$❹

④ $(ab)^x=a^x b^x$

답 ❶ 1 ❷ n ❸ $x+y$ ❹ xy

핵심정리 03 로그와 로그의 성질

(1) $a>0,\ a\neq1,\ N>0$일 때

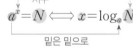

밑은 밑으로

x가 a를 밑으로 하는 N의 로그야.

(2) $\log_a N$이 정의되기 위한 조건

① 밑의 조건 → $a>0$, ❶

② 진수의 조건 → ❷

(3) 로그의 성질

$a>0,\ a\neq1$이고 $M>0,\ N>0$일 때

① $\log_a 1=0$, $\log_a a=$ ❸

② $\log_a MN=\log_a M+\log_a N$

③ $\log_a \dfrac{M}{N}=\log_a M$ ❹ $\log_a N$

④ $\log_a M^k=k\log_a M$ (단, k는 실수)

답 ❶ $a\neq1$ ❷ $N>0$ ❸ 1 ❹ −

핵심정리 04 로그의 밑의 변환과 상용로그

(1) 로그의 밑의 변환

$a>0,\ a\neq1,\ b>0$일 때

① $\log_a b=\dfrac{❶}{\log_c a}$ (단, $c>0,\ c\neq1$)

② $\log_a b=\dfrac{❷}{\log_b a}$ (단, $b\neq1$)

③ $\log_{a^m} b^n=\dfrac{n}{m}\log_a b$ (단, $m\neq0$)

(2) 상용로그

• 10을 밑으로 하는 로그

• 상용로그 $\log_{10} N$은 보통 밑 10을 생략하여 ❸ 과 같이 나타낸다.

답 ❶ $\log_c b$ ❷ 1 ❸ $\log N$

02 지수의 확장과 지수법칙

예1

(1) $7^0 = $ ❶

(2) $5^{-3} = \dfrac{1}{5^3} = \dfrac{1}{125}$

(3) $4^{\frac{1}{3}} = \sqrt[3]{4}$

(4) $3^{\frac{2}{5}} = \sqrt[5]{\boxed{❷}}$

예2

- $a^2 \times a^3 = a^{2\times3} \, (\times) \rightarrow$ ❸ $(\bigcirc)$
- $(a^2)^3 = a^{2+3} \, (\times) \rightarrow$ ❹ $(\bigcirc)$
- $a^2 \times b^3 = a^{2+3} \, (\times)$
  → a^2과 b^3은 동류항이 아니므로
  곱셈 기호만 생략하면 $a^2 b^3 \, (\bigcirc)$
- $a^2 \times b^3 = (ab)^6 \, (\times)$
  → 밑이 다르므로 곱셈 기호만 생략하면 $a^2 b^3 \, (\bigcirc)$

착각하지 않도록 주의해!

답 ❶ 1 ❷ 9 ❸ a^{2+3} ❹ $a^{2\times3}$

---

01 거듭제곱근과 거듭제곱근의 성질

예1

-27의 세제곱근을 x라 하면

$x^3 = -27$이므로 $(x+3)(x^2-3x+9)=0$

→ -27의 세제곱근 중 실수인 것: ❶

예2

(1) $\sqrt[3]{4}\,\sqrt[3]{2} = \sqrt[3]{4\times2} = \sqrt[3]{8} = \sqrt[3]{2^3} = $ ❷

(2) $\dfrac{\sqrt[3]{16}}{\sqrt[3]{2}} = \sqrt[3]{\dfrac{16}{2}} = \sqrt[3]{8} = \sqrt[3]{2^3} = 2$

(3) $(\sqrt[4]{9})^2 = \sqrt[4]{9^2} = \sqrt[4]{(3^2)^2} = \sqrt[4]{3^4} = $ ❸

(4) $\sqrt[3]{\sqrt{64}} = \sqrt[3\times2]{64} = \sqrt[6]{64} = \sqrt[6]{2^6} = 2$

(5) $\sqrt[8]{3^4} = \sqrt[2\times4]{3^{1\times4}} = \sqrt[2]{3^1} = \sqrt{3}$

답 ❶ -3 ❷ 2 ❸ 3

---

04 로그의 밑의 변환과 상용로그

예1

(1) $\dfrac{\log_5 16}{\log_5 2} = \log_2 16 = \log_2 2^4 = $ ❶

(2) $\dfrac{1}{\log_{81} 3} = \log_3 \boxed{❷} = \log_3 3^4 = 4$

(3) $\log_{16} 4 = \log_{2^4} 2^2 = \dfrac{2}{4}\log_2 2 = $ ❸

예2

(1) $\log_a b = \dfrac{1}{\log_b a}$이므로 $\log_2 3 \times \log_3 2 = $ ❹

(2) $\log_a b \times \log_b c \times \log_c a$

$= \dfrac{\boxed{❺}}{\log_c a} \times \dfrac{\log_c c}{\log_c b} \times \dfrac{\log_c a}{\log_c c}$

$= \dfrac{\log_c b \times \log_c c \times \log_c a}{\log_c a \times \log_c b \times \log_c c} = 1$

답 ❶ 4 ❷ 81 ❸ $\dfrac{1}{2}$ ❹ 1 ❺ $\log_c b$

---

03 로그와 로그의 성질

예1

(1) $\log_{3x-5} 6$이 정의되려면
  → 밑의 조건에서 $3x-5>0$, $3x-5 \neq$ ❶

(2) $\log_3 (x^2-2x)$가 정의되려면
  → 진수의 조건에서 ❷ >0

예2

- $\log_2 3 + \log_2 5 = \log_2 8 \, (\times) \rightarrow$ ❸ $(\bigcirc)$
- $\log_2 5 - \log_2 3 = \log_2 2 \, (\times) \rightarrow$ ❹ $(\bigcirc)$
- $\dfrac{\log_2 5}{\log_2 3} = \log_2 5 - \log_2 3 \, (\times) \rightarrow \log_3 5 \, (\bigcirc)$
- $(\log_2 3)^3 = 3\log_2 3 \, (\times)$

착각하지 않도록 주의해!

답 ❶ 1 ❷ x^2-2x ❸ $\log_2 15$ ❹ $\log_2 \dfrac{5}{3}$

핵심정리 05 지수함수의 그래프

지수함수 $y=a^x\,(a>0,\ a\neq1)$의 그래프와 그 성질은 다음과 같다.

$a>1$ $0<a<1$

(1) 정의역은 실수 전체의 집합이고, 치역은 양의 실수 전체의 집합이다.

(2) 그래프는 점 $(0,\ 1)$을 지나고 ❶ [ ] 축(직선 $y=0$)을 점근선으로 갖는다.

(3) $a>1$일 때
→ x의 값이 증가하면 y의 값은 ❷ [ ] 한다.
$0<a<1$일 때
→ x의 값이 증가하면 y의 값은 ❸ [ ] 한다.

답 ❶ x ❷ 증가 ❸ 감소

핵심정리 06 지수방정식의 풀이

(1) 밑을 같게 할 수 있는 지수방정식

$a^{f(x)}=a^{g(x)}\,(a>0,\ a\neq1)$ 꼴로 변형하여
$f(x)=$ ❶ [ ] 의 해를 구한다.

(2) a^x 꼴이 반복되는 지수방정식

$a^x=t\,(t>0)$로 치환하여 ❷ [ ] 에 대한 방정식을 푼다.

(3) 지수가 같은 지수방정식

$a^{f(x)}=b^{f(x)}\,(a>0,\ b>0)$
$\iff a=b$ 또는 $f(x)=$ ❸ [ ]

답 ❶ $g(x)$ ❷ t ❸ 0

핵심정리 07 지수부등식의 풀이

(1) 밑을 같게 할 수 있는 지수부등식

① (밑)>1일 때
→ 부등호의 방향은 ❶ [ ]
② $0<$(밑)<1일 때
→ 부등호의 방향은 ❷ [ ]

(2) a^x 꼴이 반복되는 지수부등식

$a^x=t\,(t>0)$로 치환하여 ❸ [ ] 에 대한 부등식을 푼다.

> $a^x=t$로 치환할 때는 $t>0$이라는 것에 주의해!

답 ❶ 그대로 ❷ 반대로 ❸ t

핵심정리 08 로그함수의 그래프

로그함수 $y=\log_a x\,(a>0,\ a\neq1)$의 그래프와 그 성질은 다음과 같다.

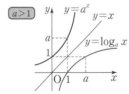   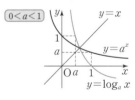

(1) 정의역은 양의 실수 전체의 집합이고, 치역은 실수 전체의 집합이다.

(2) 그래프는 점 $(1,\ 0)$을 지나고 ❶ [ ] 축(직선 $x=0$)을 점근선으로 갖는다.

(3) $a>1$일 때
→ x의 값이 증가하면 y의 값은 ❷ [ ] 한다.
$0<a<1$일 때
→ x의 값이 증가하면 y의 값은 ❸ [ ] 한다.

답 ❶ y ❷ 증가 ❸ 감소

예1

방정식 $9^x - 3^x = 0$을 풀면

→ $(3^x)^2 - 3^x = 0$에서 $3^x = t\,(t > 0)$로 놓으면

$t^2 - t = 0$, $t(t-1) = 0$ ∴ $t = 1\,(t > \boxed{①}$)

즉, $3^x = 1$이므로 $3^x = 3^0$ ∴ $x = 0$

예2

방정식 $x^{x-2} = 3^{x-2}\,(x > 0)$을 풀면

→ (i) 밑이 같은 경우: $x = \boxed{②}$

(ii) 지수가 0인 경우: $x = \boxed{③}$

(i), (ii)에서 $x = 2$ 또는 $x = 3$

$x = 2$이면
$2^0 = 3^0 = 1$
이므로 성립해!

답 ❶ 0 ❷ 3 ❸ 2

예1

지수함수 $y = a^x\,(a > 0,\ a \neq 1)$에서
$p > q$이면 $a^p > a^q$이다. (×)

→ $a > 1$이면 $p > q$일 때 $a^p > a^q$이지만

$0 < a < 1$이면 $p > q$일 때 $\boxed{①}$ 이다.

예2

지수함수 $f(x) = 3^{-x+a}$의 그래프가 점 $(1, 9)$를 지날 때, 상수 a의 값을 구하면

→ $f(1) = 9$이므로 $3^{-1+a} = 9 = 3^2$에서

$-1 + a = \boxed{②}$

∴ $a = 3$

답 ❶ $a^p < a^q$ ❷ 2

예1

$\log_{\frac{1}{2}} 5 > \log_{\frac{1}{2}} 3$이다. (×)

→ $y = \log_{\frac{1}{2}} x$에서 밑이 $\frac{1}{2}$이고 $0 < \frac{1}{2} < 1$이므로

x의 값이 증가할 때 y의 값은 $\boxed{①}$ 한다.

따라서 $\log_{\frac{1}{2}} 5 < \log_{\frac{1}{2}} 3$이다.

예2

로그함수 $f(x) = \log_a x$의 그래프가 점 $(4, 2)$를 지날 때, 상수 a의 값을 구하면

→ $f(4) = 2$이므로 $2 = \log_a 4$에서

$a^2 = \boxed{②}$

∴ $a = 2\,(\because a > 0,\ a \neq 1)$

답 ❶ 감소 ❷ 4

예1

부등식 $\left(\dfrac{1}{2}\right)^x < \dfrac{1}{16}$을 풀면

→ $\left(\dfrac{1}{2}\right)^x < \left(\dfrac{1}{2}\right)^4$에서 ← $0 < (밑) < 1$인 경우

밑이 $\dfrac{1}{2}$이고 $0 < \dfrac{1}{2} < 1$이므로 $x > 4$

→ 부등호의 방향은 $\boxed{①}$

예2

부등식 $4^x - 2^{x+1} > 0$을 풀면

→ $(2^x)^2 - 2 \times 2^x > 0$에서 $2^x = t\,(t > 0)$로 놓으면

$t^2 - 2t > 0$, $t(t-2) > 0$ ∴ $\boxed{②}$ $(\because t > 0)$

즉, $2^x > 2$이므로 $2^x > 2^1$ ← $(밑) > 1$인 경우

밑이 2이고 $2 > 1$이므로 $x > 1$

→ 부등호의 방향은 ❸

답 ❶ 반대로 ❷ $t > 2$ ❸ 그대로

자르는 선

핵심정리 09 로그방정식의 풀이

(1) $\log_a f(x) = b$ 꼴의 로그방정식

$$\log_a f(x) = b \iff f(x) = \boxed{\text{❶}}$$
$$(\text{단, } a > 0, a \neq 1, f(x) > 0)$$

(2) 밑을 같게 할 수 있는 로그방정식

$$\log_a f(x) = \log_a g(x) \iff f(x) = \boxed{\text{❷}}$$
$$(\text{단, } a > 0, a \neq 1, f(x) > 0, g(x) > 0)$$

(3) $\log_a x$ 꼴이 반복되는 로그방정식

$\log_a x = t$로 치환하여 $\boxed{\text{❸}}$ 에 대한 방정식을 푼다.

답 ❶ a^b ❷ $g(x)$ ❸ t

핵심정리 10 로그부등식의 풀이

(1) 밑을 같게 할 수 있는 로그부등식

① (밑) > 1일 때
→ 부등호의 방향은 그대로

② $\boxed{\text{❶}}$ 일 때
→ 부등호의 방향은 반대로

(2) $\log_a x$ 꼴이 반복되는 로그부등식

$\log_a x = t$로 치환하여 $\boxed{\text{❷}}$ 에 대한 부등식을 푼다.

이때, (진수) > 0임을 확인해야 해.

답 ❶ $0 < (밑) < 1$ ❷ t

핵심정리 11 사분면의 일반각

(1) 일반각

동경이 나타내는 한 각의 크기가 $\alpha°$일 때,

일반각 → $\boxed{\text{❶}} \times n + \alpha°$

$(\text{단, } n\text{은 정수})$

동경

각의 크기

시초선

(2) 사분면의 일반각

θ의 값의 범위를 일반각으로 표현하면 (n은 정수)

① θ가 제1사분면의 각
→ $360° \times n + 0° < \theta < 360° \times n + \boxed{\text{❷}}$

② θ가 제2사분면의 각
→ $360° \times n + 90° < \theta < 360° \times n + \boxed{\text{❸}}$

③ θ가 제3사분면의 각
→ $360° \times n + 180° < \theta < 360° \times n + 270°$

④ θ가 제4사분면의 각
→ $360° \times n + 270° < \theta < 360° \times n + 360°$

답 ❶ $360°$ ❷ $90°$ ❸ $180°$

핵심정리 12 호도법, 부채꼴의 호의 길이와 넓이

(1) 호도법

• 라디안을 단위로 각의 크기를 나타내는 방법

• $(\text{호도법의 각}) \times \dfrac{180°}{\boxed{\text{❶}}} = (\text{육십분법의 각})$

• $(\text{육십분법의 각}) \times \dfrac{\pi}{\boxed{\text{❷}}} = (\text{호도법의 각})$

(2) 부채꼴의 호의 길이와 넓이

반지름의 길이가 r, 중심각의 크기가 θ(라디안)인 부채꼴의 호의 길이를 l, 넓이를 S라 하면

① $l = \boxed{\text{❸}}$

② $S = \dfrac{1}{2} r^2 \theta = \dfrac{1}{2} r \boxed{\text{❹}}$

답 ❶ π ❷ 180 ❸ $r\theta$ ❹ l

10 로그부등식의 풀이

예1

부등식 $\log_2 (x-1) > \log_2 5$를 풀면 ← (밑)>1인 경우

→ 진수의 조건에서 $\boxed{\text{❶}} > 0$ $\therefore x>1$ … ㉠

밑이 2이고 $2>1$이므로 $x-1 > 5$ $\therefore x>6$ … ㉡
→ 부등호의 방향은 그대로

㉠, ㉡의 공통 범위를 구하면 $\boxed{\text{❷}}$

예2

부등식 $\log_{\frac{1}{3}} (x+1) > \log_{\frac{1}{3}} (3x-1)$을 풀면 ← 0<(밑)<1 인 경우

→ 진수의 조건에서

$x+1>0,\ 3x-1>0$ $\therefore \boxed{\text{❸}}$ …… ㉠

밑이 $\frac{1}{3}$이고 $0<\frac{1}{3}<1$이므로

$x+1 < 3x-1$ $\therefore x>1$ …… ㉡
→ 부등호의 방향은 반대로

㉠, ㉡의 공통 범위를 구하면 $\boxed{\text{❹}}$

답 ❶ $x-1$ ❷ $x>6$ ❸ $x>\frac{1}{3}$ ❹ $x>1$

---

09 로그방정식의 풀이

예1

방정식 $\log_2 (x+2) = 4$를 풀면

→ 진수의 조건에서 $\boxed{\text{❶}} > 0$

$\therefore x>-2$ …… ㉠

로그의 정의에 의하여

$x+2 = \boxed{\text{❷}}$ $\therefore x=14$

따라서 ㉠에 의하여 구하는 해는 $x=14$

예2

방정식 $(\log_2 x)^2 - 4\log_2 x + 3 = 0$을 풀면

→ 진수의 조건에서 $x>0$ …… ㉠

$\log_2 x = t$로 놓으면 $\boxed{\text{❸}} = 0$

$(t-1)(t-3) = 0$ $\therefore t=1$ 또는 $t=3$

$t=1$일 때, $\log_2 x=1$에서 $x=2$

$t=3$일 때, $\log_2 x=3$에서 $x=8$

따라서 ㉠에 의하여 구하는 해는 $x=2$ 또는 $x=8$

답 ❶ $x+2$ ❷ 2^4 ❸ t^2-4t+3

---

12 호도법, 부채꼴의 호의 길이와 넓이

예1

(1) $60° = 60 \times 1° = 60 \times \boxed{\text{❶}} = \frac{\pi}{3}$

π를 $180°$로 생각하면 쉽지.

(2) $\frac{\pi}{6} = \frac{\pi}{6} \times 1$라디안 $= \frac{\pi}{6} \times \boxed{\text{❷}} = 30°$

예2

오른쪽 그림과 같은 부채꼴에서

→ $l = 6 \times \frac{\pi}{3} = \boxed{\text{❸}}$

$S = \frac{1}{2} \times 6 \times 2\pi = 6\pi$

답 ❶ $\frac{\pi}{180}$ ❷ $\frac{180°}{\pi}$ ❸ 2π

---

11 사분면의 일반각

예1

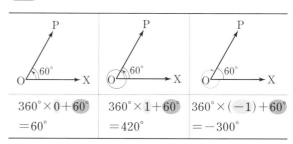

$360° \times 0 + 60°$ $= 60°$	$360° \times 1 + 60°$ $= 420°$	$360° \times (-1) + 60°$ $= -300°$

일반각 → $360° \times n + 60°$ (단, n은 정수)

n은 동경이 회전한 방향과 바퀴 수를 나타내.

예2

$-660° = 360° \times (-2) + \boxed{\text{❶}}$ 이므로
$-660°$는 제 $\boxed{\text{❷}}$ 사분면의 각이다.

답 ❶ $60°$ ❷ 1

핵심정리 13 삼각함수, 삼각함수의 값의 부호

(1) 삼각함수

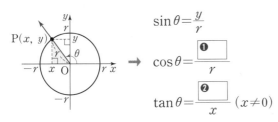

$$\sin \theta = \frac{y}{r}$$

$$\cos \theta = \frac{\boxed{❶}}{r}$$

$$\tan \theta = \frac{\boxed{❷}}{x} \ (x \neq 0)$$

(2) 삼각함수의 값의 부호

각 사분면에서 값의 부호가 $\boxed{❸}$ 인 삼각함수는 다음 그림과 같다.

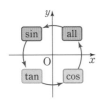

제1사분면부터 차례대로 읽어서
얼(all) → 싸(sin) → 안(tan)
→ 코(cos)로 기억해.

답 ❶ x ❷ y ❸ $+$

핵심정리 14 삼각함수의 그래프

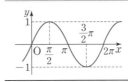
$y = \sin x$ (원점 대칭)

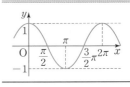
$y = \cos x$ (y축 대칭)

↓

정의역: 실수 전체의 집합
치역: $\{y \,|\, \boxed{❶} \leq y \leq 1\}$, 주기: $\boxed{❷}$

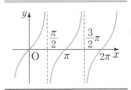
$y = \tan x$ (원점 대칭)

→

정의역: $x = n\pi + \frac{\pi}{2}$
(n은 정수)
를 제외한 실수 전체의 집합
치역: 실수 전체의 집합
주기: $\boxed{❸}$

※ 점근선의 방정식은
$x = n\pi + \frac{\pi}{2}$ (n은 정수)

답 ❶ -1 ❷ 2π ❸ π

핵심정리 15 삼각함수의 성질

(1) $-x$의 삼각함수

$$\sin(-x) = -\sin x, \ \cos(-x) = \boxed{❶}$$
$$\tan(-x) = -\tan x$$

(2) $\frac{\pi}{2} \times n \pm \theta$ (n은 정수) 꼴인 삼각함수의 변형 방법

(i) n이 짝수이면 함수를 그대로 둔다.
→ $\sin \to \sin$, $\cos \to \cos$, $\tan \to \tan$
n이 홀수이면 함수를 바꾼다.
→ $\sin \to \boxed{❷}$, $\cos \to \boxed{❸}$, $\tan \to \frac{1}{\tan}$

(ii) θ를 예각으로 간주하고 주어진 각을 나타내는 동경이 존재하는 사분면에서의 원래 삼각함수의 값의 부호가 양이면 $+$, 음이면 $-$를 붙인다.

답 ❶ $\cos x$ ❷ $\cos$ ❸ $\sin$

핵심정리 16 삼각방정식과 삼각부등식의 풀이

(1) 삼각방정식의 풀이

(i) 주어진 방정식을 $\sin x = k$ 꼴로 고친다.
(ii) 주어진 x의 값의 범위에서 함수 $y = \boxed{❶}$ 의 그래프와 직선 $y = k$의 교점의 x좌표를 찾아 방정식의 해를 구한다.

(2) 삼각부등식의 풀이

① $\sin x > k$ 꼴일 때
→ 함수 $y = \sin x$의 그래프가 직선 $y = k$보다 $\boxed{❷}$ 에 있는 x의 값의 범위를 구한다.

② $\sin x < k$ 꼴일 때
→ 함수 $y = \sin x$의 그래프가 직선 $y = k$보다 $\boxed{❸}$ 에 있는 x의 값의 범위를 구한다.

코사인함수와 탄젠트함수에서도 마찬가지 방법으로 풀면 돼.

답 ❶ $\sin x$ ❷ 위쪽 ❸ 아래쪽

14 삼각함수의 그래프

예 1

	$y=3\sin 2x$	$y=\tan\left(2x-\dfrac{\pi}{2}\right)$
정의역	실수 전체의 집합	$x=\dfrac{n+1}{2}\pi$ (n은 정수)를 제외한 실수 전체의 집합
치역	$\{y\mid -3\leq y\leq \boxed{❶}\}$	실수 전체의 집합
주기	π	$\boxed{❷}$
그래프	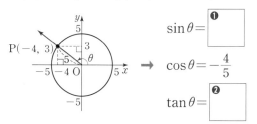	

답 ❶ 3 ❷ $\dfrac{\pi}{2}$

---

13 삼각함수, 삼각함수의 값의 부호

예 1

원점 O와 점 P$(-4, 3)$을 지나는 동경 OP가 나타내는 각이 θ일 때, $\overline{OP}=\sqrt{(-4)^2+3^2}=5$이므로

$\sin\theta=\boxed{❶}$

$\cos\theta=-\dfrac{4}{5}$ →

$\tan\theta=\boxed{❷}$

예 2

$\dfrac{5}{4}\pi$는 제3사분면의 각이므로

$\sin\dfrac{5}{4}\pi<0,\ \cos\dfrac{5}{4}\pi<0,\ \tan\dfrac{5}{4}\pi\boxed{❸}0$

답 ❶ $\dfrac{3}{5}$ ❷ $-\dfrac{3}{4}$ ❸ >

---

16 삼각방정식과 삼각부등식의 풀이

예 1

방정식 $\sin x=\dfrac{\sqrt{3}}{2}\ (0\leq x<2\pi)$을 풀면

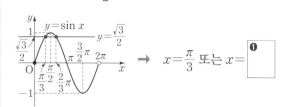 → $x=\dfrac{\pi}{3}$ 또는 $x=\boxed{❶}$

예 2

부등식 $\cos x\leq\dfrac{1}{2}\ (0\leq x<2\pi)$을 풀면

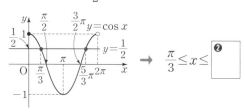 → $\dfrac{\pi}{3}\leq x\leq\boxed{❷}$

답 ❶ $\dfrac{2}{3}\pi$ ❷ $\dfrac{5}{3}\pi$

---

15 삼각함수의 성질

예 1

(1) $\sin\left(\dfrac{\pi}{2}+\theta\right)=\cos\theta$

(2) $\cos(\pi-\theta)=\cos\left(\dfrac{\pi}{2}\times 2-\theta\right)=\boxed{❶}$

(3) $\tan\left(\dfrac{\pi}{2}+\theta\right)=-\dfrac{1}{\tan\theta}$

예 2

(1) $\sin\dfrac{10}{3}\pi=\sin\left(\dfrac{\pi}{2}\times 6+\dfrac{\pi}{3}\right)=\boxed{❷}=-\dfrac{\sqrt{3}}{2}$

(2) $\cos\dfrac{7}{6}\pi=\cos\left(\dfrac{\pi}{2}\times 2+\dfrac{\pi}{6}\right)=\boxed{❸}=-\dfrac{\sqrt{3}}{2}$

(3) $\tan\dfrac{7}{4}\pi=\tan\left(\dfrac{\pi}{2}\times 3+\dfrac{\pi}{4}\right)=-\dfrac{1}{\tan\dfrac{\pi}{4}}=-1$

답 ❶ $-\cos\theta$ ❷ $-\sin\dfrac{\pi}{3}$ ❸ $-\cos\dfrac{\pi}{6}$

book.chunjae.co.kr

교재 내용 문의	……………	교재 홈페이지 ▶ 고등 ▶ 교재상담
교재 내용 외 문의	……………	교재 홈페이지 ▶ 고객센터 ▶ 1:1문의
발간 후 발견되는 오류	…………	교재 홈페이지 ▶ 고등 ▶ 학습지원 ▶ 학습자료실

7일 끝

중간고사 기말고사

7일 끝으로 끝내자!

고등 수학 I

BOOK 2

기 말 고 사 대 비

천재교육

언제나 만점이고 싶은 친구들

Welcome!

숨 돌릴 틈 없이 찾아오는 시험과 평가,
성적과 입시 그리고 미래에 대한 걱정.
중·고등학교에서 보내는 6년이란 시간은
때때로 힘들고, 버겁게 느껴지곤 해요.

그런데 여러분, 그거 아세요?
지금 이 시기가 노력의 대가를
가장 잘 확인할 수 있는 시간이라는 걸요.

안 돼, 못하겠어, 해도 안 될 텐데—
이렇게 생각하지 말아요. 천재교육이 있잖아요.
첫 시작의 두려움을 첫 마무리의 뿌듯함으로 바꿔줄게요.

펜을 쥐고 이 책을 펼친 순간
여러분 앞에 무한한 가능성의 길이 열렸어요.

우리와 함께 꽃길을 향해 걸어가 볼까요?

#시험대비
#핵심정복

7일 끝
중간고사
기말고사

Chunjae
Makes
Chunjae

▼

저자	최용준, 해법수학연구회
편집개발	김혜림, 오혜진, 이영욱, 남원남
제작	황성진, 조규영

발행일	2021년 3월 15일 초판 2021년 3월 15일 1쇄
발행인	(주)천재교육
주소	서울시 금천구 가산로9길 54
신고번호	제2001-000018호
고객센터	1577-0902
교재 내용문의	(02)3282-8854

7일 끝으로 끝내자!

7

고등 수학 I

BOOK 2

기말고사대비

이 책의 구성과 활용

일차별 시험 공부

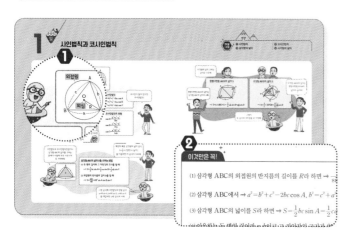

내용 한눈에 보기

본격적인 학습 전, 만화를 통해 시험에 잘 나오는 내용을 가볍게 짚고 넘어갈 수 있습니다.

❶ 만화로 핵심 내용 짚어 보기
❷ 시험에 잘 나오는 내용 중 꼭 알아야 할 내용 점검하기

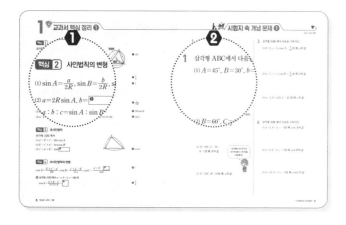

교과서 핵심 정리 + 시험지 속 개념 문제

시험 전 꼭 알아야 할 교과서 핵심 내용과 개념 문제를 통해 핵심 개념을 잘 이해하였는지 확인할 수 있습니다.

❶ 빈칸 문제를 채우며 핵심 내용 체크하기
❷ 시험에 잘 나오는 개념 문제 풀기

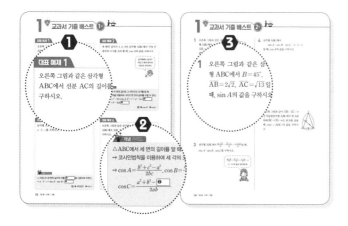

교과서 기출 베스트

기출문제를 분석하여 엄선한 빈출 유형의 문제를 집중적으로 풀며 효과적으로 기본 실력을 다질 수 있습니다.

❶ 빈출 유형을 통해 출제 빈도가 높은 문제 유형 익히기
❷ 개념 가이드를 보며 문제 해결의 힌트 확인하기
❸ 빈출 유형을 반복하여 익히기

시험 공부 마무리 테스트

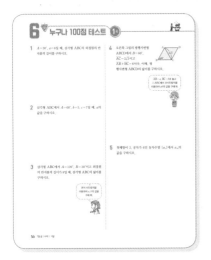

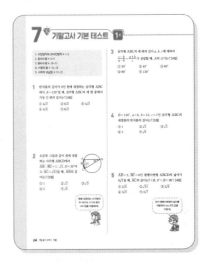

누구나 100점 테스트

아주 쉬운 예상 문제로 100점에 도전하여 내신
자신감을 키울 수 있습니다.

서술형·사고력 테스트

다양한 유형의 서술형 문제를 풀며 사고력과 서
술형 문제에 대한 적응력을 높일 수 있습니다.

중간/기말고사 기본 테스트

실제 시험과 비슷한 예상 문제를 풀며 실전에
대비할 수 있습니다.

시험 직전까지 챙겨야 할 부록

핵심 정리 총집합 카드

핵심 개념만을 모아 카드 형식으로 수록하였습니다.
휴대하여 이동할 때나 시험 직전에 활용할 수 있습니다.

이 책의 차례

사인법칙과 코사인법칙

삼각형의 세 변의 길이와
세 각의 크기 사이에는
사인법칙과 코사인법칙이
성립해.

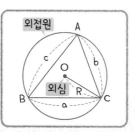

외접원

A

c

b

O

외심 R

B

a

C

사인이 들어 있으면
사인법칙!

코사인이 들어 있으면
코사인법칙!

사인법칙

$$\frac{a}{\sin A} = \frac{b}{\sin B} = \frac{c}{\sin C} = 2R$$

코사인법칙

$$a^2 = b^2 + c^2 - 2bc \cos A$$
$$b^2 = c^2 + a^2 - 2ca \cos B$$
$$c^2 = a^2 + b^2 - 2ab \cos C$$

사인법칙의 변형

(1) $\sin A = \dfrac{a}{2R}$, $\sin B = \dfrac{b}{2R}$, $\sin C = \dfrac{c}{2R}$

(2) $a = 2R \sin A$, $b = 2R \sin B$, $c = 2R \sin C$

(3) $a : b : c = \sin A : \sin B : \sin C$

코사인법칙의 변형

$$\cos A = \frac{b^2 + c^2 - a^2}{2bc}$$

$$\cos B = \frac{c^2 + a^2 - b^2}{2ca}$$

$$\cos C = \frac{a^2 + b^2 - c^2}{2ab}$$

사인법칙과 코사인법칙만 암기하면
변형 공식은 쉽게
알 수 있어.

사인법칙과 코사인법칙만큼이나
삼각형 ABC의 넓이를 구하는
문제가 시험에 자주 나오니까
꼭 기억해둬.

예전에 배운 삼각형의 넓이 공식
$$S = \frac{1}{2} \times (밑변) \times (높이)$$
를 이용하면 이 공식이 나오네.

A

c

b

S

B

a

C

삼각형 ABC의 넓이 S를 구하는 방법

(1) 두 변의 길이와 그 끼인각의 크기를 알 때

→ $S = \dfrac{1}{2} bc \sin A = \dfrac{1}{2} ca \sin B = \dfrac{1}{2} ab \sin C$

(2) 외접원의 반지름의 길이 R를 알 때

→ $S = \dfrac{abc}{4R} = 2R^2 \sin A \sin B \sin C$

(1)번 공식에 사인법칙의 변형 공식
$a = 2R \sin A$, $b = 2R \sin B$, $c = 2R \sin C$
를 대입하면 (2)번 공식이 나와.

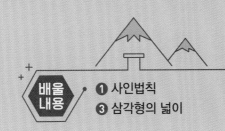
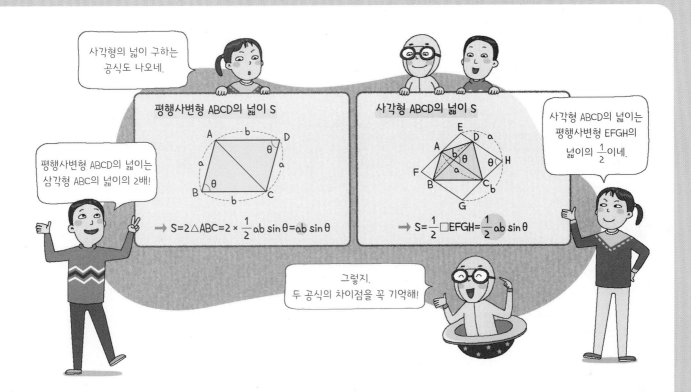

이것만은 꼭!

(1) 삼각형 ABC의 외접원의 반지름의 길이를 R라 하면 $\Rightarrow$ $\dfrac{a}{\sin A}=\dfrac{b}{\sin B}=\dfrac{c}{\boxed{①}}=\boxed{②}$

(2) 삼각형 ABC에서 $\Rightarrow$ $a^2=b^2+c^2-2bc\cos A$, $b^2=c^2+a^2-2ca\cos B$, $c^2=a^2+b^2-2ab\boxed{③}$

(3) 삼각형 ABC의 넓이를 S라 하면 $\Rightarrow$ $S=\dfrac{1}{2}bc\sin A=\dfrac{1}{2}ca\sin B=\dfrac{1}{2}ab\boxed{④}$

(4) 이웃하는 두 변의 길이가 a, b이고 그 끼인각의 크기가 θ인 평행사변형의 넓이를 S라 하면
$\Rightarrow$ $S=\boxed{⑤}$

답 ① $\sin C$ ② $2R$ ③ $\cos C$ ④ $\sin C$ ⑤ $ab\sin\theta$

교과서 핵심 정리 ❶

핵심 1 사인법칙

삼각형 ABC의 외접원의 반지름의 길이를 R라 하면

$$\frac{a}{\sin A} = \frac{b}{\sin B} = \frac{c}{\sin C} = \boxed{❶}$$

❶ $2R$

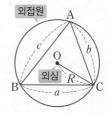

참고 삼각형 ABC에서 $\angle A$, $\angle B$, $\angle C$의 크기를 각각 A, B, C로 나타내고, 그 대변의 길이를 각각 a, b, c로 나타내기로 한다.

예 삼각형 ABC에서 $B=60°$, $C=30°$, $b=\sqrt{3}$일 때, c의 값을 구하면

$$\frac{\sqrt{3}}{\sin 60°} = \frac{c}{\sin 30°}$$에서 $c \sin 60° = \sqrt{3} \sin 30°$, $\frac{\sqrt{3}}{2}c = \sqrt{3} \times \boxed{❷}$

❷ $\frac{1}{2}$

$$\therefore c = \boxed{❸}$$

❸ 1

핵심 2 사인법칙의 변형

(1) $\sin A = \dfrac{a}{2R}$, $\sin B = \dfrac{b}{2R}$, $\sin C = \boxed{❹}$ ← 각을 변으로 변형

❹ $\dfrac{c}{2R}$

(2) $a = 2R \sin A$, $b = \boxed{❺}$, $c = 2R \sin C$ ← 변을 각으로 변형

❺ $2R \sin B$

(3) $a : b : c = \sin A : \sin B : \boxed{❻}$ ← 변의 비를 각의 비로 변형

❻ $\sin C$

핵심 3 코사인법칙

삼각형 ABC에서

(1) $a^2 = b^2 + c^2 - 2bc \cos A$
(2) $b^2 = c^2 + a^2 - 2ca \cos B$
(3) $c^2 = a^2 + b^2 - 2ab \boxed{❼}$

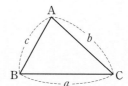

❼ $\cos C$

핵심 4 코사인법칙의 변형

$$\cos A = \frac{b^2 + c^2 - a^2}{2bc}, \quad \cos B = \frac{c^2 + a^2 - b^2}{2ca}, \quad \cos C = \frac{a^2 + b^2 - \boxed{❽}}{2ab}$$

❽ c^2

예 삼각형 ABC에서 $a=4$, $b=5$, $c=6$일 때,

$$\cos A = \frac{5^2 + 6^2 - 4^2}{2 \times 5 \times 6} = \boxed{❾}$$

❾ $\dfrac{3}{4}$

1 삼각형 ABC에서 다음을 구하시오.

(1) $A=45°$, $B=30°$, $b=4$일 때, a의 값

(2) $B=60°$, $C=30°$, $b=3$일 때, c의 값

(3) $B=135°$, $a=3\sqrt{2}$, $b=6$일 때, A의 크기

2 삼각형 ABC의 외접원의 반지름의 길이 R에 대하여 다음을 구하시오.

(1) $B=60°$, $b=2\sqrt{3}$일 때, R의 값

(2) $A=105°$, $C=45°$, $b=1$일 때, R의 값

삼각형의 세 내각의 크기의 합이 180°임을 이용해 봐.

(3) $A=150°$, $R=10$일 때, a의 값

3 삼각형 ABC에서 다음을 구하시오.

(1) $b=2$, $c=5$, $\cos A=\dfrac{1}{10}$일 때, a의 값

(2) $a=7$, $c=1$, $\cos B=\dfrac{5}{14}$일 때, b의 값

(3) $a=3$, $b=5\sqrt{2}$, $C=45°$일 때, c의 값

4 삼각형 ABC에서 다음을 구하시오.

(1) $a=2$, $b=4$, $c=5$일 때, $\cos A$의 값

(2) $a=5$, $b=6$, $c=7$일 때, $\cos B$의 값

(3) $a=\sqrt{5}$, $b=3$, $c=4$일 때, $\cos C$의 값

1 교과서 핵심 정리 ❷

핵심 5 삼각형의 넓이

삼각형 ABC의 넓이를 S라 하면

(1) 두 변의 길이와 그 끼인각의 크기를 알 때

$$\Rightarrow S = \frac{1}{2}bc\sin A = \frac{1}{2}ca\sin B = \frac{1}{2}ab\boxed{❶}$$

❶ $\sin C$

(2) 외접원의 반지름의 길이 R를 알 때 $\Rightarrow S = \dfrac{abc}{4R} = \boxed{❷}\ \sin A\sin B\sin C$

❷ $2R^2$

(3) 내접원의 반지름의 길이 r를 알 때 $\Rightarrow S = \dfrac{1}{2}r(a+b+\boxed{❸})$

❸ c

(4) 세 변의 길이를 알 때

$$\Rightarrow S = \sqrt{s(s-a)(s-b)(\boxed{❹})}\ \left(\text{단, } s=\frac{a+b+c}{2}\right)$$

> 세 변의 길이가 모두 자연수일 때, 이용하면 편해.

❹ $s-c$

예 오른쪽 그림과 같이 $A=30°$, $b=4$, $c=6$인 삼각형 ABC의 넓이 S를 구하면

$$S = \frac{1}{2}bc\boxed{❺} = \frac{1}{2}\times4\times6\times\frac{1}{2} = 6$$

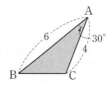

❺ $\sin A$

핵심 6 사각형의 넓이

(1) 평행사변형의 넓이

이웃하는 두 변의 길이가 a, b이고 그 끼인각의 크기가 θ인 평행사변형의 넓이를 S라 하면

$$S = ab\sin\theta$$

(2) 사각형의 넓이

두 대각선의 길이가 a, b이고 두 대각선이 이루는 각의 크기가 θ인 사각형의 넓이를 S라 하면

$$S = \frac{1}{2}ab\sin\theta$$

참고 (1) 평행사변형 ABCD의 넓이는 삼각형 ABC의 넓이의 $\boxed{❻}$ 배이므로

$$S = 2\triangle ABC = 2\times\frac{1}{2}ab\sin\theta = \boxed{❼}$$

❻ 2

❼ $ab\sin\theta$

(2) 사각형 ABCD의 두 대각선에 대하여 각각 평행한 선분으로 평행사변형 EFGH를 만들면

$$\square ABCD = \boxed{❽}\times\square EFGH$$

$$\therefore \square ABCD = \boxed{❾}\ \sin\theta$$

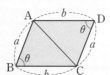

❽ $\dfrac{1}{2}$

❾ $\dfrac{1}{2}ab$

정답과 해설 **74**쪽

5 다음 그림과 같은 삼각형 ABC의 넓이 S를 구하시오.

(1)

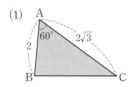

(2)

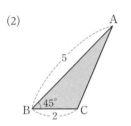

(3)

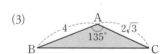

(4)

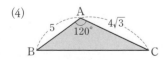

6 다음 그림과 같은 평행사변형 ABCD의 넓이 S를 구하시오.

(1)

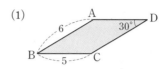

(2)

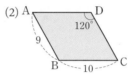

7 다음 그림과 같은 사각형 ABCD의 넓이 S를 구하시오.

(1)

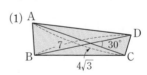

(2)

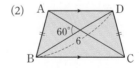

등변사다리꼴의
두 대각선의 길이가
같음을 이용해 봐.

대표 예제 1

오른쪽 그림과 같은 삼각형 ABC에서 선분 AC의 길이를 구하시오.

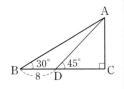

△ADC에서 $\overline{CD}=\overline{CA}=a$로 놓고 생각해 봐.

 개념 가이드

△ABC에서 $\dfrac{a}{\sin A}=\dfrac{b}{\sin B}=\dfrac{c}{\boxed{\textbf{①}}}$ 를 이용하는 경우

→ (1) 한 변의 길이와 두 각의 크기를 알 때
　(2) 두 변의 길이와 그 $\boxed{\textbf{②}}$ 이 아닌 한 각의 크기를 알 때

답 ❶ $\sin C$　❷ 끼인각

대표 예제 2

삼각형 ABC에서 $A:B:C=1:1:4$일 때, $a:b:c$를 구하시오.

개념 가이드

△ABC의 세 변의 길이의 비를 $\boxed{\textbf{①}}$ 을 이용하여 구한다.

→ $a:b:c=\sin A:\sin B:\boxed{\textbf{②}}$

답 ❶ 사인법칙　❷ $\sin C$

대표 예제 3

세 변의 길이가 4, 6, 9인 삼각형 ABC에서 가장 큰 내각의 크기를 A라 할 때, $\cos A$의 값을 구하시오.

삼각형에서 길이가 가장 긴 변의 대각이 가장 큰 내각이야.

개념 가이드

△ABC에서 두 변의 길이와 그 끼인각의 크기를 알 때
→ 코사인법칙을 이용하여 나머지 한 변의 길이를 구할 수 있다.

→ $a^2=b^2+c^2-2bc\cos A$, $b^2=c^2+a^2-2ca\,\boxed{\textbf{①}}$,
　$c^2=a^2+b^2-2ab\,\boxed{\textbf{②}}$

답 ❶ $\cos B$　❷ $\cos C$

대표 예제 4

오른쪽 그림과 같은 삼각형 ABC에서 선분 AC의 길이를 구하시오.

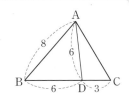

개념 가이드

△ABC에서 세 변의 길이를 알 때
→ 코사인법칙을 이용하여 세 각의 크기를 구할 수 있다.

→ $\cos A=\dfrac{b^2+c^2-a^2}{2bc}$, $\cos B=\dfrac{c^2+a^2-\boxed{\textbf{①}}}{2ca}$,
　$\cos C=\dfrac{a^2+b^2-\boxed{\textbf{②}}}{2ab}$

답 ❶ b^2　❷ c^2

대표 예제 **5**

등식 $\sin B = 2\cos A \sin C$를 만족시키는 삼각형 ABC는 어떤 삼각형인지 말하시오.

대표 예제 **6**

$c=2$, $A=150°$인 삼각형 ABC의 넓이가 $\dfrac{3\sqrt{3}}{2}$일 때, b의 값을 구하시오.

대표 예제 **7**

오른쪽 그림과 같이 $\overline{AB}=5$, $\overline{BC}=6$이고 넓이가 $15\sqrt{3}$인 평행사변형 ABCD에서 B의 크기를 구하시오.

(단, B는 예각이다.)

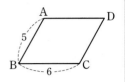

대표 예제 **8**

두 대각선의 길이가 각각 6, 10이고 두 대각선이 이루는 각의 크기가 θ인 사각형 ABCD에서 $\cos\theta=\dfrac{1}{3}$일 때, 사각형 ABCD의 넓이를 구하시오.

> $\sin^2\theta+\cos^2\theta=1$임을 이용하여 $\sin\theta$를 구해 봐.

1 오른쪽 그림과 같은 삼각형 ABC에서 $B=45°$, $\overline{AB}=2\sqrt{2}$, $\overline{AC}=\sqrt{13}$ 일 때, $\sin A$의 값을 구하시오.

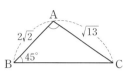

> 꼭짓점 A에서 변 BC에 수선을 내려 봐.

2 반지름의 길이가 6인 원에 내접하는 삼각형 ABC에서 $a+b+c=24$일 때, $\sin A+\sin B+\sin C$의 값을 구하시오.

3 삼각형 ABC에서 $\dfrac{a+b}{3}=\dfrac{b+c}{4}=\dfrac{c+a}{3}$일 때, $\sin A : \sin B : \sin C$를 구하시오.

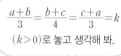

> $\dfrac{a+b}{3}=\dfrac{b+c}{4}=\dfrac{c+a}{3}=k$
> $(k>0)$로 놓고 생각해 봐.

4 삼각형 ABC에서
$$\sin A : \sin B : \sin C=3:2:4$$
일 때, $\cos A$의 값을 구하시오.

5 오른쪽 그림과 같이 $\overline{AB}=\overline{AC}=9$인 이등변삼각형 ABC에서 변 AB 위에 $\overline{BC}=\overline{CD}=6$인 점 D를 잡을 때, $\cos(\angle ADC)$의 값을 구하시오.

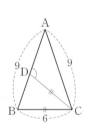

6 등식 $a\cos B = b\cos A$를 만족시키는 삼각형 ABC 는 어떤 삼각형인지 말하시오.

9 오른쪽 그림과 같은 평행 사변형 ABCD에서 $\overline{AB}=7$, $\overline{BC}=8$, $C=135°$일 때, 이 평행사 변형의 넓이를 구하시오.

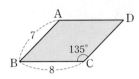

평행사변형의 이웃하는 두 각의 크기의 합이 180°임을 이용해 봐.

7 삼각형 ABC에서

$$b=4, \ c=10, \ \sin(B+C)=\frac{1}{5}$$

일 때, 삼각형 ABC의 넓이를 구하시오.

10 오른쪽 그림과 같이 두 대각 선이 이루는 각의 크기가 120°이고 넓이가 $8\sqrt{3}$인 사각 형 ABCD에서 $\overline{AC}=4$일 때, 대각선 BD의 길이를 구하시오.

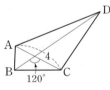

8 삼각형 ABC에서 $a=6$, $b=7$, $c=5$일 때, 삼각형 ABC의 내접원의 반지름의 길이를 구하시오.

세 변의 길이가 모두 자연수일 때,
$$S=\sqrt{s(s-a)(s-b)(s-c)}$$
$$\left(s=\frac{a+b+c}{2}\right)$$
를 이용해.

2 등차수열

수열은 말 그대로 차례로 나열된 수의 열!

수열 $\{a_n\}$: a_1, a_2, a_3, $\cdots$, a_n, $\cdots$

제1항 제2항 제3항   제n항 일반항

수열 중에서 첫째항부터 차례로 일정한 수를 더하여 만든 수열을 등차수열이라 하지.

제n항에 공차 d를 더하면 제 (n+1)항이 되니까 이 식이 항상 성립해.

더하는 일정한 수

공차가 d인 등차수열 $\{a_n\}$에서

→ $a_{n+1}=a_n+d \Leftrightarrow a_{n+1}-a_n=d$ (n=1, 2, 3, $\cdots$)

등차수열에서 첫째항에 공차 d를 한 번 더하면 제2항, 공차 d를 두 번 더하면 제3항이 되니까

등차수열의 일반항
첫째항이 a, 공차가 d인 등차수열의 일반항 a_n은
→ $a_n=a+(n-1)d$ (n=1, 2, 3, $\cdots$)

첫째항에 공차 d를 n-1번 더하면 제n항, 즉 일반항이 돼. 꼭 기억하도록!

새로운 용어들이 많이 나오는데 이것도 기억해야겠지.

등차중항
세 수 a, b, c가 이 순서대로 등차수열을 이룰 때
→ $b=\dfrac{a+c}{2}$

그렇지. 여기서 b를 a와 c의 등차중항이라고 해.

배울내용 ❶ 등차수열 ❷ 등차수열의 일반항 ❸ 등차수열의 합 ❹ 수열의 합과 일반항 사이의 관계

등차수열에서 가장 중요한 것은 등차수열의 합 공식이야. 꼭 기억해!

등차수열의 합

등차수열의 첫째항부터 제n항까지의 합 S_n은

(1) 첫째항이 a, 제n항이 l일 때 ➡ $S_n = \dfrac{n(a+l)}{2}$ ◁ 제n항 l이 주어진 경우

(2) 첫째항이 a, 공차가 d일 때 ➡ $S_n = \dfrac{n\{2a+(n-1)d\}}{2}$ ◁ 공차 d가 주어진 경우

두 경우의 차이를 꼭 기억해 두도록!

수열의 합과 일반항 사이에는 특별한 관계가 성립해. 이건 등차수열이든 아니든 모두 성립해.

수열의 합과 일반항 사이의 관계

수열 $\{a_n\}$의 첫째항부터 제n항까지의 합을 S_n이라 하면

➡ $a_1 = S_1$, $a_n = S_n - S_{n-1}$ $(n \geq 2)$

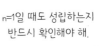

수열의 합 S_n이 주어지면 일반항 a_n을 구할 수 있구나.

$n=1$일 때도 성립하는지 반드시 확인해야 해.

이것만은 꼭!

(1) 첫째항이 a, 공차가 d인 등차수열의 일반항 a_n은 ➡ $a_n = a + (n-1)$ ❶☐ $(n=1, 2, 3, \cdots)$

(2) 세 수 a, b, c가 이 순서대로 등차수열을 이룰 때 ➡ $b = \dfrac{❷☐}{2}$

(3) 등차수열의 첫째항부터 제n항까지의 합 S_n은

① 첫째항이 a, 제n항이 l일 때 ➡ $S_n = \dfrac{n(❸☐)}{2}$

② 첫째항이 a, 공차가 d일 때 ➡ $S_n = \dfrac{n\{2a + ❹☐\}}{2}$

답 ❶ d ❷ $a+c$ ❸ $a+l$ ❹ $(n-1)d$

<blockquote>

</blockquote>

교과서 핵심 정리 ❶

핵심 1 수열

(1) 수열

2, 4, 6, 8, …과 같이 차례로 나열된 수의 열을 ❶〔   〕이라 하고, 수열을 이루고
있는 각 수를 그 수열의 항이라 한다.

❶ 수열

(2) 수열의 일반항

일반적으로 수열을 나타낼 때에는 a_1, a_2, a_3, …, a_n, …과 같이 나타낸다.
이때, 제n항을 이 수열의 ❷〔   〕이라 하고, 일반항이 a_n인 수열을 간단히 $\{a_n\}$
과 같이 나타낸다.

❷ 일반항

예 수열 $\{a_n\}$의 일반항이 $a_n=2n$일 때

$a_1=2\times①=2$, $a_2=2\times②=4$, $a_3=2\times③=6$, $a_4=2\times④=8$, …, $a_n=2n$, …

→ $\{a_n\}$: 2, 4, 6, ❸〔   〕, …, $2n$, …

❸ 8

핵심 2 등차수열

첫째항부터 차례로 일정한 수를 더하여 만든 수열을 ❹〔   〕이라 하고, 더하는
일정한 수를 공차라 한다. 등차수열 $\{a_n\}$의 공차를 d라 할 때, 다음이 성립한다.

$$a_{n+1}=a_n+d \Longleftrightarrow ❺〔\quad\rangle=d\ (n=1,\ 2,\ 3,\ \cdots)$$

❹ 등차수열

❺ $a_{n+1}-a_n$

핵심 3 등차수열의 일반항

첫째항이 a, 공차가 d인 등차수열의 일반항 a_n

→ $a_n=a+(n-1)d\ (n=1,\ 2,\ 3,\ \cdots)$

예 $\{a_n\}$: 3, 7, 11, 15, …
        +4 +4 +4

→ 첫째항이 3, 공차가 4인 등차수열

→ $a_n=3+(n-1)\times4=$ ❻〔   〕

❻ $4n-1$

핵심 4 등차중항

세 수 a, b, c가 이 순서대로 등차수열을 이룰 때,
b를 a와 c의 ❼〔   〕이라 한다.
이때, $b-a=c-b$이므로

$$b=❽\boxed{\quad}$$

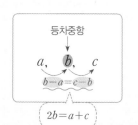

❼ 등차중항

❽ $\dfrac{a+c}{2}$

1 수열 $\{a_n\}$의 일반항이 다음과 같을 때, 첫째항부터 제4항까지 차례로 나열하시오.

(1) $a_n = -5n$

(2) $a_n = -n^2$

(3) $a_n = (-2)^n$

2 다음 수열이 등차수열을 이룰 때, $\square$ 안에 알맞은 수를 써넣으시오.

(1) $13, 10, \square, 4, \square, -2, \cdots$

(2) $7, \square, 17, 22, \square, 32, \cdots$

(3) $-4, \square, -\dfrac{8}{3}, -2, -\dfrac{4}{3}, \square, \cdots$

3 다음 등차수열의 일반항 a_n을 구하시오.

(1) 첫째항이 2, 공차가 5인 등차수열

(2) 첫째항이 3, 공차가 $-\dfrac{1}{3}$인 등차수열

4 다음 등차수열의 일반항 a_n을 구하시오.

(1) $1, 5, 9, 13, \cdots$

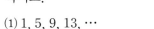
먼저 첫째항과 공차를 구해 봐.

(2) $7, 2, -3, -8, \cdots$

5 다음 수열이 등차수열이 되도록 하는 x, y의 값을 구하시오.

(1) $-4, x, -16, y, -28$

(2) $\dfrac{4}{3}, x, \dfrac{8}{3}, y, 4$

핵심 5 등차수열의 합

등차수열의 첫째항부터 제n항까지의 합 S_n은

(1) 첫째항이 a, 제n항이 l일 때 ➡ $S_n = \dfrac{\boxed{❶}(a+l)}{2}$ ⟵ 제n항 l이 주어진 경우   ❶ n

(2) 첫째항이 a, 공차가 d일 때 ➡ $S_n = \dfrac{\boxed{❷}\{2a+(n-1)d\}}{2}$ ⟵ 공차 d가 주어진 경우   ❷ n

예 (1) 첫째항이 3, 제10항이 19인 등차수열의 첫째항부터 제10항까지의 합 S_{10}은

$S_{10} = \dfrac{10(3+19)}{2} = \boxed{❸}$ ❸ 110

(2) 첫째항이 5, 공차가 2인 등차수열의 첫째항부터 제10항까지의 합 S_{10}은

$S_{10} = \dfrac{10\{2\times5+(10-1)\times2\}}{2} = \boxed{❹}$ ❹ 140

핵심 6 수열의 합과 일반항 사이의 관계

수열 $\{a_n\}$의 첫째항부터 제n항까지의 합을 S_n이라 하면

$a_1 = S_1$, $a_n = S_n - S_{n-1}$ $(n \geq 2)$

⟶ $n=1$일 때의 값이 S_1과 같은지 확인해야 한다.

예 등차수열 $\{a_n\}$의 첫째항부터 제n항까지의 합이 $S_n = An^2 + Bn + C$ $(A, B, C$는 상수$)$ 꼴일 때, 일반항 a_n을 구해 보자.

(1) $S_n = n^2 + n$ ($C=0$인 경우)	(2) $S_n = n^2 + n + 1$ ($C \neq 0$인 경우)
(ⅰ) $n=1$일 때	(ⅰ) $n=1$일 때
$\quad a_1 = S_1 = 1^2 + 1 = \boxed{❺}$	$\quad a_1 = S_1 = 1^2 + 1 + 1 = \boxed{❼}$
(ⅱ) $n \geq 2$일 때	(ⅱ) $n \geq 2$일 때
$\quad a_n = S_n - S_{n-1}$	$\quad a_n = S_n - S_{n-1}$
$\qquad = n^2 + n$	$\qquad = n^2 + n + 1$
$\qquad \quad -\{(n-1)^2 + (n-1)\}$	$\qquad \quad -\{(n-1)^2 + (n-1) + 1\}$
$\qquad = \boxed{❻}$ ······ ㉠	$\qquad = \boxed{❽}$ ······ ㉠
이때, $a_1 = 2$는 ㉠에 $n=1$을 대입한 것과 같다.	이때, $a_1 = 3$은 ㉠에 $n=1$을 대입한 것과 다르다.
$\therefore a_n = 2n$	$\therefore a_1 = 3$, $a_n = 2n$ $(n \geq 2)$

❺ 2
❻ $2n$
❼ 3
❽ $2n$

$C=0$이면 첫째항부터 등차수열을 이뤄.

$C \neq 0$이면 제2항부터 등차수열을 이뤄.

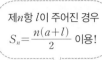

6 다음을 구하시오.

(1) 첫째항이 −8, 제20항이 50인 등차수열의 첫째항부터 제20항까지의 합

제n항 l이 주어진 경우
$S_n = \dfrac{n(a+l)}{2}$ 이용!

(2) 첫째항이 −3, 제30항이 −27인 등차수열의 첫째항부터 제30항까지의 합

7 다음을 구하시오.

(1) 첫째항이 1, 공차가 −3인 등차수열의 첫째항부터 제10항까지의 합

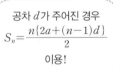

공차 d가 주어진 경우
$S_n = \dfrac{n\{2a+(n-1)d\}}{2}$
이용!

(2) 첫째항이 −4, 공차가 4인 등차수열의 첫째항부터 제12항까지의 합

8 다음을 구하시오.

(1) 등차수열 −3, 6, 15, 24, …의 첫째항부터 제11항까지의 합

(2) 등차수열 −2, −5, −8, −11, …의 첫째항부터 제16항까지의 합

9 수열 $\{a_n\}$의 첫째항부터 제n항까지의 합 S_n이 다음과 같을 때, 일반항 a_n을 구하시오.

(1) $S_n = 2n^2 - n$

(2) $S_n = n^2 - n + 1$

대표 예제 1

등차수열 $\{a_n\}$에서 $a_5=5a_3$, $a_2+a_4=2$일 때, a_7의 값을 구하시오.

개념 가이드

주어진 항 또는 항 사이의 관계를 첫째항 a와 공차 d에 대한 식으로 나타낸 후 두 식을 ❶ ☐ 하여 푼다.

답 ❶ 연립

대표 예제 2

첫째항이 -50, 공차가 3인 등차수열 $\{a_n\}$에서 처음으로 양수가 되는 항은 제몇 항인지 구하시오.

개념 가이드

첫째항이 a, 공차가 d인 등차수열 $\{a_n\}$에서
(1) 처음으로 양수가 되는 항 ➡ $a+(n-1)d$ ❶ ☐ 0을 만족시키는 자연수 n의 최솟값을 구한다.
(2) 처음으로 음수가 되는 항 ➡ $a+(n-1)d$ ❷ ☐ 0을 만족시키는 자연수 n의 최솟값을 구한다.

답 ❶ > ❷ <

대표 예제 3

세 수 $x-2$, x^2+1, $7x-4$가 이 순서대로 등차수열을 이룰 때, x의 값을 구하시오.

개념 가이드

세 수 a, b, c가 이 순서대로 등차수열을 이루면
➡ $b=\dfrac{a+c}{\boxed{❶}}$

답 ❶ 2

대표 예제 4

삼차방정식 $x^3+3x^2+px+q=0$의 세 실근이 등차수열을 이룰 때, 상수 p, q에 대하여 $p-q$의 값을 구하시오.

> 삼차방정식
> $ax^3+bx^2+cx+d=0$의
> 세 근을 α, β, γ라 하면
> $\alpha+\beta+\gamma=-\dfrac{b}{a}$야.

개념 가이드

등차수열을 이루는
세 수는 ➡ $a-d$, a, ❶ ☐
네 수는 ➡ $a-3d$, $a-d$, $a+d$, ❷ ☐
로 놓고 식을 세운다.

답 ❶ $a+d$ ❷ $a+3d$

대표 예제 **5**

첫째항이 5, 공차가 4인 등차수열 $\{a_n\}$의 첫째항부터 제n항까지의 합이 230일 때, n의 값을 구하시오.

개념 가이드

첫째항이 a, 제n항이 l, 공차가 d인 등차수열의 첫째항부터 제n항까지의 합을 S_n이라 할 때

(1) 첫째항과 제n항이 주어지면 ➡ $S_n = \dfrac{n(a+\boxed{❶})}{2}$

(2) 첫째항과 공차가 주어지면 ➡ $S_n = \dfrac{n\{2a+(n-1)\boxed{❷}\}}{2}$

답 ❶ l ❷ d

대표 예제 **6**

3과 41 사이에 n개의 수 a_1, a_2, a_3, $\cdots$, a_n을 넣어 등차수열 3, a_1, a_2, a_3, $\cdots$, a_n, 41을 만들었다. 이 수열의 모든 항의 합이 440일 때, n의 값과 공차 d를 구하시오.

> 두 수 사이에 n개의 수를 넣으면 항수는 $n+2$임에 주목해.

개념 가이드

두 수 a, b 사이에 n개의 수를 넣어서 만든 등차수열의 합을 S라 하면

➡ S는 첫째항이 a, 끝항이 $\boxed{❶}$, 항수가 $\boxed{❷}$인 등차수열의 합이다.

➡ $S = \dfrac{(n+2)(a+b)}{2}$

답 ❶ b ❷ $n+2$

대표 예제 **7**

등차수열 $\{a_n\}$의 첫째항부터 제n항까지의 합을 S_n이라 할 때, $S_{10}=100$, $S_{20}=400$이다. 이때, S_{30}의 값을 구하시오.

개념 가이드

첫째항이 a, 공차가 d인 등차수열 $\{a_n\}$의 첫째항부터 제n항까지의 합을 S_n이라 하면

$S_n = \dfrac{n\{2a+(\boxed{❶}-1)d\}}{2}$, $S_{2n} = \dfrac{2n\{2a+(\boxed{❷}-1)d\}}{2}$

답 ❶ n ❷ $2n$

대표 예제 **8**

수열 $\{a_n\}$의 첫째항부터 제n항까지의 합 S_n이 $S_n = -n^2 + 3n$일 때, $a_1 + a_{10}$의 값을 구하시오.

개념 가이드

수열 $\{a_n\}$의 첫째항부터 제n항까지의 합 S_n이 주어진 경우 $a_1 = \boxed{❶}$, $a_n = S_n - \boxed{❷}$ $(n \geq 2)$
임을 이용한다.

답 ❶ S_1 ❷ S_{n-1}

1 첫째항이 $\log 3$, 제5항이 $\log 3^9$인 등차수열의 공차를 구하시오.

2 등차수열 $\{a_n\}$에서 $a_4 = 14$, $a_6 : a_{10} = 5 : 8$일 때, a_{15}의 값을 구하시오.

3 제6항이 7, 제20항이 -21인 등차수열 $\{a_n\}$에서 처음으로 음수가 되는 항은 제몇 항인지 구하시오.

4 3과 35 사이에 세 개의 수를 넣어 얻어지는 다섯 개의 수가 등차수열을 이룰 때, 이 세 개의 수를 구하시오.

5 등차수열을 이루는 서로 다른 네 수의 합은 16이고, 가운데 두 수의 곱은 가장 작은 수와 가장 큰 수의 곱보다 32만큼 크다고 한다. 이때, 네 수의 곱을 구하시오.

네 수를
$a-3d, a-d,$
$a+d, a+3d$
로 놓고 생각해 봐.

6 등차수열 $\{a_n\}$에서 $a_3=9$, $a_7=29$일 때, 첫째항부터 제10항까지의 합을 구하시오.

9 제5항이 8, 제10항이 -7인 등차수열 $\{a_n\}$에서 첫째항부터 제n항까지의 합을 S_n이라 할 때, S_n의 최댓값을 구하시오.

$a_k>0$, $a_{k+1}<0$이면 S_n의 최댓값은 S_k야.

7 44와 6 사이에 10개의 수 a_1, a_2, a_3, $\cdots$, a_{10}을 넣어서 등차수열 44, a_1, a_2, a_3, $\cdots$, a_{10}, 6을 만들 때, $a_1+a_2+a_3+\cdots+a_{10}$의 값을 구하시오.

10 두 수열 $\{a_n\}$, $\{b_n\}$의 첫째항부터 제n항까지의 합이 각각 n^2+2n, $2n^2-kn$이고 두 수열의 제6항이 서로 같을 때, 상수 k의 값을 구하시오.

8 등차수열 $\{a_n\}$의 첫째항부터 제5항까지의 합이 40, 제6항부터 제10항까지의 합이 90일 때, 제11항부터 제15항까지의 합을 구하시오.

제n항부터 제$(n+k)$항까지의 합은 $S_{n+k}-S_{n-1}$임을 이용해.

3  등비수열

첫째항부터 차례로
일정한 수를 곱하여 만든 수열을
등비수열이라 하지.

일정한 수를 더하여 만든 수열은
등차수열! 등차수열과 등비수열의
차이점을 기억하도록!

곱하는 일정한 수

공비가 r(r≠0)인 등비수열 $\{a_n\}$에서
→ $a_{n+1}=ra_n \Leftrightarrow \dfrac{a_{n+1}}{a_n}=r$ (n=1, 2, 3, …)

더하는 일정한 수

공차가 d인 등차수열 $\{a_n\}$에서
→ $a_{n+1}=a_n+d \Leftrightarrow a_{n+1}-a_n=d$ (n=1, 2, 3, …)

첫째항에 공비 r를
n-1번 곱하면
제n항, 즉 일반항이 돼.

등비수열의 일반항
첫째항이 a, 공비가 r(r≠0)인 등비수열의 일반항 a_n은
→ $a_n=ar^{n-1}$ (n=1, 2, 3, …)

등차수열의 일반항
첫째항이 a, 공차가 d인 등차수열의 일반항 a_n은
→ $a_n=a+(n-1)d$ (n=1, 2, 3, …)

등비수열의 일반항도 시험에
잘 나오니까 꼭 기억하도록!

등비수열을 이룰 땐 등비중항,
등차수열을 이룰 땐 등차중항!

그렇지, 여기서 b를
a와 c의 등비중항이라고 해.

등비중항
0이 아닌 세 수 a, b, c가 이 순서대로 등비수열을 이룰 때
→ $b^2=ac$

등차중항
세 수 a, b, c가 이 순서대로 등차수열을 이룰 때
→ $b=\dfrac{a+c}{2}$

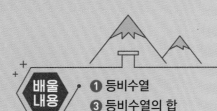

등비수열에서도 합 공식이 중요해.

등비수열의 합
첫째항이 a, 공비가 $r\,(r\neq0)$인 등비수열의 첫째항부터 제n항까지의 합 S_n은

(1) $r\neq1$일 때 ➡ $S_n=\dfrac{a(1-r^n)}{1-r}=\dfrac{a(r^n-1)}{r-1}$

(2) $r=1$일 때 ➡ $S_n=na$

등차수열의 합
등차수열의 첫째항부터 제n항까지의 합 S_n은

(1) 첫째항이 a, 제n항이 l일 때 ➡ $S_n=\dfrac{n(a+l)}{2}$

(2) 첫째항이 a, 공차가 d일 때 ➡ $S_n=\dfrac{n\{2a+(n-1)d\}}{2}$

$r>1$일 때는 $S_n=\dfrac{a(r^n-1)}{r-1}$,

$r<1$일 때는 $S_n=\dfrac{a(1-r^n)}{1-r}$

을 이용하면 편리해.

등차수열과 등비수열의 차이점을 생각하면서 공식을 암기해야지.

이것만은 꼭!

(1) 첫째항이 a, 공비가 $r\,(r\neq0)$인 등비수열의 일반항 a_n은 ➡ $a_n=a$❶ ⬚ $(n=1,\,2,\,3,\,\cdots)$

(2) 0이 아닌 세 수 $a,\,b,\,c$가 이 순서대로 등비수열을 이룰 때 ➡ $b^2=$ ❷ ⬚

(3) 첫째항이 a, 공비가 $r\,(r\neq0)$인 등비수열의 첫째항부터 제n항까지의 합 S_n은

① $r\neq1$일 때 ➡ $S_n=\dfrac{a(\text{❸}\ \ )}{1-r}=\dfrac{a(\text{❹}\ \ )}{r-1}$

② $r=1$일 때 ➡ $S_n=na$

답 ❶ r^{n-1} ❷ ac ❸ $1-r^n$ ❹ r^n-1

교과서 핵심 정리 ①

핵심 1 등비수열

첫째항부터 차례로 일정한 수를 곱하여 만든 수열을 **❶**[   ]이라 하고, 곱하는 일정한 수를 공비라 한다. 등비수열 $\{a_n\}$의 공비를 $r\,(r \neq 0)$라 할 때, 다음이 성립한다.

$$a_{n+1} = ra_n \iff \boxed{\text{❷}} = r\ (n = 1, 2, 3, \cdots)$$

❶ 등비수열

❷ $\dfrac{a_{n+1}}{a_n}$

핵심 2 등비수열의 일반항

첫째항이 a, 공비가 $r\,(r \neq 0)$인 등비수열의 일반항 a_n

→ $a_n = ar^{n-1}\ (n = 1, 2, 3, \cdots)$

예 $\{a_n\}:\ \underset{\times 2}{\underbrace{1,\ \ 2,}}\ \underset{\times 2}{\underbrace{\ \ 4,}}\ \underset{\times 2}{\underbrace{\ \ 8,}}\ \underset{\times 2}{\underbrace{\ \ 16,}}\ \cdots$

→ 첫째항이 **1**, 공비가 **2**인 등비수열

→ $a_n = \mathbf{1} \times 2^{n-1} = $ **❸**[   ]

❸ 2^{n-1}

핵심 3 등비중항

0이 아닌 세 수 a, **b**, c가 이 순서대로 등비수열을 이룰 때, **b**를 a와 c의 **❹**[   ]이라 한다.

이때, $\dfrac{b}{a} = \dfrac{c}{b}$이므로

$b^2 = $ **❺**[   ]

> 세 수 a, b, c가 이 순서대로 등차수열을 이룰 때
> b는 a와 c의 등차중항 → $b = \dfrac{a+c}{2}$

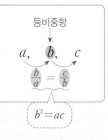

등비중항

$$a,\ \ \textbf{b},\ \ c$$

$$\dfrac{b}{a} = \dfrac{c}{b}$$

$$b^2 = ac$$

❹ 등비중항

❺ ac

참고 등차수열과 등비수열의 비교

	등차수열	VS	등비수열
규칙	일정한 수를 더한다.		일정한 수를 **❻**[ ].
관계식	$a_{n+1} = a_n + d \iff a_{n+1} - a_n = d$		$a_{n+1} = ra_n \iff \dfrac{a_{n+1}}{a_n} = $ **❼**[ ]
	$2a_{n+1} = a_n + a_{n+2}$		$a_{n+1}^{\ 2} = $ **❽**[ ]
일반항	$a_n = a + (n-1)d$		$a_n = $ **❾**[ ]

❻ 곱한다

❼ r

❽ $a_n a_{n+2}$

❾ ar^{n-1}

정답과 해설 **79**쪽

1 다음 수열이 등비수열을 이룰 때, □ 안에 알맞은 수를 써넣으시오.

(1) 3, −6, □, □, 48, ⋯

(2) 1, □, 9, 27, □, ⋯

(3) □, 6, −6, □, −6, ⋯

2 다음 등비수열의 일반항 a_n을 구하시오.

(1) 첫째항이 2, 공비가 3인 등비수열

(2) 첫째항이 −8, 공비가 $-\dfrac{1}{3}$인 등비수열

(3) 첫째항이 −3, 공비가 −5인 등비수열

3 다음 등비수열의 일반항 a_n을 구하시오.

먼저 첫째항과 공비를 구해 봐.

(1) 16, 4, 1, $\dfrac{1}{4}$, ⋯

(2) −12, 12, −12, 12, ⋯

(3) 2, −8, 32, −128, ⋯

4 다음 수열이 등비수열이 되도록 하는 x, y의 값을 모두 구하시오.

(1) 25, x, 1, y

(2) −10, x, $-\dfrac{8}{5}$, y

3일 교과서 핵심 정리 ❷

핵심 4 등비수열의 합

첫째항이 a, 공비가 $r\,(r \neq 0)$인 등비수열의 첫째항부터 제n항까지의 합 S_n은

(1) $r \neq 1$일 때 ➡ $S_n = \dfrac{a(1-r^n)}{1-r} = \dfrac{a(r^n-1)}{\boxed{❶}}$

> $r > 1$일 때는 $S_n = \dfrac{a(r^n-1)}{r-1}$
>
> $r < 1$일 때는 $S_n = \dfrac{a(1-r^n)}{1-r}$

❶ $r-1$

(2) $r = 1$일 때 ➡ $S_n = \boxed{❷}$

❷ na

예 (1) 첫째항이 2, 공비가 3인 등비수열의 첫째항부터 제10항까지의 합 S_{10}은

$S_{10} = \dfrac{2 \times (3^{10}-1)}{3-1} = \boxed{❸} - 1$

❸ 3^{10}

(2) 첫째항이 3, 공비가 1인 등비수열의 첫째항부터 제8항까지의 합 S_8은

$S_8 = 8 \times 3 = \boxed{❹}$

❹ 24

예 등비수열 $\{a_n\}$의 첫째항부터 제n항까지의 합 S_n이 $S_n = pr^n + q\,(p, q, r$는 상수, $r \neq 1)$ 꼴일 때, 일반항 a_n을 구해 보자.

(1) $S_n = \left(\dfrac{1}{2}\right)^n - 1\ (p+q=0$인 경우$)$	(2) $S_n = \left(\dfrac{1}{2}\right)^n + 1\ (p+q \neq 0$인 경우$)$
(i) $n=1$일 때 $\quad a_1 = S_1 = \dfrac{1}{2} - 1 = \boxed{❺}$	(i) $n=1$일 때 $\quad a_1 = S_1 = \dfrac{1}{2} + 1 = \boxed{❼}$
(ii) $n \geq 2$일 때 $\begin{aligned} a_n &= S_n - S_{n-1} \\ &= \left(\dfrac{1}{2}\right)^n - 1 - \left\{\left(\dfrac{1}{2}\right)^{n-1} - 1\right\} \\ &= \left(\dfrac{1}{2}\right)^n - \left(\dfrac{1}{2}\right)^{n-1} \\ &= \boxed{❻} \quad\cdots\cdots ㉠ \end{aligned}$	(ii) $n \geq 2$일 때 $\begin{aligned} a_n &= S_n - S_{n-1} \\ &= \left(\dfrac{1}{2}\right)^n + 1 - \left\{\left(\dfrac{1}{2}\right)^{n-1} + 1\right\} \\ &= \left(\dfrac{1}{2}\right)^n - \left(\dfrac{1}{2}\right)^{n-1} \\ &= \boxed{❽} \quad\cdots\cdots ㉠ \end{aligned}$
이때, $a_1 = -\dfrac{1}{2}$은 ㉠에 $n=1$을 대입한 것과 같다. $\therefore a_n = -\left(\dfrac{1}{2}\right)^n$	이때, $a_1 = \dfrac{3}{2}$은 ㉠에 $n=1$을 대입한 것과 다르다. $\therefore a_1 = \dfrac{3}{2}, a_n = -\left(\dfrac{1}{2}\right)^n\ (n \geq 2)$

❺ $-\dfrac{1}{2}$

❻ $-\left(\dfrac{1}{2}\right)^n$

❼ $\dfrac{3}{2}$

❽ $-\left(\dfrac{1}{2}\right)^n$

$p+q=0$이면 첫째항부터 등비수열을 이룸.

$p+q \neq 0$이면 제2항부터 등비수열을 이룸.

정답과 해설 **79**쪽

5 다음을 구하시오.

(1) 첫째항이 2, 공비가 2인 등비수열의 첫째항부터 제7항까지의 합

(2) 첫째항이 3, 공비가 1인 등비수열의 첫째항부터 제10항까지의 합

(3) 첫째항이 1, 공비가 -2인 등비수열의 첫째항부터 제9항까지의 합

6 다음을 구하시오.

(1) 등비수열 4, 8, 16, 32, …의 첫째항부터 제6항까지의 합

(2) 등비수열 1, -2, 4, -8, …의 첫째항부터 제7항까지의 합

7 등비수열 $\{a_n\}$의 일반항이 다음과 같이 주어질 때, 첫째항부터 제n항까지의 합 S_n을 구하시오.

(1) $a_n = 8 \times 7^{n-1}$

(2) $a_n = -4 \times \left(-\dfrac{1}{3}\right)^{n-1}$

일반항 a_n에서 첫째항과 공비를 알 수 있어.

8 수열 $\{a_n\}$의 첫째항부터 제n항까지의 합 S_n이 다음과 같을 때, 일반항 a_n을 구하시오.

(1) $S_n = 2 \times 3^n - 2$

(2) $S_n = 2^n + 1$

대표 예제 1

공비가 양수이고 제4항이 12, 제6항이 48인 등비수열 $\{a_n\}$에 대하여 a_{10}의 값을 구하시오.

개념 가이드

주어진 항 또는 항 사이의 관계를 첫째항 a와 공비 r에 대한 식으로 나타낸 후 두 식을 $\boxed{❶}$ 하여 푼다.

답 ❶ 연립

대표 예제 3

등비수열 9, x_1, x_2, x_3, $\cdots$, x_n, $\dfrac{1}{243}$의 공비가 $\dfrac{1}{3}$일 때, 자연수 n의 값을 구하시오.

개념 가이드

두 수 a, b 사이에 n개의 수를 넣어서 등비수열을 만들면
(1) 항수: $\boxed{❶}$
(2) 첫째항: a, 끝항: $\boxed{❷} = ar^{n+1}$

답 ❶ $n+2$ ❷ b

대표 예제 2

등비수열 $\{a_n\}$에 대하여 $a_2 + a_4 = 20$, $a_3 + a_5 = 40$일 때, 처음으로 1000보다 커지는 항은 제몇 항인지 구하시오.

개념 가이드

첫째항이 a, 공비가 $r\,(r \neq 0)$인 등비수열 $\{a_n\}$에서
(1) 처음으로 k보다 커지는 항 ➡ $ar^{n-1}\boxed{❶}k$를 만족시키는 자연수 n의 최솟값을 구한다.
(2) 처음으로 k보다 작아지는 항 ➡ $ar^{n-1}\boxed{❷}k$를 만족시키는 자연수 n의 최솟값을 구한다.

답 ❶ > ❷ <

대표 예제 4

세 수 4, a, b가 이 순서대로 등차수열을 이루고, 세 수 a, b, 18이 이 순서대로 등비수열을 이룰 때, 두 양수 a, b에 대하여 $a + b$의 값을 구하시오.

등차중항과 등비중항을 비교해서 기억해 둬.

개념 가이드

0이 아닌 세 수 a, b, c가 이 순서대로
(1) 등차수열을 이룬다. ➡ $2b = \boxed{❶}$
(2) 등비수열을 이룬다. ➡ $b^2 = \boxed{❷}$

답 ❶ $a+c$ ❷ ac

대표 예제 **5**

등비수열을 이루는 세 실수의 합이 7이고 곱이 8일 때, 세 실수를 각각 제곱하여 더한 값을 구하시오.

개념 가이드

등비수열을 이루는 세 수를 $\boxed{\text{❶}}$, ar, $\boxed{\text{❷}}$ 으로 놓고 식을 세운다.

답 ❶ a ❷ ar^2

대표 예제 **6**

공비가 4이고 첫째항부터 제5항까지의 합이 1023인 등비수열의 첫째항을 구하시오.

개념 가이드

첫째항이 a, 공비가 $r\,(r \neq 0)$인 등비수열의 첫째항부터 제n항까지의 합을 S_n이라 하면

(1) $r \neq 1$일 때 ➡ $S_n = \dfrac{a(r^n-1)}{r-1} = \dfrac{a(1-r^n)}{\boxed{\text{❶}}}$

(2) $r=1$일 때 ➡ $S_n = \boxed{\text{❷}}$

답 ❶ $1-r$ ❷ na

대표 예제 **7**

등비수열 $\{a_n\}$에서 첫째항부터 제5항까지의 합이 20이고, 첫째항부터 제10항까지의 합은 60이다. 이때, 이 수열의 첫째항부터 제15항까지의 합을 구하시오.

S_{10}, S_{15}를
S_5를 이용할 수 있게
변형해 봐.

개념 가이드

$r \neq 1$일 때, $S_n = \dfrac{a(r^n-1)}{r-1}$에서

$S_{2n} = \dfrac{a(r^{2n}-1)}{r-1} = \dfrac{a(r^n-1)(\boxed{\text{❶}})}{r-1} = S_n(\boxed{\text{❷}})$

답 ❶ r^n+1 ❷ r^n+1

대표 예제 **8**

첫째항부터 제n항까지의 합 S_n이 $S_n = 3^n - 1$인 수열 $\{a_n\}$에 대하여 $\dfrac{a_{10}}{a_6}$의 값을 구하시오.

개념 가이드

수열 $\{a_n\}$의 첫째항부터 제n항까지의 합 S_n이 주어진 경우 $a_1 = \boxed{\text{❶}}$, $a_n = S_n - \boxed{\text{❷}}$ $(n \geq 2)$ 임을 이용한다.

답 ❶ S_1 ❷ S_{n-1}

1 등비수열 $\{a_n\}$에 대하여 $a_3+a_4=4$, $a_3 : a_4=3 : 1$ 일 때, $\dfrac{1}{81}$은 제몇 항인지 구하시오.

2 각 항이 실수이고, 제3항이 9, 제6항이 243인 등비수열 $\{a_n\}$에 대하여 처음으로 3000보다 커지는 항은 제몇 항인지 구하시오.

3 두 수 5와 50 사이에 10개의 수 a_1, a_2, a_3, $\cdots$, a_{10}을 넣어 5, a_1, a_2, a_3, $\cdots$, a_{10}, 50이 이 순서대로 등비수열을 이루도록 할 때, $a_1 a_{10}$의 값을 구하시오.

4 세 수 a, $a+b$, $2a-b$가 이 순서대로 등차수열을 이루고, 세 수 1, $a-1$, $3b+1$은 이 순서대로 공비가 양수인 등비수열을 이룰 때, a^2+b^2의 값을 구하시오.

5 다항식 $f(x)=x^2-3x+a$를 $x-3$, $x-4$, $x-5$로 나누었을 때의 나머지가 이 순서대로 등비수열을 이룰 때, 상수 a의 값을 구하시오.

> 다항식 $f(x)$를 일차식 $x-\alpha$로 나누었을 때의 나머지는 $f(\alpha)$야.

6 등비수열을 이루는 세 실수의 합이 31이고 곱이 125일 때, 세 실수 중 가장 큰 수를 구하시오.

세 실수가 등비수열을 이루므로 a, ar, ar^2으로 놓고 생각해 봐.

7 공비가 양수인 등비수열 $\{a_n\}$에서 제4항이 32이고, 제8항이 512일 때, 이 등비수열의 첫째항부터 제8항까지의 합을 구하시오.

8 공비가 음수인 등비수열 $\{a_n\}$에 대하여 첫째항부터 제4항까지의 합이 15이고, 첫째항부터 제8항까지의 합은 255이다. 이때, a_5의 값을 구하시오.

9 공비가 양수인 등비수열 $\{a_n\}$에서
$$a_1+a_2+a_3+\cdots+a_6=12,$$
$$a_7+a_8+a_9+\cdots+a_{12}=324$$
일 때, 공비를 구하시오.

10 수열 $\{a_n\}$의 첫째항부터 제n항까지의 합을 S_n이라 하면 $\log_2 S_n=n+2$이다. 이때, $a_1+a_5+a_{10}$의 값은?

① $4+2^4+2^9$ ② $4+2^5+2^{10}$

③ $8+2^5+2^{10}$ ④ $8+2^6+2^{11}$

⑤ $8+2^7+2^{12}$

$a_1=S_1,$
$a_n=S_n-S_{n-1}\,(n\geq 2)$
임을 이용해 봐.

4일 수열의 합

수열의 합을 기호 $\sum$를 사용하여 간단히 나타내는 방법이야.

$$a_1 + a_2 + a_3 + \cdots + a_n = \sum_{k=1}^{n} a_k$$

제n항까지
일반항
첫째항부터

$\sum\limits_{k=1}^{n} a_k$에서 k 대신 i 또는 j 등의 다른 문자를 사용해도 돼.

$$\sum_{k=1}^{n} a_k = \sum_{i=1}^{n} a_i = \sum_{j=1}^{n} a_j$$

합의 기호 $\sum$는 이와 같은 성질이 성립하던데, 주의할 점은 뭐가 있을까?

합의 기호 $\sum$는 곱셈과 나눗셈에 대해서는 성립하지 않아.

두 수열 $\{a_n\}$, $\{b_n\}$과 상수 c에 대하여

(1) $\sum\limits_{k=1}^{n}(a_k+b_k)=\sum\limits_{k=1}^{n}a_k+\sum\limits_{k=1}^{n}b_k$

(2) $\sum\limits_{k=1}^{n}(a_k-b_k)=\sum\limits_{k=1}^{n}a_k-\sum\limits_{k=1}^{n}b_k$

(3) $\sum\limits_{k=1}^{n}ca_k=c\sum\limits_{k=1}^{n}a_k$

(4) $\sum\limits_{k=1}^{n}c=cn$

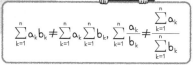

$$\sum_{k=1}^{n}a_k b_k \neq \sum_{k=1}^{n}a_k \sum_{k=1}^{n}b_k, \quad \sum_{k=1}^{n}\frac{a_k}{b_k} \neq \frac{\sum\limits_{k=1}^{n}a_k}{\sum\limits_{k=1}^{n}b_k}$$

이번 단원에서 가장 중요한 자연수의 거듭제곱의 합 공식이야. 꼭 암기하도록!

자연수의 거듭제곱의 합

(1) $1+2+3+\cdots+n=\sum\limits_{k=1}^{n}k=\dfrac{n(n+1)}{2}$

(2) $1^2+2^2+3^2+\cdots+n^2=\sum\limits_{k=1}^{n}k^2=\dfrac{n(n+1)(2n+1)}{6}$

(3) $1^3+2^3+3^3+\cdots+n^3=\sum\limits_{k=1}^{n}k^3=\left\{\dfrac{n(n+1)}{2}\right\}^2$

공식을 직접 적용해 보면

$$1^2+2^2+3^2+\cdots+8^2=\sum_{k=1}^{8}k^2=\frac{8\times(8+1)\times(2\times8+1)}{6}=204$$

배울 내용
① 합의 기호 $\sum$와 그 성질
③ 분수 꼴로 주어진 수열의 합
② 자연수의 거듭제곱의 합
④ 분모에 근호가 포함된 수열의 합

여러 가지 수열의 합을 구하는 문제도 시험에 잘 나와.

분수 꼴로 주어진 수열의 합을 구하는 문제는 일반항을 부분분수로 변형하여 구하면 돼. 이때, 이 등식을 이용하면 편리해.

분수 꼴로 주어진 수열의 합

(1) $\displaystyle\sum_{k=1}^{n} \frac{1}{k(k+1)} = \sum_{k=1}^{n}\left(\frac{1}{k} - \frac{1}{k+1}\right)$

(2) $\displaystyle\sum_{k=1}^{n} \frac{1}{(k+a)(k+b)} = \frac{1}{b-a}\sum_{k=1}^{n}\left(\frac{1}{k+a} - \frac{1}{k+b}\right)$ (단, $a \neq b$)

$$\frac{1}{AB} = \frac{1}{B-A}\left(\frac{1}{A} - \frac{1}{B}\right)$$
(단, $A \neq B$)

분모에 근호가 포함된 수열의 합을 구하는 문제는 일반항의 분모를 유리화하여 구하면 돼.

분수 꼴은 부분분수로 변형, 분모에 근호가 포함된 꼴은 분모의 유리화!

분모에 근호가 포함된 수열의 합

(1) $\displaystyle\sum_{k=1}^{n} \frac{1}{\sqrt{k+1}+\sqrt{k}} = \sum_{k=1}^{n}(\sqrt{k+1}-\sqrt{k})$

(2) $\displaystyle\sum_{k=1}^{n} \frac{1}{\sqrt{k+a}+\sqrt{k+b}} = \frac{1}{a-b}\sum_{k=1}^{n}(\sqrt{k+a}-\sqrt{k+b})$ (단, $a \neq b$)

이것만은 꼭!

(1) $\displaystyle\sum_{k=1}^{n} k = \frac{n(n+1)}{\boxed{①}}$, $\displaystyle\sum_{k=1}^{n} k^2 = \frac{n(n+1)(2n+1)}{\boxed{②}}$, $\displaystyle\sum_{k=1}^{n} k^3 = \left\{\frac{n(n+1)}{\boxed{③}}\right\}^2$

(2) $\displaystyle\sum_{k=1}^{n} \frac{1}{k(k+1)} = \sum_{k=1}^{n}\left(\frac{1}{k} - \frac{1}{\boxed{④}}\right)$

(3) $\displaystyle\sum_{k=1}^{n} \frac{1}{\sqrt{k+1}+\sqrt{k}} = \sum_{k=1}^{n}(\sqrt{k+1} - \boxed{⑤})$

답 ① 2 ② 6 ③ 2 ④ $k+1$ ⑤ $\sqrt{k}$

핵심 1 합의 기호 $\sum$

(1) 수열 $\{a_n\}$의 첫째항부터 제n항까지의 합 $a_1+a_2+a_3+\cdots+a_n$을 합의 기호 $\sum$
를 사용하여 나타내면

제n항까지

$$\rightarrow a_1+a_2+a_3+\cdots+a_n=\sum_{k=1}^{n}\boxed{❶} \leftarrow 일반항$$

첫째항부터

❶ a_k

(2) $\displaystyle\sum_{k=1}^{n}a_k$는 수열의 일반항 a_k의 k에 1, 2, 3, $\cdots$, n을 차례로 대입하여 얻은 항

a_1, a_2, a_3, $\cdots$, a_n의 합을 뜻한다.

참고 $\displaystyle\sum_{k=1}^{n}a_k$에서 k 대신 i 또는 j 등의 다른 문자를 사용하여 나타내도 된다.

$$\rightarrow \sum_{k=1}^{n}a_k=\sum_{i=1}^{n}a_i=\sum_{j=1}^{n}a_j$$

예 (1) $3+6+9+\cdots+60=3\times\boxed{1}+3\times2+3\times3+\cdots+3\times20=\displaystyle\sum_{k=1}^{20}\boxed{❷}$

❷ $3k$

(2) $2^4+2^5+2^6+\cdots+2^{10}=\displaystyle\sum_{k=4}^{10}\boxed{❸}$

❸ 2^k

(3) $\displaystyle\sum_{i=1}^{15}i^2=1^2+2^2+3^2+\cdots+15^2$

 $\displaystyle\sum_{k=1}^{n}a_k$에서 k 대신 다른 문자를 사용할 수 있어.

핵심 2 합의 기호 $\sum$의 성질

두 수열 $\{a_n\}$, $\{b_n\}$과 상수 c에 대하여

(1) $\displaystyle\sum_{k=1}^{n}(a_k+b_k)=\sum_{k=1}^{n}a_k+\sum_{k=1}^{n}b_k$ (2) $\displaystyle\sum_{k=1}^{n}(a_k-b_k)=\sum_{k=1}^{n}a_k-\sum_{k=1}^{n}b_k$

(3) $\displaystyle\sum_{k=1}^{n}ca_k=\boxed{❹}\sum_{k=1}^{n}a_k$ (4) $\displaystyle\sum_{k=1}^{n}c=\boxed{❺}$

❹ c

❺ cn

주의 $\sum$가 포함된 계산에서 다음을 주의하자.

(1) $\displaystyle\sum_{k=1}^{n}a_kb_k\neq\sum_{k=1}^{n}a_k\sum_{k=1}^{n}b_k$ (2) $\displaystyle\sum_{k=1}^{n}\frac{a_k}{b_k}\neq\frac{\sum_{k=1}^{n}a_k}{\sum_{k=1}^{n}b_k}$

예 $\displaystyle\sum_{k=1}^{6}a_k=8$, $\displaystyle\sum_{k=1}^{6}b_k=4$일 때, 다음 값을 구해 보자.

(1) $\displaystyle\sum_{k=1}^{6}(a_k+b_k)=\sum_{k=1}^{6}a_k+\sum_{k=1}^{6}b_k=\boxed{❻}$ (2) $\displaystyle\sum_{k=1}^{6}(a_k-b_k)=\sum_{k=1}^{6}a_k-\sum_{k=1}^{6}b_k=\boxed{❼}$

❻ 12

❼ 4

(3) $\displaystyle\sum_{k=1}^{6}2a_k=2\sum_{k=1}^{6}a_k=\boxed{❽}$ (4) $\displaystyle\sum_{k=1}^{6}5=5\times6=\boxed{❾}$

❽ 16

❾ 30

1 다음을 합의 기호 $\sum$를 사용하여 나타내시오.

(1) $6+6+6+6+6+6+6$

(2) $2+2^2+2^3+\cdots+2^{15}$

(3) $2+4+6+\cdots+40$

2 다음을 합의 기호 $\sum$를 사용하지 않은 합의 꼴로 나타내시오.

$\sum\limits_{k=1}^{n} a_k$에서 k 대신 i 또는 j 등의 다른 문자를 사용하여 나타내도 돼.

(1) $\sum\limits_{i=1}^{50} \dfrac{1}{i}$

(2) $\sum\limits_{j=2}^{10} j^2$

(3) $\sum\limits_{k=2}^{5} (k-1)(k+1)$

3 $\sum\limits_{k=1}^{8} a_k=9$, $\sum\limits_{k=1}^{8} b_k=-2$일 때, 다음 식의 값을 구하시오.

(1) $\sum\limits_{k=1}^{8} (a_k+3b_k)$

(2) $\sum\limits_{k=1}^{8} (2a_k-3b_k+5)$

4 $\sum\limits_{k=1}^{5} a_k=10$, $\sum\limits_{k=1}^{5} b_k=5$일 때, 다음 식의 값을 구하시오.

(1) $\sum\limits_{k=1}^{5} (4a_k-3b_k)$

(2) $\sum\limits_{k=1}^{5} (3a_k+5b_k-1)$

4일 교과서 핵심 정리 ②

핵심 3 자연수의 거듭제곱의 합

(1) $1+2+3+\cdots+n=\sum\limits_{k=1}^{n}k=\dfrac{n(n+1)}{\boxed{\text{❶}}}$

❶ 2

(2) $1^2+2^2+3^2+\cdots+n^2=\sum\limits_{k=1}^{n}k^2=\dfrac{n(n+1)(2n+1)}{\boxed{\text{❷}}}$

❷ 6

(3) $1^3+2^3+3^3+\cdots+n^3=\sum\limits_{k=1}^{n}k^3=\left\{\dfrac{n(n+1)}{2}\right\}^2$

예 (1) $1+2+3+4=\sum\limits_{k=1}^{4}k=\dfrac{4(4+1)}{2}=10$

　(2) $1^2+2^2+3^2+4^2=\sum\limits_{k=1}^{4}k^2=\dfrac{4(4+1)(2\times4+1)}{6}=\boxed{\text{❸}}$

❸ 30

　(3) $1^3+2^3+3^3+4^3=\sum\limits_{k=1}^{4}k^3=\left\{\dfrac{4(4+1)}{2}\right\}^2=\boxed{\text{❹}}$

❹ 100

핵심 4 분수 꼴로 주어진 수열의 합

$\xrightarrow{}$ $\dfrac{1}{AB}=\dfrac{1}{B-A}\left(\dfrac{1}{A}-\dfrac{1}{B}\right)$ (단, $A\neq B$)

일반항을 <u>부분분수</u>로 변형하여 합을 구한다.

(1) $\sum\limits_{k=1}^{n}\dfrac{1}{k(k+1)}=\sum\limits_{k=1}^{n}\left(\dfrac{1}{k}-\dfrac{1}{\boxed{\text{❺}}}\right)$

❺ $k+1$

(2) $\sum\limits_{k=1}^{n}\dfrac{1}{(k+a)(k+b)}=\dfrac{1}{\boxed{\text{❻}}}\sum\limits_{k=1}^{n}\left(\dfrac{1}{k+a}-\dfrac{1}{k+b}\right)$ (단, $a\neq b$)

❻ $b-a$

예 $\sum\limits_{k=1}^{20}\dfrac{1}{k(k+1)}=\sum\limits_{k=1}^{20}\left(\dfrac{1}{k}-\dfrac{1}{k+1}\right)=\left(1-\dfrac{1}{2}\right)+\left(\dfrac{1}{2}-\dfrac{1}{3}\right)+\left(\dfrac{1}{3}-\dfrac{1}{4}\right)+\cdots+\left(\dfrac{1}{20}-\dfrac{1}{21}\right)$

　　　　$=1-\dfrac{1}{21}=\boxed{\text{❼}}$

앞에서 첫 번째가 남으면 뒤에서 첫 번째가 남아.

❼ $\dfrac{20}{21}$

핵심 5 분모에 근호가 포함된 수열의 합

일반항의 분모를 유리화하여 합을 구한다.

(1) $\sum\limits_{k=1}^{n}\dfrac{1}{\sqrt{k+1}+\sqrt{k}}=\sum\limits_{k=1}^{n}(\sqrt{k+1}-\boxed{\text{❽}})$

❽ $\sqrt{k}$

(2) $\sum\limits_{k=1}^{n}\dfrac{1}{\sqrt{k+a}+\sqrt{k+b}}=\dfrac{1}{\boxed{\text{❾}}}\sum\limits_{k=1}^{n}(\sqrt{k+a}-\sqrt{k+b})$ (단, $a\neq b$)

❾ $a-b$

예 $\sum\limits_{k=1}^{16}\dfrac{1}{\sqrt{k+1}+\sqrt{k+2}}=\sum\limits_{k=1}^{16}\dfrac{\sqrt{k+1}-\sqrt{k+2}}{(\sqrt{k+1}+\sqrt{k+2})(\sqrt{k+1}-\sqrt{k+2})}=\sum\limits_{k=1}^{16}(\sqrt{k+2}-\sqrt{k+1})$

　　　　$=(\sqrt{3}-\sqrt{2})+(\sqrt{4}-\sqrt{3})+(\sqrt{5}-\sqrt{4})+\cdots+(\sqrt{18}-\sqrt{17})$

　　　　$=\sqrt{18}-\sqrt{2}=\boxed{\text{❿}}$

앞에서 남은 항과 뒤에서 남은 항은 서로 대칭이 되는 위치에 있어.

❿ $2\sqrt{2}$

정답과 해설 **83**쪽

5 다음 식의 값을 구하시오.

(1) $\displaystyle\sum_{k=1}^{8}(6k+3)$

(2) $\displaystyle\sum_{k=1}^{9}(k^2+2k+1)$

(3) $\displaystyle\sum_{k=1}^{6}(4k^3-k)$

6 다음 식의 값을 구하시오.

(1) $\displaystyle\sum_{k=6}^{14}k(k+2)$

(2) $\displaystyle\sum_{k=4}^{7}(2k-1)^2$

7 다음 식의 값을 구하시오.

(1) $\displaystyle\sum_{k=1}^{10}\frac{1}{(k+1)(k+2)}$

(2) $\displaystyle\sum_{k=1}^{100}\frac{2}{(2k-1)(2k+1)}$

분수 꼴로 주어진 수열의 합은 일반항을 부분분수로 변형하여 합을 구하면 돼.

8 다음 식의 값을 구하시오.

(1) $\displaystyle\sum_{k=1}^{35}\frac{1}{\sqrt{k+1}+\sqrt{k}}$

(2) $\displaystyle\sum_{k=1}^{12}\frac{2}{\sqrt{2k-1}+\sqrt{2k+1}}$

분모에 근호가 포함된 수열의 합은 일반항의 분모를 유리화하여 합을 구하면 돼.

대표 예제 1

수열 $\{a_n\}$이 $\sum\limits_{k=1}^{50} ka_k = 240$, $\sum\limits_{k=1}^{49} ka_{k+1} = 120$을 만족시킬 때, $\sum\limits_{k=1}^{50} a_k$의 값을 구하시오.

개념 가이드

(1) $\sum\limits_{k=1}^{n} a_k = a_1 + a_2 + a_3 + \cdots + \boxed{\mathbf{0}}$

(2) $\sum\limits_{k=1}^{n} a_{2k} = a_2 + a_4 + a_6 + \cdots + \boxed{\mathbf{0}}$

(3) $\sum\limits_{k=1}^{n} ka_k = a_1 + 2a_2 + 3a_3 + \cdots + \boxed{\mathbf{0}}$

답 **❶** a_n **❷** a_{2n} **❸** na_n

대표 예제 2

$\sum\limits_{k=1}^{10} a_k = 5$, $\sum\limits_{k=1}^{10} a_k^2 = 10$일 때,

$\sum\limits_{k=1}^{10} (2a_k+1)^2 - \sum\limits_{k=1}^{10} (a_k-3)^2$의 값을 구하시오.

개념 가이드

(1) $\sum\limits_{k=1}^{n} (pa_k + qb_k) = p\sum\limits_{k=1}^{n} a_k + \boxed{\mathbf{0}} \sum\limits_{k=1}^{n} b_k$ (단, p, q는 상수)

(2) $\sum\limits_{k=1}^{n} (a_k+c)^2 = \sum\limits_{k=1}^{n} a_k^2 + 2c\sum\limits_{k=1}^{n} a_k + \boxed{\mathbf{0}}$ (단, c는 상수)

답 **❶** q **❷** $c^2 n$

대표 예제 3

$\sum\limits_{k=1}^{n-1} (4k+3) = 102$일 때, 자연수 n의 값을 구하시오.

개념 가이드

(1) $\sum\limits_{k=1}^{n} k = \dfrac{n(n+1)}{\boxed{\mathbf{0}}}$

(2) $\sum\limits_{k=1}^{n} k^2 = \dfrac{n(n+1)(2n+1)}{\boxed{\mathbf{0}}}$

(3) $\sum\limits_{k=1}^{n} k^3 = \left\{ \dfrac{n(n+1)}{\boxed{\mathbf{0}}} \right\}^2$

답 **❶** 2 **❷** 6 **❸** 2

대표 예제 4

$\sum\limits_{l=1}^{5} \left(\sum\limits_{m=1}^{l} lm \right)$의 값을 구하시오.

괄호 안에 있는 $\sum$부터 차례로 계산해야 해.

개념 가이드

여러 개의 $\sum$를 포함한 식의 계산에서는 $\boxed{\mathbf{0}}$ 인 것과 아닌 것을 구별해야 한다.

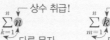 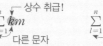

상수 취급!   상수 취급!   상수 취급!

$\sum\limits_{k=1}^{n} n$ $\sum\limits_{m=1}^{n} km$ $\sum\limits_{l=1}^{n} (m+l)$

다른 문자   다른 문자   다른 문자

답 **❶** 상수

대표 예제 **5**

수열 $\dfrac{1}{3^2-1}$, $\dfrac{1}{5^2-1}$, $\dfrac{1}{7^2-1}$, $\cdots$의 첫째항부터 제20
항까지의 합을 구하시오.

개념 가이드

분수 꼴로 주어진 수열의 합은 수열 $\{a_n\}$의 제k항 a_k를
⓵ 로 변형하여 계산한다.

$$\rightarrow a_k = \dfrac{1}{(k+a)(k+b)} = \dfrac{1}{\boxed{⓶}}\left(\dfrac{1}{k+a}-\dfrac{1}{k+b}\right)$$

(단, $a \neq b$)

답 **⓵** 부분분수 **⓶** $b-a$

대표 예제 **6**

$\dfrac{1}{\sqrt{3}+\sqrt{4}} + \dfrac{1}{\sqrt{4}+\sqrt{5}} + \dfrac{1}{\sqrt{5}+\sqrt{6}} + \cdots + \dfrac{1}{\sqrt{107}+\sqrt{108}}$
의 값을 구하시오.

개념 가이드

분모에 근호가 포함된 수열의 합은 수열 $\{a_n\}$의 제k항 a_k의 분
모를 **⓵** 하여 계산한다.

$$\rightarrow a_k = \dfrac{1}{\sqrt{k+a}+\sqrt{k+b}} = \dfrac{1}{\boxed{⓶}}(\sqrt{k+a}-\sqrt{k+b})$$

(단, $a \neq b$)

답 **⓵** 유리화 **⓶** $a-b$

대표 예제 **7**

$\displaystyle\sum_{k=1}^{99} \log\left(1+\dfrac{1}{k}\right)$의 값을 구하시오.

> 로그의 성질을 이용하여
> 일반항을 두 로그의 차로
> 나타내 봐.

개념 가이드

로그가 포함된 수열의 합은 수열 $\{a_n\}$의 제k항 a_k를 로그의 성질
을 이용하여 변형하여 계산한다. $a>0$, $a \neq 1$, $x>0$, $y>0$일 때
(1) $\log_a xy = \log_a x \boxed{⓵} \log_a y$
(2) $\log_a \dfrac{x}{y} = \log_a x \boxed{⓶} \log_a y$
(3) $\log_a x^k = \boxed{⓷} \log_a x$ (단, k는 실수)

답 **⓵** $+$ **⓶** $-$ **⓷** k

대표 예제 **8**

수열 $\{a_n\}$에서 $\displaystyle\sum_{k=1}^{n} a_k = n^2 + 3n$일 때, $\displaystyle\sum_{k=1}^{10} ka_{3k}$의 값을
구하시오.

개념 가이드

$S_n = \displaystyle\sum_{k=1}^{n} a_k$가 주어진 경우

(i) $S_1 = \displaystyle\sum_{k=1}^{1} a_k = \boxed{⓵}$

(ii) $S_n - S_{n-1} = \displaystyle\sum_{k=1}^{n} a_k - \sum_{k=1}^{n-1} a_k = \boxed{⓶}$ $(n \geq 2)$

임을 이용하여 a_n을 구한다.

답 **⓵** a_1 **⓶** a_n

1 함수 $f(x)$에 대하여 $f(10)=50$, $f(1)=10$일 때, $\sum\limits_{k=1}^{9} f(k+1) - \sum\limits_{k=2}^{10} f(k-1)$의 값을 구하시오.

2 수열 $\{a_n\}$에 대하여
$$\sum\limits_{k=1}^{10} (3a_k+1)=40, \quad \sum\limits_{k=1}^{10} (a_k+1)(a_k-1)=40$$
일 때, $\sum\limits_{k=1}^{10} (2a_k+1)^2$의 값을 구하시오.

3 다항식 $f(x)=x^{n-1}(x-1)$을 $x-3$으로 나누었을 때의 나머지를 a_n이라 할 때, $\sum\limits_{k=1}^{n} a_k$를 n에 대한 식으로 나타내시오.

나머지정리를 이용하여 일반항 a_n을 구해 봐.

4 첫째항이 -1이고 공차가 4인 등차수열 $\{a_n\}$에 대하여 $\sum\limits_{k=11}^{20} a_k$의 값을 구하시오.

주어진 등차수열의 일반항 a_n을 먼저 구해 봐.

5 이차방정식 $x^2-2x-5=0$의 두 근을 α, β라 할 때, $\sum\limits_{k=1}^{10} (k-\alpha)(k-\beta)$의 값을 구하시오.

이차방정식의 근과 계수의 관계를 이용해.

정답과 해설 **85**쪽

6 $\sum\limits_{j=1}^{n}\left\{\sum\limits_{i=1}^{j}(i+j)\right\}$를 간단히 하시오.

7 $\dfrac{1}{2^2-1}+\dfrac{1}{4^2-1}+\dfrac{1}{6^2-1}+\cdots+\dfrac{1}{30^2-1}$의 값을 구하시오.

8 수열 $\{a_n\}$의 일반항이 $a_n=\dfrac{1}{\sqrt{n+1}+\sqrt{n}}$일 때, $\sum\limits_{k=1}^{n}a_k=19$를 만족시키는 자연수 n의 값을 구하시오.

9 수열 $\{a_n\}$의 일반항이 $a_n=\log_3\left(1+\dfrac{1}{n}\right)$일 때, $\sum\limits_{k=1}^{n}a_k=4$를 만족시키는 자연수 n의 값을 구하시오.

일반항 a_n에서 로그의 진수를 변형해 봐.

10 수열 $\{a_n\}$에서 $\sum\limits_{k=1}^{n}a_k=\dfrac{n}{n+1}$일 때, $\sum\limits_{k=1}^{12}\dfrac{1}{a_k}$의 값을 구하시오.

5일 수학적 귀납법

수열의 귀납적 정의?

처음 몇 개의 항의 값과 이웃하는 여러 항 사이의 관계식으로 수열을 정의하는 것을 말해.

이건 등차수열의 귀납적 정의!

(1) 첫째항이 a, 공차가 d인 등차수열 $\{a_n\}$의 귀납적 정의
   ➡ $a_1=a$, $a_{n+1}=a_n+d$ $(n=1, 2, 3, \cdots)$

(2) 등차수열 $\{a_n\}$을 나타내는 관계식
   ① $a_{n+1}=a_n+d \Leftrightarrow a_{n+1}-a_n=d$ ② $2a_{n+1}=a_n+a_{n+2} \Leftrightarrow a_{n+2}-a_{n+1}=a_{n+1}-a_n$

이건 등비수열의 귀납적 정의!

(1) 첫째항이 a, 공비가 r인 등비수열 $\{a_n\}$의 귀납적 정의
   ➡ $a_1=a$, $a_{n+1}=ra_n$ $(n=1, 2, 3, \cdots)$

(2) 등비수열 $\{a_n\}$을 나타내는 관계식
   ① $a_{n+1}=ra_n \Leftrightarrow \dfrac{a_{n+1}}{a_n}=r$ ② $a_{n+1}^2=a_na_{n+2} \Leftrightarrow \dfrac{a_{n+2}}{a_{n+1}}=\dfrac{a_{n+1}}{a_n}$

시험에는 $a_{n+1}=a_n+f(n)$ 또는 $a_{n+1}=a_nf(n)$ 꼴로 정의된 수열 $\{a_n\}$의 일반항 구하는 문제가 잘 나와. 비교해서 기억해둬.

$a_{n+1}=a_n+f(n)$ 꼴은 n에 1, 2, 3, $\cdots$, $n-1$을 차례로 대입하여 변끼리 더하면 돼.

$a_{n+1}=a_nf(n)$ 꼴은 변끼리 곱하면 돼.

$a_{n+1}=a_n+f(n)$ 꼴	$a_{n+1}=a_nf(n)$ 꼴
$a_2=a_1+f(1)$	$a_2=a_1f(1)$
$a_3=a_2+f(2)$	$a_3=a_2f(2)$
$a_4=a_3+f(3)$	$a_4=a_3f(3)$
$\vdots$	$\vdots$
$+)\ a_n=a_{n-1}+f(n-1)$	$\times)\ a_n=a_{n-1}f(n-1)$
$a_n=a_1+f(1)+f(2)+f(3)+\cdots+f(n-1)$	$a_n=a_1f(1)f(2)f(3)\cdots f(n-1)$
$\therefore\ a_n=a_1+\sum\limits_{k=1}^{n-1}f(k)$	

이번에는 자연수 n에 대한 어떤 명제 $p(n)$이 모든 자연수 n에 대하여 참임을 증명하는 수학적 귀납법에 대해 알아보자.

이 두 가지만 보이면 돼.

수학적 귀납법
(ⅰ) $n=1$일 때, 명제 $p(n)$이 성립한다.
(ⅱ) $n=k$일 때, 명제 $p(n)$이 성립한다고 가정하면 $n=k+1$일 때도 명제 $p(n)$이 성립한다.

이 과정은 처음 세운 도미노를 쓰러뜨리면 연쇄적으로 넘어지는 도미노의 성질과 닮았어.

도미노 다 세웠지?
이제 넘어뜨린다!

오케이!

이것만은 꼭!

(1) 수열 $\{a_n\}$을 귀납적으로 정의하면

① $2, 5, 8, 11, 14, \cdots$ ➡ $a_1=2,\ a_{n+1}=a_n+\boxed{❶}\ (n=1, 2, 3, \cdots)$

② $1, 2, 4, 8, 16, \cdots$ ➡ $a_1=1,\ a_{n+1}=\boxed{❷}\,a_n\ (n=1, 2, 3, \cdots)$

(2) 모든 자연수 n에 대하여 주어진 명제가 참임을 보일 때, $\boxed{❸}$ 귀납법을 이용한다.

답 ❶ 3 ❷ 2 ❸ 수학적

교과서 핵심 정리 ❶

핵심 1 수열의 귀납적 정의

일반적으로 수열 $\{a_n\}$을 다음과 같이 처음 몇 개의 항과 이웃하는 여러 항 사이의 관계식으로 정의하는 것을 수열의 [❶] 정의라 한다.

❶ 귀납적

(ⅰ) 첫째항 a_1의 값

(ⅱ) 두 항 a_n, a_{n+1} 사이의 관계식 $(n=1, 2, 3, \cdots)$

> (ⅱ)의 관계식에 $n=1, 2, 3, \cdots$을 대입하면 수열 $\{a_n\}$의 모든 항을 구할 수 있어.

예 $a_1=1$, $a_{n+1}=a_n+n$ $(n=1, 2, 3, \cdots)$과 같이 귀납적으로 정의된 수열 $\{a_n\}$에서

$$a_2=a_1+1=\boxed{❷}$$
$$a_3=a_2+2=\boxed{❸}$$
$$a_4=a_3+3=\boxed{❹}$$
$$\vdots$$

이므로 수열 $\{a_n\}$은 $1, 2, 4, 7, \cdots$이다.

❷ 2

❸ 4

❹ 7

핵심 2 등차수열의 귀납적 정의

(1) 첫째항이 a, 공차가 d인 등차수열 $\{a_n\}$의 귀납적 정의

　➡ $a_1=a$, $a_{n+1}=a_n+\boxed{❺}$ $(n=1, 2, 3, \cdots)$

❺ d

(2) 등차수열 $\{a_n\}$을 나타내는 관계식

　① $a_{n+1}=a_n+d \Longleftrightarrow a_{n+1}-a_n=d$ ← 수열 $\{a_n\}$은 공차가 d인 등차수열

　② $2a_{n+1}=a_n+a_{n+2} \Longleftrightarrow a_{n+2}-a_{n+1}=\boxed{❻}$ ← 등차중항 이용

❻ $a_{n+1}-a_n$

예 첫째항이 2, 공차가 5인 등차수열 $\{a_n\}$을 귀납적으로 정의하면

$$a_1=2,\ a_{n+1}=a_n+\boxed{❼}\ (n=1, 2, 3, \cdots)$$

❼ 5

핵심 3 등비수열의 귀납적 정의

(1) 첫째항이 a, 공비가 r인 등비수열 $\{a_n\}$의 귀납적 정의

　➡ $a_1=a$, $a_{n+1}=\boxed{❽}\,a_n$ $(n=1, 2, 3, \cdots)$

❽ r

(2) 등비수열 $\{a_n\}$을 나타내는 관계식

　① $a_{n+1}=ra_n \Longleftrightarrow \dfrac{a_{n+1}}{a_n}=r$ ← 수열 $\{a_n\}$은 공비가 r인 등비수열

　② $a_{n+1}{}^2=a_n a_{n+2} \Longleftrightarrow \dfrac{a_{n+2}}{a_{n+1}}=\boxed{❾}$ ← 등비중항 이용

❾ $\dfrac{a_{n+1}}{a_n}$

예 첫째항이 3, 공비가 7인 등비수열 $\{a_n\}$을 귀납적으로 정의하면

$$a_1=3,\ a_{n+1}=\boxed{❿}\,a_n\ (n=1, 2, 3, \cdots)$$

❿ 7

정답과 해설 **86**쪽

1 수열 $\{a_n\}$이

$$a_1=1,\ a_{n+1}=2a_n+1\ (n=1,\ 2,\ 3,\ \cdots)$$

과 같이 귀납적으로 정의될 때, a_4의 값을 구하시오.

2 수열 $\{a_n\}$이

$$a_1=1,\ a_{n+1}=2a_n+3n\ (n=1,\ 2,\ 3,\ \cdots)$$

과 같이 귀납적으로 정의될 때, a_5의 값을 구하시오.

3 수열 $\{a_n\}$이

$$a_1=1,\ a_2=2,\ a_{n+2}=a_{n+1}+a_n\ (n=1,\ 2,\ 3,\ \cdots)$$

과 같이 귀납적으로 정의될 때, a_6의 값을 구하시오.

4 다음과 같이 정의된 수열 $\{a_n\}$의 일반항 a_n을 구하시오. (단, $n=1,\ 2,\ 3,\ \cdots$)

(1) $a_1=9,\ a_{n+1}=a_n-3$

등차수열의 귀납적 정의야.

(2) $a_1=2,\ a_2=6,\ 2a_{n+1}=a_n+a_{n+2}$

5 다음과 같이 정의된 수열 $\{a_n\}$의 일반항 a_n을 구하시오. (단, $n=1,\ 2,\ 3,\ \cdots$)

(1) $a_1=4,\ a_{n+1}=-\dfrac{1}{5}a_n$

등비수열의 귀납적 정의야.

(2) $a_1=3,\ a_2=6,\ a_{n+1}{}^2=a_n a_{n+2}$

핵심 4 여러 가지 수열의 귀납적 정의

$a_{n+1}=a_n+f(n)$ 또는 $a_{n+1}=a_nf(n)$ 꼴로 정의된 수열 $\{a_n\}$의 일반항은 다음과 같은 방법으로 구한다.

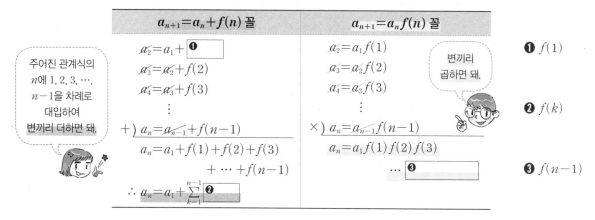

주어진 관계식의 n에 1, 2, 3, …, $n-1$을 차례로 대입하여 변끼리 더하면 돼.

변끼리 곱하면 돼.

❶ $f(1)$

❷ $f(k)$

❸ $f(n-1)$

핵심 5 수학적 귀납법

자연수 n에 대한 명제 $p(n)$이 모든 자연수 n에 대하여 성립함을 증명하려면 다음 두 가지를 보이면 된다.

> (i) $n=1$일 때, 명제 $p(n)$이 성립한다.
> (ii) $n=k$일 때, 명제 $p(n)$이 성립한다고 가정하면 $n=$❹ 일 때도 명제 $p(n)$이 성립한다.

❹ $k+1$

이와 같은 방법으로 자연수에 대한 어떤 명제가 참임을 증명하는 것을
❺ 이라 한다.

❺ 수학적 귀납법

⬤ 모든 자연수 n에 대하여 등식 $1+3+5+ \cdots +(2n-1)=n^2$이 성립함을 증명해 보자.

(i) $n=1$일 때, (좌변)$=1$, (우변)$=1^2=$❻ 이므로 주어진 등식이 성립한다.

❻ 1

(ii) $n=k$일 때, 주어진 등식이 성립한다고 가정하면

$$1+3+5+ \cdots +(2k-1)=❼$$

❼ k^2

위 식의 양변에 $2k+1$을 더하면 ◁ $2n-1$에 n 대신 $k+1$을 대입하면 $2(k+1)-1=2k+1$이 돼.

$$1+3+5+ \cdots +(2k-1)+(2k+1)=k^2+(❽\ )$$

❽ $2k+1$

$$=(k+1)^2$$ ◁ n^2에 n 대신 $k+1$을 대입한 것과 같아.

따라서 $n=k+1$일 때도 주어진 등식이 성립한다.

(i), (ii)에 의하여 모든 자연수 n에 대하여 주어진 등식이 성립한다.

6 수열 $\{a_n\}$이 다음과 같이 정의될 때, a_4의 값을 구하시오. (단, $n=1, 2, 3, \cdots$)

(1) $a_1=1$, $a_{n+1}=a_n+2n$

(2) $a_1=3$, $a_{n+1}=a_n+3^n$

7 수열 $\{a_n\}$이 다음과 같이 정의될 때, a_5의 값을 구하시오. (단, $n=1, 2, 3, \cdots$)

(1) $a_1=2$, $a_{n+1}=\dfrac{2n+1}{2n-1}a_n$

(2) $a_1=10$, $a_{n+1}=\dfrac{n}{n+1}a_n$

8 다음은 모든 자연수 n에 대하여 등식

$$2+4+6+\cdots+2n=n(n+1)$$

이 성립함을 수학적 귀납법으로 증명한 것이다.

┤ 증명 ├

(i) $n=1$일 때,

(좌변)$=2$, (우변)$=1 \times 2=2$

이므로 주어진 등식이 성립한다.

(ii) $n=k$일 때,

주어진 등식이 성립한다고 가정하면

$$2+4+6+\cdots+2k=k(k+1)$$

위 식의 양변에 [(가)]를 더하면

$$2+4+6+\cdots+2k+\boxed{\text{(가)}}$$

$$=k(k+1)+\boxed{\text{(가)}}$$

$$=\boxed{\text{(나)}}$$

따라서 $n=k+1$일 때도 주어진 등식이 성립한다.

(i), (ii)에 의하여 모든 자연수 n에 대하여 주어진 등식이 성립한다.

위 과정에서 (가), (나)에 알맞은 것을 구하시오.

> $n=k$일 때 주어진 등식이 성립한다고 가정한 다음 $n=k+1$일 때도 성립함을 보이면 돼.

대표 예제 1

수열 $\{a_n\}$이 $a_1=200$, $a_{n+1}+3=a_n$ ($n=1, 2, 3, \cdots$)
으로 정의될 때, $a_k=53$을 만족시키는 자연수 k의 값
을 구하시오.

개념 가이드

수열 $\{a_n\}$에서

(1) $a_{n+1}-a_n=d$ 또는 $a_{n+1}=a_n+d$
  → 공차가 ❶ 인 등차수열

(2) $a_{n+2}-a_{n+1}=a_{n+1}-a_n$ 또는 ❷ $a_{n+1}=a_n+a_{n+2}$
  → 등차수열

답 ❶ d ❷ 2

대표 예제 2

수열 $\{a_n\}$이
$$a_1=5,\ a_2=10,\ a_{n+1}^{\,2}=a_n a_{n+2}\ (n=1, 2, 3, \cdots)$$
로 정의될 때, $\displaystyle\sum_{k=1}^{10} a_k$의 값을 구하시오.

등차수열과 등비수열의
귀납적 정의의 차이를
기억해 둬.

개념 가이드

수열 $\{a_n\}$에서

(1) $a_{n+1}\div a_n=r$ 또는 $a_{n+1}=ra_n$
  → 공비가 ❶ 인 등비수열

(2) $a_{n+2}\div a_{n+1}=a_{n+1}\div a_n$ 또는 ❷ $=a_n a_{n+2}$
  → 등비수열

답 ❶ r ❷ $a_{n+1}^{\,2}$

대표 예제 3

수열 $\{a_n\}$이 $a_1=4$, $a_{n+1}=a_n+2^n$ ($n=1, 2, 3, \cdots$)
으로 정의될 때, a_{10}의 값을 구하시오.

개념 가이드

$a_{n+1}=a_n+f(n)$ 꼴은 n에 1, 2, 3, $\cdots$, $n-1$을 차례로 대입하
여 변끼리 더한다.

$$\to a_n=a_1+f(1)+f(2)+\cdots+❶ =a_1+\sum_{k=1}^{n-1} ❷$$

답 ❶ $f(n-1)$ ❷ $f(k)$

대표 예제 4

수열 $\{a_n\}$이 $a_1=2$, $a_{n+1}=\left(1+\dfrac{2}{n}\right)a_n$ ($n=1, 2, 3, \cdots$)
으로 정의될 때, $\displaystyle\sum_{k=1}^{8} a_k$의 값을 구하시오.

$a_{n+1}=a_n+f(n)$ 꼴과
$a_{n+1}=a_n f(n)$ 꼴로
정의된 수열의 일반항을
구하는 방법을 비교하여
기억해 둬.

개념 가이드

$a_{n+1}=a_n f(n)$ 꼴은 n에 1, 2, 3, $\cdots$, $n-1$을 차례로 대입하여
변끼리 곱한다.

$$\to a_n=a_1 f(1) f(2) \cdots ❶ $$

답 ❶ $f(n-1)$

대표 예제 **5**

수열 $\{a_n\}$이

$$a_1=1,\ a_n+a_{n+1}=(-1)^n\ (n=1,\ 2,\ 3,\ \cdots)$$

으로 정의될 때, a_{20}의 값을 구하시오.

개념 가이드

주어진 식의 n에 1, 2, 3, $\cdots$, $n-1$을 차례로 대입하여 **❶**
을 찾는다.

답 **❶** 규칙

대표 예제 **6**

수열 $\{a_n\}$이

$a_1=4,\ a_1+a_2+a_3+\ \cdots\ +a_n=a_{n+1}\ (n=1,\ 2,\ 3,\ \cdots)$

로 정의될 때, a_9의 값을 구하시오.

개념 가이드

수열의 합 S_n이 포함된 귀납적 정의는
$a_1=$ **❶** , $a_n=S_n-$ **❷** $(n\geq2)$임을 이용하여 주어
진 등식을 a_n 또는 S_n에 대한 식으로 변형한다.

답 **❶** S_1 **❷** S_{n-1}

대표 예제 **7**

다음은 모든 자연수 n에 대하여 등식

$$1^2+2^2+3^2+\ \cdots\ +n^2=\frac{1}{6}n(n+1)(2n+1)$$

이 성립함을 수학적 귀납법으로 증명한 것이다.

┤ 증명 ├

(ⅰ) $n=1$일 때,

$$(\text{좌변})=1^2=1,\ (\text{우변})=\frac{1}{6}\times1\times2\times3=1$$

이므로 주어진 등식이 성립한다.

(ⅱ) $n=k$일 때,

주어진 등식이 성립한다고 가정하면

$$1^2+2^2+3^2+\ \cdots\ +k^2=\frac{1}{6}k(k+1)(2k+1)$$

위 식의 양변에 $\boxed{\ \ (가)\ \ }$ 를 더하면

$$1^2+2^2+3^2+\ \cdots\ +k^2+\boxed{\ (가)\ }$$

$$=\frac{1}{6}k(k+1)(2k+1)+\boxed{\ (가)\ }$$

$$=\boxed{\ (나)\ }$$

따라서 $n=k+1$일 때도 주어진 등식이 성립
한다.

(ⅰ), (ⅱ)에 의하여 모든 자연수 n에 대하여 주어진
등식이 성립한다.

위 과정에서 (가), (나)에 알맞은 것을 구하시오.

> $n=k+1$일 때도 성립함을
> 보이려면 어떻게 해야
> 하는지 생각해 봐.

개념 가이드

자연수 n에 대한 명제 $p(n)$이 모든 자연수 n에 대하여 성립함
을 증명하려면
(ⅰ) $n=1$일 때, 명제 $p(n)$이 성립함을 보인다.
(ⅱ) $n=k$일 때, 명제 $p(n)$이 성립한다고 가정하면
$n=$ **❶** 일 때도 명제 $p(n)$이 성립함을 보인다.

답 **❶** $k+1$

1 수열 $\{a_n\}$이
$$a_1=2,\ a_2=7,\ a_{n+2}-a_{n+1}=a_{n+1}-a_n$$
$$(n=1,\ 2,\ 3,\ \cdots)$$
으로 정의될 때, $a_k=192$를 만족시키는 자연수 k의 값을 구하시오.

2 수열 $\{a_n\}$이
$$a_1=-42,\ a_{n+1}-4=a_n\,(n=1,\ 2,\ 3,\ \cdots)$$
으로 정의될 때, 수열 $\{a_n\}$의 첫째항부터 제n항까지의 합을 S_n이라 하자. 이때, S_n의 값이 최소가 되게 하는 자연수 n의 값을 구하시오.

> 첫째항이 음수이므로
> S_n의 값이 최소가 되려면
> 음수인 항만 모두 더하면 돼.

3 수열 $\{a_n\}$이 $a_1=9,\ a_{n+1}=3a_n\,(n=1,\ 2,\ 3,\ \cdots)$으로 정의될 때, 처음으로 2000 이상이 되는 항은 제 몇 항인지 구하시오.

4 수열 $\{a_n\}$이
$$a_1=2,\ a_2=6,$$
$$2\log a_{n+1}=\log a_n+\log a_{n+2}\,(n=1,\ 2,\ 3,\ \cdots)$$
로 정의될 때, $\sum\limits_{k=1}^{10} a_{2k-1}$의 값을 구하시오.

> 로그의 성질을
> 이용해 봐.

5 수열 $\{a_n\}$이 $a_{n+1}=a_n+4n\,(n=1,\ 2,\ 3,\ \cdots)$으로 정의되고 $a_{10}=181$일 때, a_7의 값을 구하시오.

6 수열 $\{a_n\}$이 $a_1=1$, $a_{n+1}=2^n a_n$ $(n=1, 2, 3, \cdots)$ 으로 정의될 때, $a_k=2^{66}$을 만족시키는 자연수 k의 값을 구하시오.

7 수열 $\{a_n\}$이
$$a_1=1,\ a_2=2,\ a_{n+2}=a_{n+1}-a_n\ (n=1, 2, 3, \cdots)$$
으로 정의될 때, $\displaystyle\sum_{k=1}^{2021} a_k$의 값을 구하시오.

> 주어진 식의 n에 $1, 2, 3, \cdots, n-1$을 차례로 대입하여 규칙을 찾아야 해.

8 수열 $\{a_n\}$의 첫째항부터 제n항까지의 합을 S_n이라 하면
$$a_1=1,\ a_2=5,\ (S_{n+2}-S_n)^2=4a_{n+1}a_{n+2}+16$$
$$(n=1, 2, 3, \cdots)$$
이 성립한다. 이때, a_{11}의 값을 구하시오.
$$(단,\ a_1<a_2<a_3<\cdots<a_n)$$

9 다음은 $n\geq4$인 모든 자연수 n에 대하여 부등식
$$1\times2\times3\times\cdots\times n>2^n$$
이 성립함을 수학적 귀납법으로 증명한 것이다.

> ◀ 증명 ▶
>
> (i) $n=\boxed{\ \ (가)\ \ }$일 때,
> $$(좌변)=1\times2\times3\times4=24,$$
> $$(우변)=\boxed{\ \ (나)\ \ }$$
> 이므로 주어진 부등식이 성립한다.
>
> (ii) $n=k\,(k\geq4)$일 때,
> 주어진 부등식이 성립한다고 가정하면
> $$1\times2\times3\times\cdots\times k>2^k \qquad \cdots\cdots\ ㉠$$
> 이때, $k+1>2$이므로 ㉠의 좌변에 $(k+1)$
> 을 곱하고 ㉠의 우변에 2를 곱해도 부등식
> 이 성립한다.
> $$1\times2\times3\times\cdots\times k\times(k+1)>2^k\times2$$
> $$=\boxed{\ \ (다)\ \ }$$
> 따라서 $n=k+1$일 때도 주어진 부등식이
> 성립한다.
>
> (i), (ii)에 의하여 $n\geq4$인 모든 자연수 n에 대하
> 여 주어진 부등식이 성립한다.

위 과정에서 (가), (나), (다)에 알맞은 것을 구하시오.

1 $A=30°$, $a=6$일 때, 삼각형 ABC의 외접원의 반지름의 길이를 구하시오.

4 오른쪽 그림의 평행사변형 ABCD에서 $B=60°$, $\overline{AC}=2\sqrt{3}$이고 $\overline{AB}+\overline{BC}=6$이다. 이때, 평행사변형 ABCD의 넓이를 구하시오.

$\overline{AB}=a$, $\overline{BC}=b$로 놓고 △ABC에서 코사인법칙을 이용하여 ab의 값을 구해 봐.

2 삼각형 ABC에서 $A=60°$, $b=5$, $c=7$일 때, a의 값을 구하시오.

5 첫째항이 2, 공차가 6인 등차수열 $\{a_n\}$에서 a_{10}의 값을 구하시오.

3 삼각형 ABC에서 $A=120°$, $B=30°$이고 외접원의 반지름의 길이가 8일 때, 삼각형 ABC의 넓이를 구하시오.

먼저 사인법칙을 이용하여 a, b의 값을 구해 봐.

6 첫째항이 20, 공차가 -4인 등차수열 $\{a_n\}$에서 첫째항부터 제n항까지의 합이 0일 때, n의 값을 구하시오.

7 제4항이 -2, 제7항이 16인 등비수열 $\{a_n\}$의 제11항을 구하시오.

8 두 수 a와 b의 등차중항이 4이고 등비중항이 2일 때, a^2+b^2의 값을 구하시오.

등차중항과 등비중항의 정의를 떠올려 봐.

9 첫째항이 3, 제4항이 -24인 등비수열 $\{a_n\}$의 첫째항부터 제10항까지의 합을 구하시오.

10 수열 $\{a_n\}$의 첫째항부터 제n항까지의 합 S_n이
$$S_n=3n^2+n$$
일 때, 이 수열의 제12항을 구하시오.

$a_1=S_1$,
$a_n=S_n-S_{n-1}\,(n\ge2)$
임을 이용해 봐.

1 다음은 네 명의 학생이 주어진 수열의 합을 기호 $\sum$ 를 사용하여 나타낸 것이다. 잘못 나타낸 학생을 찾으시오.

나래
$$5+5+5+5+5+5=\sum_{k=1}^{6}5$$

수현
$$1+3+3^2+\cdots+3^n=\sum_{k=1}^{n+1}3^{k-1}$$

지아
$$1+3+5+\cdots+(2n+1)=\sum_{k=1}^{n}(2k+1)$$

준수
$$5+9+13+\cdots+81=\sum_{k=1}^{20}(4k+1)$$

2 $\sum\limits_{k=1}^{8}a_k=2$, $\sum\limits_{k=1}^{8}a_k{}^2=10$일 때, $\sum\limits_{k=1}^{8}(a_k+1)^2$의 값을 구하시오.

3 $\sum\limits_{k=1}^{6}\dfrac{k^3}{k+1}+\sum\limits_{k=1}^{6}\dfrac{1}{k+1}$의 값을 구하시오.

4 $1+(1+2)+(1+2+3)$
$$+\cdots+(1+2+3+\cdots+10)$$
의 값을 구하시오.

$1+2+3+\cdots+n=\dfrac{n(n+1)}{2}$
이므로 구하는 합을
$\sum\limits_{k=1}^{10}\dfrac{k(k+1)}{2}$로 나타낼 수 있어.

5 $\sum\limits_{k=1}^{100}\dfrac{1}{k^2+3k+2}$의 값을 구하시오.

6 $\dfrac{1}{\sqrt{2}+\sqrt{1}}+\dfrac{1}{\sqrt{3}+\sqrt{2}}+\dfrac{1}{\sqrt{4}+\sqrt{3}}$
$$+\cdots+\dfrac{1}{\sqrt{100}+\sqrt{99}}$$
의 값을 구하시오.

...

7 수열 $\{a_n\}$의 귀납적 정의가
$$a_1=4,\ a_{n+1}-a_n=-5\ (n=1,\,2,\,3,\,\cdots)$$
일 때, a_{10}의 값을 구하시오.

8 수열 $\{a_n\}$이
$$a_1=3,\ a_{n+1}=4a_n\ (n=1,\,2,\,3,\,\cdots)$$
으로 정의될 때, $\sum\limits_{k=1}^{10} a_k$의 값을 구하시오.

9 수열 $\{a_n\}$이
$$a_{n+1}=a_n+5n\ (n=1,\,2,\,3,\,\cdots)$$
으로 정의되고 $a_8=143$일 때, a_1의 값을 구하시오.

10 다음은 모든 자연수 n에 대하여 등식
$$\frac{1}{1\times2}+\frac{1}{2\times3}+\frac{1}{3\times4}+\cdots+\frac{1}{n(n+1)}=\frac{n}{n+1}$$
이 성립함을 수학적 귀납법으로 증명한 것이다.

┫ 증명 ┣

(i) $n=1$일 때,
(좌변)$=\boxed{\ (가)\ }$, (우변)$=\boxed{\ (가)\ }$
이므로 주어진 등식이 성립한다.

(ii) $n=k$일 때,
주어진 등식이 성립한다고 가정하면
$$\frac{1}{1\times2}+\frac{1}{2\times3}+\frac{1}{3\times4}$$
$$+\cdots+\frac{1}{k(k+1)}=\frac{k}{k+1}$$
이 식의 양변에 $\boxed{\ (나)\ }$를 더하면
$$\frac{1}{1\times2}+\frac{1}{2\times3}+\frac{1}{3\times4}$$
$$+\cdots+\frac{1}{k(k+1)}+\boxed{\ (나)\ }$$
$$=\frac{k}{k+1}+\boxed{\ (나)\ }=\boxed{\ (다)\ }$$
따라서 $n=k+1$일 때도 주어진 등식이 성립한다.

(i), (ii)에 의하여 모든 자연수 n에 대하여 주어진 등식이 성립한다.

위 과정에서 ㈎, ㈏, ㈐에 알맞은 것을 구하시오.

$n=k$일 때 성립하는 등식에서 $n=k+1$일 때 성립하는 등식을 유도하는 과정의 앞뒤 관계를 파악해 봐.

1 오른쪽 그림과 같이 $\overline{AB}=\overline{BC}=4$, $B=90°$인 직각삼각형 ABC가 있다. 변 BC의 중점을 M이라 할 때, 삼각형 ACM의 외접원의 반지름의 길이를 구하시오. [8점]

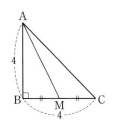

풀이

외접원의 반지름의 길이: _____

2 오른쪽 그림과 같은 사각형 ABCD에서 $\overline{AB}=2$, $\overline{BC}=\sqrt{2}$, $\overline{AD}=1$, $A=60°$, $\angle CBD=45°$일 때, 사각형 ABCD의 넓이를 구하시오. [8점]

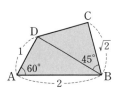

풀이

$\overline{BD}$의 길이를 먼저 구한 후 △ABD, △BCD의 넓이를 각각 구하면 돼.

사각형 ABCD의 넓이: _____

3 등차수열 $\{a_n\}$에 대하여

$$a_1+a_2+a_3=-12, \quad a_4+a_5+a_6=42$$

일 때, 이 등차수열에서 처음으로 100보다 커지는 항은 제몇 항인지 구하시오. [8점]

풀이

처음으로 100보다 커지는 항: _____

4 등비수열 $\{a_n\}$의 첫째항부터 제n항까지의 합 S_n에 대하여 $S_3=4$, $S_6=24$일 때, S_9의 값을 구하시오. [7점]

풀이

S_9의 값: _____

5 $\sum\limits_{k=1}^{n} a_k = n^2 - n$, $\sum\limits_{k=1}^{n} b_k = 2n^2 + 5n$일 때,

$\sum\limits_{k=1}^{20} (5a_k - 2b_k + 3)$의 값을 구하시오. [6점]

풀이

$\sum\limits_{k=1}^{20} (5a_k - 2b_k + 3)$의 값: _____

6 $\dfrac{1}{1 \times 5} + \dfrac{1}{5 \times 9} + \dfrac{1}{9 \times 13} + \cdots + \dfrac{1}{37 \times 41} = \dfrac{q}{p}$ 일

때, $p - q$의 값을 구하시오.

(단, p, q는 서로소인 자연수이다.) [8점]

풀이

$p - q$의 값: _____

사고력

7 다음은 미진이가 수학적 귀납법에 관한 문제를 푼 것으로 빨간색으로 표시된 부분에서 감점을 받았다고 한다. 감점을 받지 않도록 풀이를 수정하시오.

[5점]

● ● ●

문제 모든 자연수 n에 대하여 등식
$$1 \times 2 + 2 \times 3 + 3 \times 4 + \cdots + n(n+1)$$
$$= \frac{n(n+1)(n+2)}{3}$$
가 성립함을 수학적 귀납법으로 증명하시오. [10점]

풀이 (i) $n = 1$일 때,

(좌변) $= 1 \times 2 = 2$,

(우변) $= \dfrac{1 \times 2 \times 3}{3} = 2$

이므로 주어진 등식이 성립한다.

(ii) $n = k$일 때,

주어진 등식이 성립한다고 가정하면
$$1 \times 2 + 2 \times 3 + 3 \times 4 + \cdots + k(k+1)$$
$$= \frac{k(k+1)(k+2)}{3}$$

-5

$n = k + 1$일 때,
$$1 \times 2 + 2 \times 3 + 3 \times 4$$
$$+ \cdots + (k+1)(k+2)$$
$$= \frac{(k+1)(k+2)(k+3)}{3}$$
따라서 $n = k+1$일 때도 주어진 등식이 성립한다.

(i), (ii)에 의하여 모든 자연수 n에 대하여 주어진 등식이 성립한다.

1

다음과 같은 지도에서 축척은 1 : 5000이고, $\overline{AC}=5$ cm, $\angle ABC=45°$, $\angle CAB=30°$일 때, 점 B 와 점 C 사이의 실제 거리를 구했더니 $a\sqrt{2}$ m이었다. 자연수 a의 값을 구하시오.

2

준수가 던진 농구공은 지면으로부터 높이가 2 m인 지점에서 농구 백보드를 맞고 떨어졌다. 이 농구공은 떨어진 높이의 $\dfrac{2}{3}$를 다시 튀어 오른다고 할 때, 5번째 튀어 오른 높이를 구하시오.

3

다음은 초동이의 질문에 대하여 두 형제 등찬이와 등빈이가 나눈 대화이다. 물음에 답하시오.

천재톡

오빠~ 수열 1, 2, …, 64의 합이 얼마인지 알려죠. 초동

 등찬   이 수열은 첫째항이 1, 공차가 1인 등차수열이네.

 등빈   아니야. 첫째항이 1, 공비가 2인 등비수열이야.

도대체 뭐가 맞는 거야? 초동

(1) 등찬이가 생각한 대로 수열의 합을 구하시오.

(2) 등빈이가 생각한 대로 수열의 합을 구하시오.

(3) 등찬이와 등빈이가 각각 다르게 생각한 이유를 말하시오.

4

정육면체 모양의 상자를 다음 그림처럼 쌓아서 진열하려고 한다. 7층까지 쌓았을 때, 정육면체 모양의 상자의 개수를 구하시오.

5

희진이와 정빈이는 보물 상자와 열쇠 3개를 발견하였다. 다음 내용을 읽고, 보물 상자를 열 수 있는 열쇠를 찾으시오.

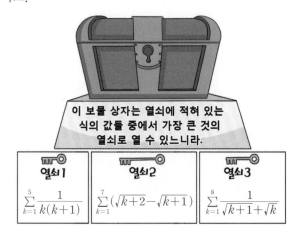

이 보물 상자는 열쇠에 적혀 있는
식의 값들 중에서 가장 큰 것의
열쇠로 열 수 있느니라.

열쇠1	열쇠2	열쇠3
$\sum\limits_{k=1}^{5} \dfrac{1}{k(k+1)}$	$\sum\limits_{k=1}^{7} (\sqrt{k+2}-\sqrt{k+1})$	$\sum\limits_{k=1}^{8} \dfrac{1}{\sqrt{k+1}+\sqrt{k}}$

6

두 학생의 대화에서 n번째에 터뜨려야 하는 풍선에 적혀 있는 수를 a_n이라 할 때, 다음을 구하시오.

(1) a_1의 값

(2) a_n과 a_{n+1} 사이의 관계식

(3) 100번째에 터뜨려야 하는 풍선에 적혀 있는 수

1 반지름의 길이가 8인 원에 내접하는 삼각형 ABC에서 $A=120°$일 때, 삼각형 ABC의 세 변 중에서 가장 긴 변의 길이는? [4점]

① $4\sqrt{2}$ ② $8\sqrt{2}$ ③ $4\sqrt{3}$
④ $4\sqrt{6}$ ⑤ $8\sqrt{3}$

2 오른쪽 그림과 같이 원에 내접하는 사각형 ABCD에서 $\overline{AB} : \overline{BC}=1 : \sqrt{3}$, $D=30°$이고 $\overline{AC}=\sqrt{21}$일 때, $\overline{AB}$의 길이는? [5점]

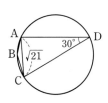

① 1 ② $\sqrt{2}$ ③ $\sqrt{3}$
④ 2 ⑤ $\sqrt{5}$

원에 내접하는 사각형의 두 대각의 크기의 합이 180°임을 이용해 봐.

3 삼각형 ABC의 세 변의 길이 a, b, c에 대하여 $\dfrac{c-b}{a-b}=\dfrac{a+b}{c}$가 성립할 때, A의 크기는? [4점]

① 30° ② 45° ③ 60°
④ 90° ⑤ 120°

4 $B=120°$, $a=8$, $b=13$, $c=7$인 삼각형 ABC의 내접원의 반지름의 길이는? [5점]

① 1 ② $\sqrt{2}$ ③ $\sqrt{3}$
④ 2 ⑤ $\sqrt{5}$

5 $\overline{AB}=3$, $\overline{BC}=6$인 평행사변형 ABCD의 넓이가 $9\sqrt{3}$일 때, $\overline{AC}$의 길이는? (단, $0°<B<90°$) [4점]

① $2\sqrt{5}$ ② $\sqrt{21}$ ③ $2\sqrt{6}$
④ $3\sqrt{3}$ ⑤ $2\sqrt{7}$

먼저 평행사변형의 넓이를 이용하여 $\sin B$의 값을 구해 봐.

정답과 해설 **94**쪽

6 등차수열 $\{a_n\}$에 대하여 $a_{100}+a_{99}-a_{98}-a_{97}=12$
일 때, $a_{15}-a_{10}$의 값은? [4점]

① 5 　　　　② 8 　　　　③ 10

④ 12 　　　　⑤ 15

9 2와 13 사이에 n개의 수를 넣어 만든 등차수열
　　　$2, a_1, a_2, \cdots, a_n, 13$
의 합이 75일 때, n의 값은? [4점]

① 6 　　　　② 7 　　　　③ 8

④ 9 　　　　⑤ 10

7 이차방정식 $x^2-4x-2=0$의 두 근을 α, β라 할 때,
p는 α, β의 등차중항이고, q는 $\dfrac{1}{\alpha}$, $\dfrac{1}{\beta}$의 등차중항이
다. 이때, pq의 값은? [5점]

① -1 　　　　② -2 　　　　③ -3

④ -4 　　　　⑤ -5

이차방정식의
근과 계수의 관계를
이용해 봐.

서술형

8 등차수열 $\{a_n\}$에서 $a_3+a_9=36$, $a_5+a_{15}=60$이고,
$a_1+a_2+a_3+\cdots+a_n=198$일 때, n의 값을 구하
시오. [8점]

10 등비수열 $\{a_n\}$에 대하여
　　　$a_1+a_2+a_3=4$, $a_4+a_5+a_6=20$
일 때, $\dfrac{a_4+a_6}{a_1+a_3}$의 값은? [4점]

① 4 　　　　② 5 　　　　③ 8

④ 10 　　　　⑤ 16

11 등비수열 $\{a_n\}$에서
$$a_5=\frac{1}{16},\ a_8=\frac{1}{128}$$
일 때, 처음으로 $\frac{1}{1000}$보다 작아지는 항은? [5점]

① 제11항   ② 제12항   ③ 제13항

④ 제14항   ⑤ 제15항

첫째항이 a, 공비가 r인 등비수열 $\{a_n\}$에서 처음으로 k보다 작아지는 항은 $ar^{n-1}<k$를 만족시키는 자연수 n의 최솟값을 구하면 돼.

12 다항식 $1+x+x^2+x^3+\cdots+x^{10}$을 $2x-1$로 나누었을 때의 나머지는? [5점]

① $\dfrac{1023}{1024}$ ② $\dfrac{1025}{1024}$ ③ 1

④ $\dfrac{2047}{1024}$ ⑤ $\dfrac{2049}{1024}$

다항식 $f(x)$를 일차식 $x-\alpha$로 나누었을 때의 나머지는 $f(\alpha)$야.

13 수열 $\{a_n\}$의 첫째항부터 제n항까지의 합 S_n이
$$S_n=2\times 3^{n+1}+k$$
일 때, 수열 $\{a_n\}$이 첫째항부터 등비수열을 이루도록 하는 상수 k의 값을 구하시오. [8점]

14 $\sum\limits_{k=1}^{10} a_k=17$, $\sum\limits_{k=1}^{20} a_k=37$, $\sum\limits_{k=1}^{10} b_k=8$, $\sum\limits_{k=1}^{20} b_k=20$일 때, $\sum\limits_{k=11}^{20}(a_k+2b_k)$의 값은? [4점]

① 20   ② 28   ③ 32

④ 40   ⑤ 44

15 $\log_8 2+\log_8 2^2+\log_8 2^3+\cdots+\log_8 2^{12}$의 값은? [5점]

① 24   ② 26   ③ 30

④ 36   ⑤ 39

16 $\sum\limits_{m=1}^{n}\left(\sum\limits_{k=1}^{m}k\right)=120$일 때, 자연수 n의 값은? [4점]

① 6   ② 7   ③ 8

④ 9   ⑤ 10

서술형

17 x에 대한 이차방정식 $x^2-x+4n^2-1=0$의 두 근을 α_n, β_n이라 할 때, $\sum\limits_{n=1}^{10}\left(\dfrac{1}{\alpha_n}+\dfrac{1}{\beta_n}\right)$의 값을 구하시오.

[8점]

18 $f(n)=\sqrt{n+1}+\sqrt{n+2}$일 때, $\sum\limits_{k=1}^{n}\dfrac{1}{f(k)}=3\sqrt{2}$를 만족시키는 자연수 n의 값은? [5점]

① 30   ② 31   ③ 32

④ 33   ⑤ 34

19 수열 $\{a_n\}$이

$$a_1=5,\ a_2=10,\ \dfrac{a_{n+1}}{a_n}=\dfrac{a_{n+2}}{a_{n+1}}\ (n=1,2,3,\cdots)$$

로 정의될 때, $a_k=640$을 만족시키는 자연수 k의 값은? [4점]

① 6   ② 7   ③ 8

④ 9   ⑤ 10

20 수열 $\{a_n\}$이

$$a_1=-3,\ a_{n+1}=a_n+\dfrac{1}{n(n+1)}\ (n=1,2,3,\cdots)$$

로 정의될 때, $a_{10}-a_5$의 값은? [5점]

① $\dfrac{1}{4}$ ② $\dfrac{1}{5}$ ③ $\dfrac{3}{20}$

④ $\dfrac{1}{10}$ ⑤ $\dfrac{1}{20}$

$a_{n+1}=a_n+f(n)$ 꼴이니까 n에 $1, 2, 3, \cdots, n-1$을 대입하여 변끼리 더해 봐.

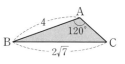
1 삼각형 ABC에서 $a+b-2c=0$, $3a-b-c=0$일 때, $\sin A : \sin B : \sin C$는? [4점]

① $3:4:5$ ② $3:5:4$ ③ $5:3:4$

④ $5:7:3$ ⑤ $7:5:3$

2 등식 $\sin^2 A + \sin^2 B = \sin^2 C$를 만족시키는 삼각형 ABC는 어떤 삼각형인가? [4점]

① $A=90°$인 직각삼각형

② $C=90°$인 직각삼각형

③ $a=b$인 이등변삼각형

④ $a=c$인 이등변삼각형

⑤ $C=90°$인 직각이등변삼각형

3 오른쪽 그림과 같은 삼각형 ABC에서 $A=120°$, $\overline{AB}=4$, $\overline{BC}=2\sqrt{7}$일 때, 삼각형 ABC의 넓이는? [4점]

① $2\sqrt{3}$ ② $3\sqrt{3}$ ③ $4\sqrt{3}$

④ $5\sqrt{3}$ ⑤ $6\sqrt{3}$

서술형

4 오른쪽 그림과 같이 $\overline{AB}=3$, $\overline{BC}=6$, $\overline{CD}=4$, $B=60°$, $C=75°$인 사각형 ABCD의 넓이를 구하시오. [8점]

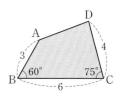

사각형을 두 개로 나누어 각각의 삼각형의 넓이를 구하여 더하면 돼.

5 두 대각선이 이루는 각의 크기가 $135°$이고 넓이가 $9\sqrt{2}$인 등변사다리꼴 ABCD가 있다. 이 등변사다리꼴의 한 대각선의 길이는? [5점]

① 2 ② 3 ③ 4

④ 5 ⑤ 6

정답과 해설 **96**쪽

6 제3항이 26, 제7항이 58인 등차수열 $\{a_n\}$에서 170은 제몇 항인가? [4점]

① 제19항   ② 제20항   ③ 제21항

④ 제22항   ⑤ 제23항

7 첫째항이 60, 제k항이 0이고, 첫째항부터 제k항까지의 합이 330인 등차수열 $\{a_n\}$에서 공차는? [4점]

① -3 ② -4 ③ -5

④ -6 ⑤ -7

8 등차수열을 이루는 세 수의 합이 12이고, 제곱의 합이 56일 때, 세 수의 곱은? [5점]

① 15   ② 24   ③ 48

④ 60   ⑤ 105

등차수열을 이루는 세 수를
$a-d, a, a+d$로 놓고
식을 세워 봐.

서술형

9 등차수열 $\{a_n\}$의 첫째항부터 제n항까지의 합을 S_n이라 할 때, $S_{10}=155$, $S_{20}=610$이다. 이때, $a_{11}+a_{12}+a_{13}+\cdots+a_{30}$의 값을 구하시오. [8점]

구하는 값은
$S_{30}-S_{10}$이야.

10 모든 항이 양수인 등비수열 $\{a_n\}$에 대하여

$$\frac{a_1 a_2}{a_3}=2, \quad \frac{2a_2}{a_1}+\frac{a_4}{a_2}=15$$

일 때, a_3의 값은? [4점]

① 16   ② 28   ③ 36

④ 45   ⑤ 54

11 두 수 4와 324 사이에 서로 다른 세 양수 a, b, c를 넣어 4, a, b, c, 324가 이 순서대로 등비수열을 이루도록 할 때, $a+c$의 값은? [4점]

① 108   ② 112   ③ 114
④ 118   ⑤ 120

4가 첫째항이고, 324가 제5항임을 이용해 봐.

12 첫째항이 $\dfrac{1}{2}$, 공비가 2인 등비수열에서 첫째항부터 제n항까지의 합이 처음으로 1000보다 크게 되는 자연수 n의 값은? [4점]

① 8   ② 9   ③ 10
④ 11   ⑤ 12

13 첫째항이 2, 공비가 3인 등비수열 $\{a_n\}$이 있다. 수열 a_1+a_2, a_2+a_3, a_3+a_4, $\cdots$의 첫째항부터 제10항까지의 합은? [5점]

① $2(3^9-1)$ ② $2(3^{10}-1)$ ③ $2(3^{11}-1)$
④ $4(3^{10}-1)$ ⑤ $4(3^{11}-1)$

14 $\displaystyle\sum_{k=1}^{n}(a_k+b_k)^2=60$, $\displaystyle\sum_{k=1}^{n}(a_k^2+b_k^2)=20$일 때, $\displaystyle\sum_{k=1}^{n}a_kb_k$의 값은? [4점]

① 10   ② 15   ③ 20
④ 25   ⑤ 30

서술형

15 이차방정식 $x^2-nx-(n+1)=0$의 두 근을 α_n, β_n이라 할 때, $\displaystyle\sum_{n=1}^{10}(\alpha_n^2+\beta_n^2)$의 값을 구하시오. [8점]

16 $\displaystyle\sum_{k=1}^{n}\log_3\dfrac{\sqrt{k+1}}{\sqrt{k}}=2$일 때, 자연수 n의 값은? [5점]

① 79   ② 80   ③ 81
④ 82   ⑤ 83

17 수열 $\{a_n\}$의 첫째항부터 제n항까지의 합 S_n이 $S_n=\dfrac{1}{3}n(n+1)(n+2)$일 때, $\displaystyle\sum_{k=1}^{n}\dfrac{1}{a_k}$은? [5점]

① $\dfrac{n}{n+1}$ ② $\dfrac{n-1}{n+1}$ ③ $\dfrac{1}{n+2}$

④ $\dfrac{n+1}{n+2}$ ⑤ $\dfrac{n}{n+2}$

$a_1=S_1,\ a_n=S_n-S_{n-1}$ 임을 이용해 봐.

18 수열 $\{a_n\}$에서 $\displaystyle\sum_{k=1}^{n}a_k=n^2+2n$일 때, $\displaystyle\sum_{k=1}^{9}\dfrac{1}{a_k a_{k+1}}$의 값은? [5점]

① $\dfrac{1}{7}$ ② $\dfrac{1}{8}$ ③ $\dfrac{1}{9}$

④ $\dfrac{1}{10}$ ⑤ $\dfrac{1}{11}$

19 수열 $\{a_n\}$이
$$2a_{n+1}=a_n+a_{n+2}\ (n=1,\,2,\,3,\,\cdots)$$
로 정의되고 $a_5=16$, $a_{10}=31$일 때, a_{20}의 값은? [5점]

① 60   ② 61   ③ 62

④ 63   ⑤ 64

20 다음은 모든 자연수 n에 대하여 등식
$$1^3+2^3+3^3+\cdots+n^3=\left\{\dfrac{n(n+1)}{2}\right\}^2$$
이 성립함을 수학적 귀납법으로 증명한 것이다.

───┃ 증명 ┃───

(ⅰ) $n=1$일 때,
$$(\text{좌변})=1^3=1,\ (\text{우변})=\left(\dfrac{1\times2}{2}\right)^2=1$$
이므로 주어진 등식이 성립한다.

(ⅱ) $n=k$일 때,
주어진 등식이 성립한다고 가정하면
$$1^3+2^3+3^3+\cdots+k^3=\left\{\dfrac{k(k+1)}{2}\right\}^2$$
이 식의 양변에 $\boxed{\quad(가)\quad}$ 를 더하면
$$1^3+2^3+3^3+\cdots+k^3+\boxed{\quad(가)\quad}$$
$$=\left\{\dfrac{k(k+1)}{2}\right\}^2+\boxed{\quad(가)\quad}$$
$$=\left\{\boxed{\quad(나)\quad}\right\}^2$$

따라서 $n=k+1$일 때도 주어진 등식이 성립한다.

(ⅰ), (ⅱ)에 의하여 모든 자연수 n에 대하여 주어진 등식이 성립한다.

위 과정에서 (가), (나)에 들어갈 알맞은 식을 $f(k)$, $g(k)$라 할 때, $f(1)+g(1)$의 값은? [5점]

① 11   ② 12   ③ 13

④ 14   ⑤ 15

Memo

7일 끝! 기말

정답과 해설

1 (1) $4\sqrt{2}$ (2) $\sqrt{3}$ (3) $30°$ 　　**2** (1) 2 (2) 1 (3) 10

3 (1) $3\sqrt{3}$ (2) $3\sqrt{5}$ (3) $\sqrt{29}$ 　**4** (1) $\dfrac{37}{40}$ (2) $\dfrac{19}{35}$ (3) $-\dfrac{\sqrt{5}}{15}$

5 (1) 3 (2) $\dfrac{5\sqrt{2}}{2}$ (3) $2\sqrt{6}$ (4) 15

6 (1) 15 (2) $45\sqrt{3}$ 　　**7** (1) $7\sqrt{3}$ (2) $9\sqrt{3}$

1 (1) $\dfrac{a}{\sin 45°}=\dfrac{4}{\sin 30°}$에서 $a\sin 30°=4\sin 45°$

$\dfrac{1}{2}a=4\times\dfrac{\sqrt{2}}{2}$　　∴ $a=4\sqrt{2}$

(2) $\dfrac{3}{\sin 60°}=\dfrac{c}{\sin 30°}$에서 $c\sin 60°=3\sin 30°$

$\dfrac{\sqrt{3}}{2}c=3\times\dfrac{1}{2}$　　∴ $c=\sqrt{3}$

(3) $\dfrac{3\sqrt{2}}{\sin A}=\dfrac{6}{\sin 135°}$에서 $6\sin A=3\sqrt{2}\sin 135°$

$6\sin A=3\sqrt{2}\times\dfrac{\sqrt{2}}{2}$, $\sin A=\dfrac{1}{2}$

∴ $A=30°$ (∵ $B=135°$이므로 $0°<A<45°$)

2 (1) $\dfrac{2\sqrt{3}}{\sin 60°}=2R$에서 $\dfrac{2\sqrt{3}}{\dfrac{\sqrt{3}}{2}}=2R$　　∴ $R=2$

(2) $A+B+C=180°$이므로 $B=30°$

$\dfrac{1}{\sin 30°}=2R$에서 $\dfrac{1}{\dfrac{1}{2}}=2R$　　∴ $R=1$

(3) $\dfrac{a}{\sin 150°}=2\times 10$에서 $\dfrac{a}{\dfrac{1}{2}}=20$　　∴ $a=10$

3 (1) $a^2=2^2+5^2-2\times 2\times 5\times\dfrac{1}{10}=27$

∴ $a=3\sqrt{3}$ (∵ $a>0$)

(2) $b^2=7^2+1^2-2\times 7\times 1\times\dfrac{5}{14}=45$

∴ $b=3\sqrt{5}$ (∵ $b>0$)

(3) $c^2=3^2+(5\sqrt{2})^2-2\times 3\times 5\sqrt{2}\times\cos 45°$

$\quad=3^2+(5\sqrt{2})^2-2\times 3\times 5\sqrt{2}\times\dfrac{\sqrt{2}}{2}=29$

∴ $c=\sqrt{29}$ (∵ $c>0$)

4 (1) $\cos A=\dfrac{4^2+5^2-2^2}{2\times 4\times 5}=\dfrac{37}{40}$

(2) $\cos B=\dfrac{7^2+5^2-6^2}{2\times 7\times 5}=\dfrac{38}{70}=\dfrac{19}{35}$

(3) $\cos C=\dfrac{(\sqrt{5})^2+3^2-4^2}{2\times\sqrt{5}\times 3}=\dfrac{-2}{6\sqrt{5}}=-\dfrac{\sqrt{5}}{15}$

5 (1) $S=\dfrac{1}{2}\times 2\times 2\sqrt{3}\times\sin 60°=\dfrac{1}{2}\times 2\times 2\sqrt{3}\times\dfrac{\sqrt{3}}{2}=3$

(2) $S=\dfrac{1}{2}\times 5\times 2\times\sin 45°=\dfrac{1}{2}\times 5\times 2\times\dfrac{\sqrt{2}}{2}=\dfrac{5\sqrt{2}}{2}$

(3) $S=\dfrac{1}{2}\times 4\times 2\sqrt{3}\times\sin 135°=\dfrac{1}{2}\times 4\times 2\sqrt{3}\times\dfrac{\sqrt{2}}{2}=2\sqrt{6}$

(4) $S=\dfrac{1}{2}\times 5\times 4\sqrt{3}\times\sin 120°=\dfrac{1}{2}\times 5\times 4\sqrt{3}\times\dfrac{\sqrt{3}}{2}=15$

6 (1) $S=6\times 5\times\sin 30°=6\times 5\times\dfrac{1}{2}=15$

(2) $S=9\times 10\times\sin 120°=9\times 10\times\dfrac{\sqrt{3}}{2}=45\sqrt{3}$

7 (1) $S=\dfrac{1}{2}\times 7\times 4\sqrt{3}\times\sin 30°=\dfrac{1}{2}\times 7\times 4\sqrt{3}\times\dfrac{1}{2}=7\sqrt{3}$

(2) $S=\dfrac{1}{2}\times 6\times 6\times\sin 60°=\dfrac{1}{2}\times 6\times 6\times\dfrac{\sqrt{3}}{2}=9\sqrt{3}$

1 $4(\sqrt{3}+1)$ 　**2** $1:1:\sqrt{3}$ 　**3** $-\dfrac{29}{48}$ 　**4** 7

5 $a=c$인 이등변삼각형 　**6** $3\sqrt{3}$ 　**7** $60°$

8 $20\sqrt{2}$

1 △ADC에서 $\overline{CD}=\overline{CA}=a$라 하면
△ABC에서 $A=60°$이므로 사인법칙에 의하여

$\dfrac{8+a}{\sin 60°}=\dfrac{a}{\sin 30°}$

$(8+a)\sin 30°=a\sin 60°$

$\dfrac{1}{2}(8+a)=\dfrac{\sqrt{3}}{2}a$, $(\sqrt{3}-1)a=8$

∴ $a=\dfrac{8}{\sqrt{3}-1}=4(\sqrt{3}+1)$

2 △ABC에서 $A+B+C=180°$
$A:B:C=1:1:4$이므로

$A=180°\times\dfrac{1}{6}=30°$, $B=180°\times\dfrac{1}{6}=30°$,

$C=180°\times\dfrac{4}{6}=120°$

사인법칙에 의하여

$a:b:c=\sin A:\sin B:\sin C$

$\quad=\sin 30°:\sin 30°:\sin 120°$

$\quad=\dfrac{1}{2}:\dfrac{1}{2}:\dfrac{\sqrt{3}}{2}=1:1:\sqrt{3}$

3 삼각형에서 길이가 가장 긴 변의 대각이 가장 큰 내각이므로

$a = 9$

코사인법칙에 의하여

$$\cos A = \frac{4^2 + 6^2 - 9^2}{2 \times 4 \times 6} = \frac{16 + 36 - 81}{48} = -\frac{29}{48}$$

4 △ABD에서 코사인법칙에 의하여

$$\cos B = \frac{8^2 + 6^2 - 6^2}{2 \times 8 \times 6} = \frac{2}{3}$$

△ABC에서 코사인법칙에 의하여

$$\overline{AC}^2 = 8^2 + 9^2 - 2 \times 8 \times 9 \times \cos B$$
$$= 145 - 144 \times \frac{2}{3} = 49$$

$$\therefore \overline{AC} = 7 \ (\because \overline{AC} > 0)$$

5 △ABC의 외접원의 반지름의 길이를 R라 하면

$$\sin B = \frac{b}{2R}, \ \sin C = \frac{c}{2R}, \ \cos A = \frac{b^2 + c^2 - a^2}{2bc}$$

이것을 $\sin B = 2 \cos A \sin C$에 대입하면

$$\frac{b}{2R} = 2 \times \frac{b^2 + c^2 - a^2}{2bc} \times \frac{c}{2R}$$

$$b^2 = b^2 + c^2 - a^2, \ a^2 = c^2$$

$$\therefore a = c \ (\because a > 0, c > 0)$$

따라서 △ABC는 $a = c$인 이등변삼각형이다.

참고

△ABC에서

(1) $a = b$ → 이등변삼각형

(2) $a = b = c$ → 정삼각형

(3) $a^2 = b^2 + c^2$ → $A = 90°$인 직각삼각형

(4) $b = c$이고 $a^2 = b^2 + c^2$ → $A = 90°$인 직각이등변삼각형

6 $\triangle ABC = \frac{1}{2}bc \sin A$에서

$$\frac{3\sqrt{3}}{2} = \frac{1}{2} \times b \times 2 \times \sin 150°$$
$$= b \times \frac{1}{2} = \frac{b}{2}$$

$$\therefore b = 3\sqrt{3}$$

7 평행사변형 ABCD의 넓이가 $15\sqrt{3}$이므로

$$5 \times 6 \times \sin B = 15\sqrt{3} \qquad \therefore \sin B = \frac{\sqrt{3}}{2}$$

$0° < B < 90°$이므로 $B = 60°$

8 $\sin^2\theta + \cos^2\theta = 1$이므로

$$\sin^2\theta = 1 - \cos^2\theta = 1 - \frac{1}{9} = \frac{8}{9}$$

$$\therefore \sin\theta = \frac{2\sqrt{2}}{3} \ (\because 0° < \theta < 180°)$$

$$\therefore \square ABCD = \frac{1}{2} \times 6 \times 10 \times \frac{2\sqrt{2}}{3} = 20\sqrt{2}$$

---

1 일 교과서 기출 베스트 **2회**   14~15쪽

1 $\frac{5\sqrt{26}}{26}$	**2** 2	**3** $1 : 2 : 2$	**4** $\frac{11}{16}$
5 $-\frac{1}{3}$	**6** $a = b$인 이등변삼각형		**7** 4
8 $\frac{2\sqrt{6}}{3}$	**9** $28\sqrt{2}$	**10** 8	

1 꼭짓점 A에서 변 BC에 내린 수선의 발을 D라 하면 △ABD는 직각이등변삼각형이므로

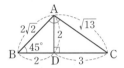

$$\overline{BD} = \overline{AD} = 2$$

피타고라스 정리에 의하여

$$\overline{CD} = \sqrt{13 - 4} = 3$$

$$\therefore \overline{BC} = 2 + 3 = 5$$

△ABC에서 사인법칙에 의하여

$$\frac{\sqrt{13}}{\sin 45°} = \frac{5}{\sin A}$$

$$\therefore \sin A = \frac{5}{\sqrt{13}} \times \sin 45° = \frac{5\sqrt{13}}{13} \times \frac{\sqrt{2}}{2} = \frac{5\sqrt{26}}{26}$$

2 △ABC의 외접원의 반지름의 길이를 R라 하면 사인법칙에 의하여

$$\sin A + \sin B + \sin C = \frac{a}{2R} + \frac{b}{2R} + \frac{c}{2R}$$
$$= \frac{a + b + c}{2R} = \frac{24}{12} = 2$$

3 $\dfrac{a+b}{3} = \dfrac{b+c}{4} = \dfrac{c+a}{3} = k \ (k > 0)$라 하면

$$a + b = 3k, \ b + c = 4k, \ c + a = 3k \qquad \cdots\cdots ㉠$$

㉠의 세 식을 모두 변끼리 더하면

$$2a + 2b + 2c = 10k$$

$$\therefore a + b + c = 5k \qquad \cdots\cdots ㉡$$

㉡에서 ㉠의 각 식을 빼면

$$c = 2k, \ a = k, \ b = 2k$$

$$\therefore \sin A : \sin B : \sin C = a : b : c = 1 : 2 : 2$$

4 사인법칙에 의하여

$a : b : c = \sin A : \sin B : \sin C = 3 : 2 : 4$

이때, $a = 3k$, $b = 2k$, $c = 4k\,(k > 0)$로 놓으면 코사인법칙에 의하여

$$\cos A = \frac{b^2 + c^2 - a^2}{2bc}$$
$$= \frac{(2k)^2 + (4k)^2 - (3k)^2}{2 \times 2k \times 4k}$$
$$= \frac{11k^2}{16k^2} = \frac{11}{16}$$

5 △ABC에서 코사인법칙에 의하여

$$\cos B = \frac{9^2 + 6^2 - 9^2}{2 \times 9 \times 6} = \frac{1}{3}$$

△BCD가 이등변삼각형이므로

$\angle ADC = 180° - B$

$$\therefore \cos(\angle ADC) = \cos(180° - B)$$
$$= -\cos B = -\frac{1}{3}$$

6 $a\cos B = b\cos A$에서 코사인법칙에 의하여

$a \times \dfrac{c^2 + a^2 - b^2}{2ca} = b \times \dfrac{b^2 + c^2 - a^2}{2bc}$이므로

$c^2 + a^2 - b^2 = b^2 + c^2 - a^2$, $a^2 = b^2$

$\therefore a = b\ (\because a > 0,\ b > 0)$

따라서 △ABC는 $a = b$인 이등변삼각형이다.

7 $A + B + C = 180°$에서 $B + C = 180° - A$이므로

$$\sin(B + C) = \sin(180° - A)$$
$$= \sin A = \frac{1}{5}$$

$$\therefore \triangle ABC = \frac{1}{2}bc\sin A$$
$$= \frac{1}{2} \times 4 \times 10 \times \frac{1}{5} = 4$$

8 $s = \dfrac{6 + 7 + 5}{2}$에서 $s = 9$

$$\therefore \triangle ABC = \sqrt{s(s-a)(s-b)(s-c)}$$
$$= \sqrt{9 \times 3 \times 2 \times 4}$$
$$= 6\sqrt{6}$$

이때, 내접원의 반지름의 길이를 r라 하면

$\triangle ABC = \dfrac{1}{2}r(a + b + c)$에서

$6\sqrt{6} = \dfrac{1}{2}r(6 + 7 + 5)$

$9r = 6\sqrt{6}$ $\therefore r = \dfrac{2\sqrt{6}}{3}$

9 평행사변형의 성질에 의하여 이웃하는 두 각의 크기의 합은 $180°$이므로 $B + C = 180°$

$\therefore B = 180° - C = 180° - 135° = 45°$

$$\therefore \square ABCD = \overline{AB} \times \overline{BC} \times \sin B$$
$$= 7 \times 8 \times \sin 45° = 28\sqrt{2}$$

10 $\square ABCD = \dfrac{1}{2} \times 4 \times \overline{BD} \times \sin 120° = 8\sqrt{3}$이므로

$\sqrt{3} \times \overline{BD} = 8\sqrt{3}$ $\therefore \overline{BD} = 8$

2일 시험지 속 개념 문제 19, 21쪽

1 (1) $-5, -10, -15, -20$　(2) $-1, -4, -9, -16$

　　(3) $-2, 4, -8, 16$

2 (1) $7, 1$　(2) $12, 27$　(3) $-\dfrac{10}{3}, -\dfrac{2}{3}$

3 (1) $a_n = 5n - 3$　(2) $a_n = -\dfrac{1}{3}n + \dfrac{10}{3}$

4 (1) $a_n = 4n - 3$　(2) $a_n = -5n + 12$

5 (1) $x = -10, y = -22$　(2) $x = 2, y = \dfrac{10}{3}$

6 (1) 420　(2) -450　　　**7** (1) -125　(2) 216

8 (1) 462　(2) -392

9 (1) $a_n = 4n - 3$　(2) $a_1 = 1, a_n = 2n - 2\ (n \geq 2)$

2 (1) $10 - 13 = -3$에서 공차가 -3이므로

　　$13, 10, \boxed{7}, 4, \boxed{1}, -2, \cdots$

　(2) $22 - 17 = 5$에서 공차가 5이므로

　　$7, \boxed{12}, 17, 22, \boxed{27}, 32, \cdots$

　(3) $-2 - \left(-\dfrac{8}{3}\right) = \dfrac{2}{3}$에서 공차가 $\dfrac{2}{3}$이므로

　　$-4, \boxed{-\dfrac{10}{3}}, -\dfrac{8}{3}, -2, -\dfrac{4}{3}, \boxed{-\dfrac{2}{3}}, \cdots$

3 (1) 첫째항이 2, 공차가 5이므로

　　$a_n = 2 + (n-1) \times 5 = 5n - 3$

　(2) 첫째항이 3, 공차가 $-\dfrac{1}{3}$이므로

　　$a_n = 3 + (n-1) \times \left(-\dfrac{1}{3}\right) = -\dfrac{1}{3}n + \dfrac{10}{3}$

4 (1) 첫째항이 1, 공차가 $5 - 1 = 4$이므로

　　$a_n = 1 + (n-1) \times 4 = 4n - 3$

(2) 첫째항이 7, 공차가 $2-7=-5$이므로

$$a_n=7+(n-1)\times(-5)=-5n+12$$

5 (1) x는 -4와 -16의 등차중항이므로

$$x=\frac{-4-16}{2}=-10$$

y는 -16과 -28의 등차중항이므로

$$y=\frac{-16-28}{2}=-22$$

(2) x는 $\frac{4}{3}$와 $\frac{8}{3}$의 등차중항이므로

$$x=\frac{\frac{4}{3}+\frac{8}{3}}{2}=2$$

y는 $\frac{8}{3}$과 4의 등차중항이므로

$$y=\frac{\frac{8}{3}+4}{2}=\frac{10}{3}$$

6 (1) $\dfrac{20(-8+50)}{2}=420$

(2) $\dfrac{30(-3-27)}{2}=-450$

7 (1) $\dfrac{10\{2\times1+(10-1)\times(-3)\}}{2}=-125$

(2) $\dfrac{12\{2\times(-4)+(12-1)\times4\}}{2}=216$

8 (1) 첫째항이 -3, 공차가 $6-(-3)=9$이므로 주어진 등차수열의 첫째항부터 제11항까지의 합은

$$\frac{11\{2\times(-3)+(11-1)\times9\}}{2}=462$$

(2) 첫째항이 -2, 공차가 $-5-(-2)=-3$이므로 주어진 등차수열의 첫째항부터 제16항까지의 합은

$$\frac{16\{2\times(-2)+(16-1)\times(-3)\}}{2}=-392$$

9 (1) $a_1=S_1=2\times1^2-1=1$

$$a_n=S_n-S_{n-1}=(2n^2-n)-\{2(n-1)^2-(n-1)\}$$
$$=4n-3 \ (n\geq2) \quad\quad \cdots\cdots\, \text{㉠}$$

이때, $a_1=1$은 ㉠에 $n=1$을 대입한 것과 같다.

$$\therefore\ a_n=4n-3$$

(2) $a_1=S_1=1^2-1+1=1$

$$a_n=S_n-S_{n-1}=n^2-n+1-\{(n-1)^2-(n-1)+1\}$$
$$=2n-2 \ (n\geq2) \quad\quad \cdots\cdots\, \text{㉠}$$

이때, $a_1=1$은 ㉠에 $n=1$을 대입한 것과 다르다.

$$\therefore\ a_1=1,\ a_n=2n-2 \ (n\geq2)$$

2일 **교과서 기출 베스트 ①회** **22~23쪽**

1 9	**2** 제18항	**3** 2	**4** 2
5 10	**6** $n=18$, $d=2$	**7** 900	**8** -14

1 등차수열 $\{a_n\}$의 첫째항을 a, 공차를 d라 하면

$a_5=5a_3$에서 $a+4d=5(a+2d)$

$4a+6d=0 \quad \therefore\ 2a+3d=0 \quad\quad \cdots\cdots\, \text{㉠}$

$a_2+a_4=2$에서 $(a+d)+(a+3d)=2$

$2a+4d=2 \quad \therefore\ a+2d=1 \quad\quad \cdots\cdots\, \text{㉡}$

㉠, ㉡을 연립하여 풀면 $a=-3$, $d=2$

따라서 $a_n=-3+(n-1)\times2=2n-5$이므로

$a_7=2\times7-5=9$

2 첫째항이 -50, 공차가 3인 등차수열의 일반항 a_n은

$$a_n=-50+(n-1)\times3=3n-53$$

제n항에서 처음으로 양수가 나온다고 하면

$3n-53>0$에서 $3n>53$

$$\therefore\ n>\frac{53}{3}=17.6\times\times\times$$

따라서 처음으로 양수가 되는 항은 제18항이다.

3 세 수 $x-2$, x^2+1, $7x-4$가 이 순서대로 등차수열을 이루므로

$2(x^2+1)=(x-2)+(7x-4)$

$x^2-4x+4=0$, $(x-2)^2=0 \quad \therefore\ x=2$

참고

$x=2$일 때, 주어진 세 수는 0, 5, 10이므로 공차가 5인 등차수열을 이룬다.

4 삼차방정식 $x^3+3x^2+px+q=0$의 세 실근을 $a-d$, a, $a+d$로 놓으면 삼차방정식의 근과 계수의 관계에 의하여

$(a-d)+a+(a+d)=-3$, $3a=-3 \quad \therefore\ a=-1$

따라서 주어진 방정식의 한 근이 -1이므로 $x=-1$을 방정식에 대입하면

$(-1)^3+3\times(-1)^2+p\times(-1)+q=0$

$\therefore\ p-q=2$

5 첫째항이 5, 공차가 4인 등차수열의 첫째항부터 제n항까지의 합이 230이므로

$$\frac{n\{2\times5+(n-1)\times4\}}{2}=230$$

$2n^2+3n-230=0$, $(2n+23)(n-10)=0$

$\therefore\ n=10 \ (\because n$은 자연수$)$

6 첫째항이 3, 끝항이 41, 항수가 $n+2$인 등차수열의 합이 440
이므로

$$\frac{(n+2)(3+41)}{2}=440, \ n+2=20 \qquad \therefore \ n=18$$

이때, 41은 제20항이므로

$$3+(20-1)d=41 \qquad \therefore \ d=2$$

7 등차수열 $\{a_n\}$의 첫째항을 a, 공차를 d라 하면

$$S_{10}=\frac{10\{2a+(10-1)d\}}{2}=100$$에서

$$2a+9d=20 \qquad\qquad\qquad \cdots\cdots \ \text{㉠}$$

$$S_{20}=\frac{20\{2a+(20-1)d\}}{2}=400$$에서

$$2a+19d=40 \qquad\qquad\qquad \cdots\cdots \ \text{㉡}$$

㉠, ㉡을 연립하여 풀면 $a=1$, $d=2$

$$\therefore \ S_{30}=\frac{30\{2\times1+(30-1)\times2\}}{2}=900$$

8 $S_n=-n^2+3n$이므로

$$a_1=S_1=-1^2+3\times1=2$$

$$a_{10}=S_{10}-S_9$$

$$=(-10^2+3\times10)-(-9^2+3\times9)=-16$$

$$\therefore \ a_1+a_{10}=2-16=-14$$

> **다른 풀이**
>
> $$a_1=S_1=-1^2+3\times1=2$$
>
> $$a_n=S_n-S_{n-1}$$
>
> $$=-n^2+3n-\{-(n-1)^2+3(n-1)\}$$
>
> $$=-n^2+3n-(-n^2+5n-4)$$
>
> $$=-2n+4 \qquad\qquad\qquad \cdots\cdots \ \text{㉠}$$
>
> 이때, $a_1=2$는 ㉠에 $n=1$을 대입한 것과 같으므로
>
> $$a_n=-2n+4$$
>
> $$\therefore \ a_1+a_{10}=2+(-2\times10+4)=-14$$

2일 교과서 기출 베스트 2회   24~25쪽

1 $2\log 3$	**2** 47	**3** 제10항	**4** 11, 19, 27
5 -240	**6** 215	**7** 250	**8** 140
9 77	**10** 9		

1 공차를 d라 하면 제5항이 $\log 3^9=9\log 3$이므로

$$\log 3+4d=9\log 3$$

$$4d=9\log 3-\log 3=8\log 3 \qquad \therefore \ d=2\log 3$$

2 등차수열 $\{a_n\}$의 첫째항을 a, 공차를 d라 하면

$$a_4=14$$에서 $a+3d=14 \qquad\qquad \cdots\cdots \ \text{㉠}$

$$a_6 : a_{10}=5 : 8$$에서 $8a_6=5a_{10}$

$$8(a+5d)=5(a+9d) \qquad \therefore \ 3a-5d=0 \qquad \cdots\cdots \ \text{㉡}$$

㉠, ㉡을 연립하여 풀면 $a=5$, $d=3$

따라서 $a_n=5+(n-1)\times3=3n+2$이므로

$$a_{15}=3\times15+2=47$$

3 등차수열 $\{a_n\}$의 첫째항을 a, 공차를 d라 하면

$$a_6=7$$에서 $a+5d=7 \qquad\qquad\qquad \cdots\cdots \ \text{㉠}$

$$a_{20}=-21$$에서 $a+19d=-21 \qquad\qquad \cdots\cdots \ \text{㉡}$

㉠, ㉡을 연립하여 풀면 $a=17$, $d=-2$

$$\therefore \ a_n=17+(n-1)\times(-2)=-2n+19$$

제n항에서 처음으로 음수가 나온다고 하면

$$-2n+19<0$$에서 $2n>19 \qquad \therefore \ n>\frac{19}{2}=9.5$

따라서 처음으로 음수가 되는 항은 제10항이다.

4 두 수 3과 35 사이에 넣은 세 개의 수를 각각 a, b, c라 하면
3, a, b, c, 35는 등차수열이다.

b는 3과 35의 등차중항이므로

$$b=\frac{3+35}{2} \qquad \therefore \ b=19$$

a는 3과 b의 등차중항이고 $b=19$이므로

$$a=\frac{3+19}{2} \qquad \therefore \ a=11$$

c는 b와 35의 등차중항이고 $b=19$이므로

$$c=\frac{19+35}{2} \qquad \therefore \ c=27$$

따라서 구하는 세 개의 수는 차례로 11, 19, 27이다.

> **다른 풀이**
>
> 3과 35 사이에 세 개의 수를 넣어 얻어지는 등차수열의 공차를 d라
> 하면 35는 제5항이므로
>
> $$3+(5-1)d=35 \qquad \therefore \ d=8$$
>
> 따라서 구하는 세 개의 수는 차례로 11, 19, 27이다.

5 네 수를 $a-3d$, $a-d$, $a+d$, $a+3d$로 놓으면 네 수의 합이
16이므로

$$(a-3d)+(a-d)+(a+d)+(a+3d)=16$$

$$4a=16 \qquad \therefore \ a=4$$

또, 가운데 두 수의 곱은 가장 작은 수와 가장 큰 수의 곱보다
32만큼 크므로

$$(a-d)(a+d)=(a-3d)(a+3d)+32$$

$$a^2-d^2=a^2-9d^2+32, \ 8d^2=32, \ d^2=4$$

$$\therefore \ \underline{d=\pm2} \quad \rightarrow \begin{array}{l} d=2이면 \ 네 수는 \ -2, \ 2, \ 6, \ 10 \\ d=-2이면 \ 네 수는 \ 10, \ 6, \ 2, \ -2 \end{array}$$

따라서 네 수는 $-2, 2, 6, 10$이므로 구하는 네 수의 곱은
$(-2) \times 2 \times 6 \times 10 = -240$

6 등차수열 $\{a_n\}$의 첫째항을 a, 공차를 d라 하면
$a_3 = 9$에서 $a + 2d = 9$ ······ ㉠
$a_7 = 29$에서 $a + 6d = 29$ ······ ㉡
㉠, ㉡을 연립하여 풀면 $a = -1$, $d = 5$
따라서 첫째항부터 제10항까지의 합은
$\dfrac{10\{2 \times (-1) + (10-1) \times 5\}}{2} = 215$

7 수열 $44, a_1, a_2, a_3, \cdots, a_{10}, 6$은 12개의 항으로 이루어진 등차수열이므로
$44 + a_1 + a_2 + a_3 + \cdots + a_{10} + 6 = \dfrac{12(44+6)}{2} = 300$
$\therefore a_1 + a_2 + a_3 + \cdots + a_{10} = 300 - (44+6) = 250$

8 등차수열 $\{a_n\}$의 첫째항을 a, 공차를 d, 첫째항부터 제n항까지의 합을 S_n이라 하면
$S_5 = \dfrac{5\{2a + (5-1)d\}}{2} = 40$에서
$2a + 4d = 16$ $\therefore a + 2d = 8$ ······ ㉠
$S_{10} - S_5 = \dfrac{10\{2a + (10-1)d\}}{2} - 40 = 90$에서
$2a + 9d = 26$ ······ ㉡
㉠, ㉡을 연립하여 풀면 $a = 4$, $d = 2$
따라서 제11항부터 제15항까지의 합은
$S_{15} - S_{10} = \dfrac{15\{2 \times 4 + (15-1) \times 2\}}{2} - (40+90)$
$= 270 - 130 = 140$

9 등차수열 $\{a_n\}$의 첫째항을 a, 공차를 d라 하면
$a_5 = 8$에서 $a + 4d = 8$ ······ ㉠
$a_{10} = -7$에서 $a + 9d = -7$ ······ ㉡
㉠, ㉡을 연립하여 풀면 $a = 20$, $d = -3$
$\therefore a_n = 20 + (n-1) \times (-3) = -3n + 23$
제n항에서 처음으로 음수가 나온다고 하면
$-3n + 23 < 0$에서 $3n > 23$
$\therefore n > \dfrac{23}{3} = 7.6 \times \times \times$
즉, 수열 $\{a_n\}$은 제8항부터 음수이므로 첫째항부터 제7항까지의 합이 최대이다.
따라서 구하는 최댓값은
$S_7 = \dfrac{7\{2 \times 20 + 6 \times (-3)\}}{2} = 77$

10 $S_n = n^2 + 2n$이라 하면
$a_6 = S_6 - S_5 = (6^2 + 2 \times 6) - (5^2 + 2 \times 5) = 13$
$T_n = 2n^2 - kn$이라 하면
$b_6 = T_6 - T_5 = (2 \times 6^2 - k \times 6) - (2 \times 5^2 - k \times 5) = 22 - k$
이때, $a_6 = b_6$이므로
$13 = 22 - k$ $\therefore k = 9$

3일 시험지 속 개념 문제

1 (1) $12, -24$ (2) $3, 81$ (3) $-6, 6$
2 (1) $a_n = 2 \times 3^{n-1}$ (2) $a_n = -8 \times \left(-\dfrac{1}{3}\right)^{n-1}$
  (3) $a_n = -3 \times (-5)^{n-1}$
3 (1) $a_n = 16 \times \left(\dfrac{1}{4}\right)^{n-1}$ (2) $a_n = -12 \times (-1)^{n-1}$
  (3) $a_n = 2 \times (-4)^{n-1}$
4 (1) $x = 5, y = \dfrac{1}{5}$ 또는 $x = -5, y = -\dfrac{1}{5}$
  (2) $x = 4, y = \dfrac{16}{25}$ 또는 $x = -4, y = -\dfrac{16}{25}$
5 (1) 254 (2) 30 (3) 171
6 (1) 252 (2) 43
7 (1) $S_n = \dfrac{4}{3}(7^n - 1)$ (2) $S_n = -3\left\{1 - \left(-\dfrac{1}{3}\right)^n\right\}$
8 (1) $a_n = 4 \times 3^{n-1}$ (2) $a_1 = 3, a_n = 2^{n-1}$ $(n \geq 2)$

1 (1) $\dfrac{-6}{3} = -2$에서 공비가 -2이므로
  $3, -6, \boxed{12}, \boxed{-24}, 48, \cdots$
  (2) $\dfrac{27}{9} = 3$에서 공비가 3이므로
  $1, \boxed{3}, 9, 27, \boxed{81}, \cdots$
  (3) $\dfrac{-6}{6} = -1$에서 공비가 -1이므로
  $\boxed{-6}, 6, -6, \boxed{6}, -6, \cdots$

3 (1) 첫째항이 16, 공비가 $\dfrac{4}{16} = \dfrac{1}{4}$이므로
  $a_n = 16 \times \left(\dfrac{1}{4}\right)^{n-1}$
  (2) 첫째항이 -12, 공비가 $\dfrac{12}{-12} = -1$이므로
  $a_n = -12 \times (-1)^{n-1}$
  (3) 첫째항이 2, 공비가 $\dfrac{-8}{2} = -4$이므로
  $a_n = 2 \times (-4)^{n-1}$

4 (1) x는 25와 1의 등비중항이므로

$x^2 = 25 \times 1 = 25$ $\therefore x = 5$ 또는 $x = -5$

$x = 5$일 때, 세 수 25, 5, 1은 공비가 $\dfrac{1}{5}$인 등비수열이므로

$y = 1 \times \dfrac{1}{5} = \dfrac{1}{5}$

$x = -5$일 때, 세 수 25, -5, 1은 공비가 $-\dfrac{1}{5}$인 등비수열

이므로 $y = 1 \times \left(-\dfrac{1}{5}\right) = -\dfrac{1}{5}$

따라서 x, y의 값은

$x = 5, y = \dfrac{1}{5}$ 또는 $x = -5, y = -\dfrac{1}{5}$

(2) x는 -10과 $-\dfrac{8}{5}$의 등비중항이므로

$x^2 = -10 \times \left(-\dfrac{8}{5}\right) = 16$ $\therefore x = 4$ 또는 $x = -4$

$x = 4$일 때, 세 수 -10, 4, $-\dfrac{8}{5}$은 공비가 $-\dfrac{2}{5}$인 등비수

열이므로 $y = -\dfrac{8}{5} \times \left(-\dfrac{2}{5}\right) = \dfrac{16}{25}$

$x = -4$일 때, 세 수 -10, -4, $-\dfrac{8}{5}$은 공비가 $\dfrac{2}{5}$인 등비

수열이므로 $y = -\dfrac{8}{5} \times \dfrac{2}{5} = -\dfrac{16}{25}$

따라서 x, y의 값은

$x = 4, y = \dfrac{16}{25}$ 또는 $x = -4, y = -\dfrac{16}{25}$

5 (1) $\dfrac{2(2^7 - 1)}{2 - 1} = 2^8 - 2 = 256 - 2 = 254$

(2) $10 \times 3 = 30$

(3) $\dfrac{1 \times \{1 - (-2)^9\}}{1 - (-2)} = \dfrac{1 + 512}{3} = \dfrac{513}{3} = 171$

6 (1) 첫째항이 4, 공비가 $\dfrac{8}{4} = 2$이므로 주어진 등비수열의 첫째

항부터 제6항까지의 합은

$\dfrac{4(2^6 - 1)}{2 - 1} = 2^8 - 4 = 256 - 4 = 252$

(2) 첫째항이 1, 공비가 $\dfrac{-2}{1} = -2$이므로 주어진 등비수열의

첫째항부터 제7항까지의 합은

$\dfrac{1 \times \{1 - (-2)^7\}}{1 - (-2)} = \dfrac{1 + 128}{3} = 43$

7 (1) 첫째항이 8, 공비가 7인 등비수열이므로

$S_n = \dfrac{8(7^n - 1)}{7 - 1} = \dfrac{4}{3}(7^n - 1)$

(2) 첫째항이 -4, 공비가 $-\dfrac{1}{3}$인 등비수열이므로

$S_n = \dfrac{-4\left\{1 - \left(-\dfrac{1}{3}\right)^n\right\}}{1 - \left(-\dfrac{1}{3}\right)} = -3\left\{1 - \left(-\dfrac{1}{3}\right)^n\right\}$

8 (1) $a_1 = S_1 = 2 \times 3^1 - 2 = 4$

$a_n = S_n - S_{n-1} = (2 \times 3^n - 2) - (2 \times 3^{n-1} - 2)$

$\qquad = 2 \times 3^{n-1}(3 - 1) = 4 \times 3^{n-1} \ (n \geq 2)$ …… ㉠

이때, $a_1 = 4$는 ㉠에 $n = 1$을 대입한 것과 같다.

$\therefore a_n = 4 \times 3^{n-1}$

(2) $a_1 = S_1 = 2^1 + 1 = 3$

$a_n = S_n - S_{n-1} = (2^n + 1) - (2^{n-1} + 1)$

$\qquad = 2^{n-1}(2 - 1) = 2^{n-1} \ (n \geq 2)$ …… ㉠

이때, $a_1 = 3$은 ㉠에 $n = 1$을 대입한 것과 다르다.

$\therefore a_1 = 3, a_n = 2^{n-1} \ (n \geq 2)$

3일 교과서 기출 베스트 1회   32~33쪽

| **1** 768 | **2** 제10항 | **3** 6 | **4** 20 |
| **5** 21 | **6** 3 | **7** 140 | **8** 81 |

1 등비수열 $\{a_n\}$의 첫째항을 a, 공비를 $r \ (r > 0)$라 하면

$a_4 = 12$에서 $ar^3 = 12$ …… ㉠

$a_6 = 48$에서 $ar^5 = 48$ …… ㉡

㉡÷㉠을 하면 $r^2 = 4$ $\therefore r = 2 \ (\because r > 0)$

$r = 2$를 ㉠에 대입하면 $a \times 2^3 = 12$ $\therefore a = \dfrac{3}{2}$

따라서 $a_n = \dfrac{3}{2} \times 2^{n-1}$이므로

$a_{10} = \dfrac{3}{2} \times 2^9 = 768$

2 등비수열 $\{a_n\}$의 첫째항을 a, 공비를 r라 하면

$a_2 + a_4 = 20$에서 $ar + ar^3 = 20$

$\therefore ar(1 + r^2) = 20$ …… ㉠

$a_3 + a_5 = 40$에서 $ar^2 + ar^4 = 40$

$\therefore ar^2(1 + r^2) = 40$ …… ㉡

㉡÷㉠을 하면 $r = 2$

$r = 2$를 ㉠에 대입하면 $10a = 20$ $\therefore a = 2$

$\therefore a_n = 2 \times 2^{n-1} = 2^n$

$2^n > 1000$에서 $2^9 = 512$, $2^{10} = 1024$이므로 처음으로 1000보

다 커지는 항은 제10항이다.

3 $\dfrac{1}{243}$은 제$(n+2)$항이므로 $9 \times \left(\dfrac{1}{3}\right)^{n+1} = \dfrac{1}{243}$

$\left(\dfrac{1}{3}\right)^{n+1} = \dfrac{1}{3^5} \times \dfrac{1}{9} = \dfrac{1}{3^5} \times \dfrac{1}{3^2} = \dfrac{1}{3^7} = \left(\dfrac{1}{3}\right)^7$

$n+1=7$ $\therefore n=6$

4 $4, a, b$가 이 순서대로 등차수열을 이루므로

$2a = 4+b$ ...... ㉠

$a, b, 18$이 이 순서대로 등비수열을 이루므로

$b^2 = 18a$ ...... ㉡

㉠을 ㉡에 대입하면

$b^2 = 9(4+b)$, $b^2 - 9b - 36 = 0$

$(b+3)(b-12) = 0$ $\therefore b=12$ ($\because b>0$)

$b=12$를 ㉠에 대입하면 $2a=16$ $\therefore a=8$

$\therefore a+b = 8+12 = 20$

5 세 실수를 a, ar, ar^2으로 놓으면

$a + ar + ar^2 = 7$ $\therefore a(1+r+r^2) = 7$ ...... ㉠

$a \times ar \times ar^2 = 8$, $(ar)^3 = 8$ $\therefore ar = 2$ ...... ㉡

㉡에서 $a = \dfrac{2}{r}$를 ㉠에 대입하면

$\dfrac{2}{r}(1+r+r^2) = 7$, $2r^2 - 5r + 2 = 0$

$(2r-1)(r-2) = 0$

$\therefore r = \dfrac{1}{2}$ 또는 $r=2$

(i) $r = \dfrac{1}{2}$일 때, $a=4$, $ar=2$, $ar^2=1$

(ii) $r=2$일 때, $a=1$, $ar=2$, $ar^2=4$

따라서 세 실수는 $1, 2, 4$이므로 구하는 값은

$1^2 + 2^2 + 4^2 = 21$

6 등비수열의 첫째항을 a라 하면 공비가 4이므로 첫째항부터 제5항까지의 합은

$\dfrac{a(4^5-1)}{4-1} = 1023$, $\dfrac{1023}{3}a = 1023$

$\therefore a = 3$

7 등비수열 $\{a_n\}$의 첫째항을 a, 공비를 r, 첫째항부터 제n항까지의 합을 S_n이라 하면

$S_5 = \dfrac{a(r^5-1)}{r-1} = 20$ ...... ㉠

$S_{10} = \dfrac{a(r^{10}-1)}{r-1} = \dfrac{a(r^5-1)}{r-1} \times (r^5+1) = 60$ ...... ㉡

㉠, ㉡에서 $20(r^5+1) = 60$

$r^5 + 1 = 3$ $\therefore r^5 = 2$

$\therefore S_{15} = \dfrac{a(r^{15}-1)}{r-1} = \dfrac{a(r^5-1)}{r-1} \times (r^{10}+r^5+1)$

$= 20(2^2+2+1) = 20 \times 7 = 140$

8 $S_n = 3^n - 1$이므로

$\dfrac{a_{10}}{a_6} = \dfrac{S_{10}-S_9}{S_6-S_5} = \dfrac{(3^{10}-1)-(3^9-1)}{(3^6-1)-(3^5-1)}$

$= \dfrac{3^{10}-3^9}{3^6-3^5} = \dfrac{3^9(3-1)}{3^5(3-1)} = 3^4 = 81$

3일 교과서 기출 베스트 2회   34~35쪽

1 제8항	**2** 제9항	**3** 250	**4** 10
5 8	**6** 25	**7** 1020	**8** -48
9 $\sqrt{3}$	**10** ④		

1 등비수열 $\{a_n\}$의 첫째항을 a, 공비를 r라 하면

$a_3 + a_4 = 4$에서 $ar^2 + ar^3 = 4$ ...... ㉠

$a_3 : a_4 = 3 : 1$에서 $\dfrac{a_4}{a_3} = \dfrac{1}{3}$

$\therefore r = \dfrac{1}{3}$

$r = \dfrac{1}{3}$을 ㉠에 대입하면 $\dfrac{a}{9} + \dfrac{a}{27} = 4$

$\dfrac{4}{27}a = 4$ $\therefore a=27$

$a_n = 27 \times \left(\dfrac{1}{3}\right)^{n-1} = \left(\dfrac{1}{3}\right)^{-3} \times \left(\dfrac{1}{3}\right)^{n-1} = \left(\dfrac{1}{3}\right)^{n-4}$이므로

제n항이 $\dfrac{1}{81}$이라 하면

$\left(\dfrac{1}{3}\right)^{n-4} = \dfrac{1}{81} = \left(\dfrac{1}{3}\right)^4$

$n-4 = 4$ $\therefore n=8$

따라서 $\dfrac{1}{81}$은 제8항이다.

2 등비수열 $\{a_n\}$의 첫째항을 a, 공비를 r라 하면

$a_3 = 9$에서 $ar^2 = 9$ ...... ㉠

$a_6 = 243$에서 $ar^5 = 243$ ...... ㉡

㉡÷㉠을 하면 $r^3 = 27$ $\therefore r=3$ ($\because r$는 실수)

$r=3$을 ㉠에 대입하면 $9a=9$ $\therefore a=1$

$\therefore a_n = 1 \times 3^{n-1} = 3^{n-1}$

$3^{n-1}>3000$에서 $3^7=2187$, $3^8=6561$이므로

$n-1\geq 8$ $\therefore n\geq 9$

따라서 처음으로 3000보다 커지는 항은 제9항이다.

3 공비를 r라 하면 첫째항이 5, 제12항이 50이므로

$5r^{11}=50$ $\therefore r^{11}=10$

이때, a_1, a_{10}은 각각 제2항, 제11항이므로

$a_1=5r$, $a_{10}=5r^{10}$

$\therefore a_1 a_{10}=5r\times 5r^{10}=25r^{11}=25\times 10=250$

4 a, $a+b$, $2a-b$가 이 순서대로 등차수열을 이루므로

$2(a+b)=3a-b$ $\therefore a=3b$

또, 1, $a-1$, $3b+1$이 이 순서대로 등비수열을 이루므로

$(a-1)^2=3b+1$, $(a-1)^2=a+1$

$a^2-3a=0$, $a(a-3)=0$

$\therefore a=0$ 또는 $a=3$

공비가 양수이므로 $a=3$, $b=1$

$\therefore a^2+b^2=3^2+1^2=10$

5 다항식 $f(x)$를 $x-3$, $x-4$, $x-5$로 나누었을 때의 나머지는 나머지정리에 의하여 각각 $f(3)$, $f(4)$, $f(5)$이고

이 세 수가 이 순서대로 등비수열을 이루므로

$\{f(4)\}^2=f(3)\times f(5)$

$f(x)=x^2-3x+a$에서 $(a+4)^2=a(a+10)$

$a^2+8a+16=a^2+10a$

$2a=16$ $\therefore a=8$

6 세 실수를 a, ar, ar^2으로 놓으면

$a+ar+ar^2=31$ $\therefore a(1+r+r^2)=31$ ……㉠

$a\times ar\times ar^2=125$, $(ar)^3=125$ $\therefore ar=5$ ……㉡

㉡에서 $a=\dfrac{5}{r}$를 ㉠에 대입하면

$\dfrac{5}{r}(1+r+r^2)=31$, $5r^2-26r+5=0$

$(5r-1)(r-5)=0$ $\therefore r=\dfrac{1}{5}$ 또는 $r=5$

(i) $r=\dfrac{1}{5}$일 때, $a=25$, $ar=5$, $ar^2=1$

(ii) $r=5$일 때, $a=1$, $ar=5$, $ar^2=25$

따라서 가장 큰 수는 25이다.

7 등비수열 $\{a_n\}$의 첫째항을 a, 공비를 $r\,(r>0)$라 하면

$a_4=32$에서 $ar^3=32$ ……㉠

$a_8=512$에서 $ar^7=512$ ……㉡

㉡÷㉠을 하면 $r^4=16$ $\therefore r=2\,(\because r>0)$

$r=2$를 ㉠에 대입하면 $8a=32$ $\therefore a=4$

따라서 주어진 수열의 첫째항부터 제8항까지의 합은

$\dfrac{4(2^8-1)}{2-1}=1020$

8 등비수열 $\{a_n\}$의 첫째항을 a, 공비를 $r\,(r<0)$, 첫째항부터 제n항까지의 합을 S_n이라 하면

$S_4=\dfrac{a(r^4-1)}{r-1}=15$ ……㉠

$S_8=\dfrac{a(r^8-1)}{r-1}=\dfrac{a(r^4-1)}{r-1}\times(r^4+1)=255$ ……㉡

㉠, ㉡에서 $15(r^4+1)=255$, $r^4+1=17$

$r^4=16$ $\therefore r=-2\,(\because r<0)$

$r=-2$를 ㉠에 대입하여 정리하면

$-5a=15$ $\therefore a=-3$

따라서 $a_n=-3\times(-2)^{n-1}$이므로

$a_5=-3\times(-2)^4=-48$

9 등비수열 $\{a_n\}$의 첫째항을 a, 공비를 $r\,(r>0)$, 첫째항부터 제n항까지의 합을 S_n이라 하면

$a_1+a_2+a_3+\cdots+a_6=S_6=\dfrac{a(r^6-1)}{r-1}=12$ ……㉠

이때, $a_7+a_8+a_9+\cdots+a_{12}=S_{12}-S_6$이므로

$S_{12}=S_6+324=12+324=336$

$\therefore S_{12}=\dfrac{a(r^{12}-1)}{r-1}=\dfrac{a(r^6-1)}{r-1}\times(r^6+1)=336$ ……㉡

㉠, ㉡에서 $12(r^6+1)=336$, $r^6+1=28$

$r^6=27$, $r^2=3\,(\because r$는 실수$)$

$\therefore r=\sqrt{3}\,(\because r>0)$

> **다른 풀이**
> 등비수열 $\{a_n\}$의 첫째항을 a, 공비를 $r\,(r>0)$라 하면
> $a_1+a_2+a_3+\cdots+a_6=a+ar+ar^2+\cdots+ar^5$
> $\qquad\qquad\qquad\qquad\quad =a(1+r+r^2+\cdots+r^5)=12$ ……㉠
> $a_7+a_8+a_9+\cdots+a_{12}=ar^6+ar^7+ar^8+\cdots+ar^{11}$
> $\qquad\qquad\qquad\qquad\quad =ar^6(1+r+r^2+\cdots+r^5)=324$ ……㉡
> ㉡÷㉠을 하면 $r^6=27$
> $r^2=3\,(\because r$는 실수$)$ $\therefore r=\sqrt{3}\,(\because r>0)$

10 $\log_2 S_n=n+2$에서 $S_n=2^{n+2}$

(i) $n=1$일 때, $a_1=S_1=8$

(ii) $n\geq 2$일 때, $a_n=S_n-S_{n-1}=2^{n+2}-2^{n+1}=2^{n+1}$

따라서 $a_1=8$, $a_5=2^6$, $a_{10}=2^{11}$이므로

$a_1+a_5+a_{10}=8+2^6+2^{11}$

1 (1) $\displaystyle\sum_{k=1}^{7}6$ (2) $\displaystyle\sum_{k=1}^{15}2^k$ (3) $\displaystyle\sum_{k=1}^{20}2k$

2 (1) $1+\dfrac{1}{2}+\dfrac{1}{3}+\cdots+\dfrac{1}{50}$ (2) $2^2+3^2+4^2+\cdots+10^2$

(3) $3+8+15+24$

3 (1) 3 (2) 64 **4** (1) 25 (2) 50

5 (1) 240 (2) 384 (3) 1743 **6** (1) 1140 (2) 420

7 (1) $\dfrac{5}{12}$ (2) $\dfrac{200}{201}$ **8** (1) 5 (2) 4

1 (3) $2+4+6+\cdots+40$

$=2\times1+2\times2+2\times3+\cdots+2\times20$

$=\displaystyle\sum_{k=1}^{20}2k$

2 (3) $\displaystyle\sum_{k=2}^{5}(k-1)(k+1)=1\times3+2\times4+3\times5+4\times6$

$=3+8+15+24$

3 (1) $\displaystyle\sum_{k=1}^{8}(a_k+3b_k)=\sum_{k=1}^{8}a_k+3\sum_{k=1}^{8}b_k$

$=9+3\times(-2)=3$

(2) $\displaystyle\sum_{k=1}^{8}(2a_k-3b_k+5)=2\sum_{k=1}^{8}a_k-3\sum_{k=1}^{8}b_k+\sum_{k=1}^{8}5$

$=2\times9-3\times(-2)+5\times8=64$

4 (1) $\displaystyle\sum_{k=1}^{5}(4a_k-3b_k)=4\sum_{k=1}^{5}a_k-3\sum_{k=1}^{5}b_k$

$=4\times10-3\times5=25$

(2) $\displaystyle\sum_{k=1}^{5}(3a_k+5b_k-1)=3\sum_{k=1}^{5}a_k+5\sum_{k=1}^{5}b_k-\sum_{k=1}^{5}1$

$=3\times10+5\times5-1\times5=50$

5 (1) $\displaystyle\sum_{k=1}^{8}(6k+3)=6\sum_{k=1}^{8}k+\sum_{k=1}^{8}3$

$=6\times\dfrac{8\times9}{2}+3\times8$

$=216+24=240$

(2) $\displaystyle\sum_{k=1}^{9}(k^2+2k+1)=\sum_{k=1}^{9}k^2+2\sum_{k=1}^{9}k+\sum_{k=1}^{9}1$

$=\dfrac{9\times10\times19}{6}+2\times\dfrac{9\times10}{2}+1\times9$

$=285+90+9=384$

(3) $\displaystyle\sum_{k=1}^{6}(4k^3-k)=4\sum_{k=1}^{6}k^3-\sum_{k=1}^{6}k$

$=4\times\left(\dfrac{6\times7}{2}\right)^2-\dfrac{6\times7}{2}$

$=1764-21=1743$

6 (1) $\displaystyle\sum_{k=6}^{14}k(k+2)=\sum_{k=1}^{14}(k^2+2k)-\sum_{k=1}^{5}(k^2+2k)$

$=\left(\displaystyle\sum_{k=1}^{14}k^2+2\sum_{k=1}^{14}k\right)-\left(\sum_{k=1}^{5}k^2+2\sum_{k=1}^{5}k\right)$

$=\left(\dfrac{14\times15\times29}{6}+2\times\dfrac{14\times15}{2}\right)$

$\qquad-\left(\dfrac{5\times6\times11}{6}+2\times\dfrac{5\times6}{2}\right)$

$=(1015+210)-(55+30)$

$=1140$

(2) $\displaystyle\sum_{k=4}^{7}(2k-1)^2=\sum_{k=4}^{7}(4k^2-4k+1)$

$=\displaystyle\sum_{k=1}^{7}(4k^2-4k+1)-\sum_{k=1}^{3}(4k^2-4k+1)$

$=\left(4\displaystyle\sum_{k=1}^{7}k^2-4\sum_{k=1}^{7}k+\sum_{k=1}^{7}1\right)$

$\qquad-\left(4\displaystyle\sum_{k=1}^{3}k^2-4\sum_{k=1}^{3}k+\sum_{k=1}^{3}1\right)$

$=\left(4\times\dfrac{7\times8\times15}{6}-4\times\dfrac{7\times8}{2}+1\times7\right)$

$\qquad-\left(4\times\dfrac{3\times4\times7}{6}-4\times\dfrac{3\times4}{2}+1\times3\right)$

$=(560-112+7)-(56-24+3)$

$=420$

7 (1) $\displaystyle\sum_{k=1}^{10}\dfrac{1}{(k+1)(k+2)}$

$=\displaystyle\sum_{k=1}^{10}\left(\dfrac{1}{k+1}-\dfrac{1}{k+2}\right)$

$=\left(\dfrac{1}{2}-\dfrac{1}{3}\right)+\left(\dfrac{1}{3}-\dfrac{1}{4}\right)+\left(\dfrac{1}{4}-\dfrac{1}{5}\right)+\cdots+\left(\dfrac{1}{11}-\dfrac{1}{12}\right)$

$=\dfrac{1}{2}-\dfrac{1}{12}=\dfrac{5}{12}$

(2) $\displaystyle\sum_{k=1}^{100}\dfrac{2}{(2k-1)(2k+1)}$

$=\displaystyle\sum_{k=1}^{100}\left(\dfrac{1}{2k-1}-\dfrac{1}{2k+1}\right)$

$=\left(1-\dfrac{1}{3}\right)+\left(\dfrac{1}{3}-\dfrac{1}{5}\right)+\left(\dfrac{1}{5}-\dfrac{1}{7}\right)+\cdots+\left(\dfrac{1}{199}-\dfrac{1}{201}\right)$

$=1-\dfrac{1}{201}=\dfrac{200}{201}$

8 (1) $\displaystyle\sum_{k=1}^{35}\dfrac{1}{\sqrt{k+1}+\sqrt{k}}$

$=\displaystyle\sum_{k=1}^{35}\dfrac{\sqrt{k+1}-\sqrt{k}}{(\sqrt{k+1}+\sqrt{k})(\sqrt{k+1}-\sqrt{k})}$

$=\displaystyle\sum_{k=1}^{35}(\sqrt{k+1}-\sqrt{k})$

$=(\sqrt{2}-\sqrt{1})+(\sqrt{3}-\sqrt{2})+(\sqrt{4}-\sqrt{3})+\cdots+(\sqrt{36}-\sqrt{35})$

$=\sqrt{36}-1=5$

(2) $\displaystyle\sum_{k=1}^{12}\frac{2}{\sqrt{2k-1}+\sqrt{2k+1}}$

$$=\sum_{k=1}^{12}\frac{2(\sqrt{2k-1}-\sqrt{2k+1})}{(\sqrt{2k-1}+\sqrt{2k+1})(\sqrt{2k-1}-\sqrt{2k+1})}$$

$$=-\sum_{k=1}^{12}(\sqrt{2k-1}-\sqrt{2k+1})$$

$$=\sum_{k=1}^{12}(\sqrt{2k+1}-\sqrt{2k-1})$$

$$=(\sqrt{3}-\sqrt{1})+(\sqrt{5}-\sqrt{3})+(\sqrt{7}-\sqrt{5})+\cdots+(\sqrt{25}-\sqrt{23})$$

$$=\sqrt{25}-1=4$$

4일 교과서 기출 베스트 1회 42~43쪽

1 120   **2** 0   **3** 7   **4** 140

5 $\dfrac{5}{21}$ **6** $5\sqrt{3}$ **7** 2   **8** 2420

1 $\displaystyle\sum_{k=1}^{50}ka_k=a_1+2a_2+3a_3+\cdots+50a_{50}=240$ ⋯⋯ ㉠

$\displaystyle\sum_{k=1}^{49}ka_{k+1}=a_2+2a_3+3a_4+\cdots+49a_{50}=120$ ⋯⋯ ㉡

㉠−㉡을 하면

$a_1+a_2+a_3+\cdots+a_{50}=120$

$\therefore \displaystyle\sum_{k=1}^{50}a_k=120$

2 $\displaystyle\sum_{k=1}^{10}(2a_k+1)^2-\sum_{k=1}^{10}(a_k-3)^2$

$$=\sum_{k=1}^{10}(4a_k^2+4a_k+1)-\sum_{k=1}^{10}(a_k^2-6a_k+9)$$

$$=\sum_{k=1}^{10}(4a_k^2+4a_k+1-a_k^2+6a_k-9)$$

$$=\sum_{k=1}^{10}(3a_k^2+10a_k-8)$$

$$=3\sum_{k=1}^{10}a_k^2+10\sum_{k=1}^{10}a_k-\sum_{k=1}^{10}8$$

$$=3\times10+10\times5-8\times10=0$$

3 $\displaystyle\sum_{k=1}^{n-1}(4k+3)=4\sum_{k=1}^{n-1}k+\sum_{k=1}^{n-1}3$

$$=4\times\frac{n(n-1)}{2}+3(n-1)$$

$$=2n^2+n-3$$

즉, $2n^2+n-3=102$이므로 $2n^2+n-105=0$

$(n-7)(2n+15)=0$ $\therefore n=7$ $(\because n$은 자연수$)$

4 $\displaystyle\sum_{l=1}^{5}\left(\sum_{m=1}^{l}lm\right)=\sum_{l=1}^{5}\left(l\sum_{m=1}^{l}m\right)=\sum_{l=1}^{5}\left\{l\times\frac{l(l+1)}{2}\right\}$

$$=\frac{1}{2}\left(\sum_{l=1}^{5}l^3+\sum_{l=1}^{5}l^2\right)$$

$$=\frac{1}{2}\left\{\left(\frac{5\times6}{2}\right)^2+\frac{5\times6\times11}{6}\right\}$$

$$=\frac{1}{2}(225+55)=140$$

5 주어진 수열의 일반항을 a_n이라 하면

$$a_n=\frac{1}{(2n+1)^2-1}=\frac{1}{4n^2+4n}=\frac{1}{4n(n+1)}$$

따라서 주어진 수열의 첫째항부터 제20항까지의 합은

$$\sum_{k=1}^{20}a_k=\sum_{k=1}^{20}\frac{1}{4k(k+1)}=\frac{1}{4}\sum_{k=1}^{20}\left(\frac{1}{k}-\frac{1}{k+1}\right)$$

$$=\frac{1}{4}\left\{\left(1-\frac{1}{2}\right)+\left(\frac{1}{2}-\frac{1}{3}\right)+\left(\frac{1}{3}-\frac{1}{4}\right)+\cdots+\left(\frac{1}{20}-\frac{1}{21}\right)\right\}$$

$$=\frac{1}{4}\left(1-\frac{1}{21}\right)=\frac{5}{21}$$

6 수열 $\dfrac{1}{\sqrt{3}+\sqrt{4}},\dfrac{1}{\sqrt{4}+\sqrt{5}},\dfrac{1}{\sqrt{5}+\sqrt{6}},\cdots$의 일반항을 a_n이라 하면

$$a_n=\frac{1}{\sqrt{n+2}+\sqrt{n+3}}$$

$$=\frac{\sqrt{n+2}-\sqrt{n+3}}{(\sqrt{n+2}+\sqrt{n+3})(\sqrt{n+2}-\sqrt{n+3})}$$

$$=\sqrt{n+3}-\sqrt{n+2}$$

주어진 식은 수열 $\{a_n\}$의 첫째항부터 제105항까지의 합이므로

$$\sum_{k=1}^{105}a_k=\sum_{k=1}^{105}(\sqrt{k+3}-\sqrt{k+2})$$

$$=(\sqrt{4}-\sqrt{3})+(\sqrt{5}-\sqrt{4})+(\sqrt{6}-\sqrt{5})+\cdots+(\sqrt{108}-\sqrt{107})$$

$$=\sqrt{108}-\sqrt{3}=6\sqrt{3}-\sqrt{3}=5\sqrt{3}$$

7 $\displaystyle\sum_{k=1}^{99}\log\left(1+\frac{1}{k}\right)=\sum_{k=1}^{99}\log\frac{k+1}{k}=\sum_{k=1}^{99}\{\log(k+1)-\log k\}$

$$=(\log 2-\log 1)+(\log 3-\log 2)+\cdots+(\log 100-\log 99)$$

$$=\log 100-\log 1$$

$$=2-0=2$$

다른 풀이

$\displaystyle\sum_{k=1}^{99}\log\left(1+\frac{1}{k}\right)=\sum_{k=1}^{99}\log\frac{k+1}{k}$

$$=\log\frac{2}{1}+\log\frac{3}{2}+\log\frac{4}{3}+\cdots+\log\frac{100}{99}$$

$$=\log\left(\frac{2}{1}\times\frac{3}{2}\times\frac{4}{3}\times\cdots\times\frac{100}{99}\right)$$

$$=\log 100=2$$

8 $S_n = \displaystyle\sum_{k=1}^{n} a_k = n^2 + 3n$이라 하면

$a_1 = S_1 = 1^2 + 3 \times 1 = 4$

$a_n = S_n - S_{n-1}$

$\quad = n^2 + 3n - \{(n-1)^2 + 3(n-1)\}$

$\quad = 2n + 2 \ (n \geq 2)$ ...... ㉠

이때, $a_1 = 4$는 ㉠에 $n=1$을 대입한 것과 같으므로

$a_n = 2n + 2$

따라서 $a_{3n} = 2 \times 3n + 2 = 6n + 2$이므로

$\displaystyle\sum_{k=1}^{10} k a_{3k} = \sum_{k=1}^{10} k(6k+2) = 6\sum_{k=1}^{10} k^2 + 2\sum_{k=1}^{10} k$

$\qquad = 6 \times \dfrac{10 \times 11 \times 21}{6} + 2 \times \dfrac{10 \times 11}{2}$

$\qquad = 2310 + 110 = 2420$

4일 교과서 기출 베스트 2회 　　44~45쪽

1 40	**2** 250	**3** $3^n - 1$	**4** 570
5 225	**6** $\dfrac{n(n+1)^2}{2}$	**7** $\dfrac{15}{31}$	**8** 399
9 80	**10** 728		

1 $\displaystyle\sum_{k=1}^{9} f(k+1) - \sum_{k=2}^{10} f(k-1)$

$= \{f(2) + f(3) + f(4) + \cdots + f(10)\}$

$\qquad - \{f(1) + f(2) + f(3) + \cdots + f(9)\}$

$= f(10) - f(1) = 50 - 10 = 40$

2 $\displaystyle\sum_{k=1}^{10} (3a_k + 1) = 3\sum_{k=1}^{10} a_k + \sum_{k=1}^{10} 1 = 3\sum_{k=1}^{10} a_k + 1 \times 10 = 40$

에서 $\displaystyle\sum_{k=1}^{10} a_k = 10$

$\displaystyle\sum_{k=1}^{10} (a_k + 1)(a_k - 1) = \sum_{k=1}^{10} (a_k^2 - 1) = \sum_{k=1}^{10} a_k^2 - \sum_{k=1}^{10} 1$

$\qquad\qquad\qquad\qquad = \displaystyle\sum_{k=1}^{10} a_k^2 - 1 \times 10 = 40$

에서 $\displaystyle\sum_{k=1}^{10} a_k^2 = 50$

$\therefore \displaystyle\sum_{k=1}^{10} (2a_k + 1)^2 = \sum_{k=1}^{10} (4a_k^2 + 4a_k + 1)$

$\qquad\qquad = 4\displaystyle\sum_{k=1}^{10} a_k^2 + 4\sum_{k=1}^{10} a_k + \sum_{k=1}^{10} 1$

$\qquad\qquad = 4 \times 50 + 4 \times 10 + 1 \times 10 = 250$

3 다항식 $f(x) = x^{n-1}(x-1)$을 $x-3$으로 나누었을 때의 나머지는 나머지정리에 의하여 $f(3)$이므로

$a_n = 3^{n-1} \times (3-1) = 2 \times 3^{n-1}$

$\therefore \displaystyle\sum_{k=1}^{n} a_k = \sum_{k=1}^{n} 2 \times 3^{k-1} = \dfrac{2 \times (3^n - 1)}{3 - 1} = 3^n - 1$

4 $a_n = -1 + (n-1) \times 4 = 4n - 5$이므로

$\displaystyle\sum_{k=11}^{20} a_k = \sum_{k=11}^{20} (4k - 5)$

$\qquad = \displaystyle\sum_{k=1}^{20} (4k - 5) - \sum_{k=1}^{10} (4k - 5)$

$\qquad = 4\displaystyle\sum_{k=1}^{20} k - \sum_{k=1}^{20} 5 - 4\sum_{k=1}^{10} k + \sum_{k=1}^{10} 5$

$\qquad = 4 \times \dfrac{20 \times 21}{2} - 5 \times 20 - 4 \times \dfrac{10 \times 11}{2} + 5 \times 10$

$\qquad = 840 - 100 - 220 + 50 = 570$

다른 풀이

$a_{11} = -1 + 10 \times 4 = 39, \ a_{20} = -1 + 19 \times 4 = 75$이므로

$\displaystyle\sum_{k=11}^{20} a_k = a_{11} + a_{12} + a_{13} + \cdots + a_{20}$

$\qquad = \dfrac{10(a_{11} + a_{20})}{2} = \dfrac{10(39 + 75)}{2} = 570$

5 이차방정식 $x^2 - 2x - 5 = 0$의 두 근이 α, β이므로 근과 계수의 관계에 의하여 $\alpha + \beta = 2, \alpha\beta = -5$

$\therefore \displaystyle\sum_{k=1}^{10} (k - \alpha)(k - \beta)$

$= \displaystyle\sum_{k=1}^{10} \{k^2 - (\alpha + \beta)k + \alpha\beta\}$

$= \displaystyle\sum_{k=1}^{10} (k^2 - 2k - 5)$

$= \displaystyle\sum_{k=1}^{10} k^2 - 2\sum_{k=1}^{10} k - \sum_{k=1}^{10} 5$

$= \dfrac{10 \times 11 \times 21}{6} - 2 \times \dfrac{10 \times 11}{2} - 5 \times 10$

$= 385 - 110 - 50 = 225$

6 $\displaystyle\sum_{j=1}^{n} \left\{ \sum_{i=1}^{j} (i + j) \right\} = \sum_{j=1}^{n} \left(\sum_{i=1}^{j} i + \sum_{i=1}^{j} j \right) = \sum_{j=1}^{n} \left\{ \dfrac{j(j+1)}{2} + j^2 \right\}$

$\qquad\qquad = \displaystyle\sum_{j=1}^{n} \dfrac{3j^2 + j}{2} = \dfrac{3}{2}\sum_{j=1}^{n} j^2 + \dfrac{1}{2}\sum_{j=1}^{n} j$

$\qquad\qquad = \dfrac{3}{2} \times \dfrac{n(n+1)(2n+1)}{6} + \dfrac{1}{2} \times \dfrac{n(n+1)}{2}$

$\qquad\qquad = \dfrac{n(n+1)\{(2n+1) + 1\}}{4}$

$\qquad\qquad = \dfrac{n(n+1)^2}{2}$

7 수열 $\dfrac{1}{2^2 - 1}, \dfrac{1}{4^2 - 1}, \dfrac{1}{6^2 - 1}, \cdots$의 일반항을 a_n이라 하면

$a_n = \dfrac{1}{(2n)^2 - 1} = \dfrac{1}{(2n-1)(2n+1)}$

$\quad = \dfrac{1}{2}\left(\dfrac{1}{2n-1} - \dfrac{1}{2n+1} \right)$

주어진 식은 수열 $\{a_n\}$의 첫째항부터 제15항까지의 합이므로

$$\sum_{k=1}^{15} \frac{1}{2}\left(\frac{1}{2k-1} - \frac{1}{2k+1}\right)$$

$$= \frac{1}{2}\left\{\left(1 - \frac{1}{3}\right) + \left(\frac{1}{3} - \frac{1}{5}\right) + \left(\frac{1}{5} - \frac{1}{7}\right) + \cdots + \left(\frac{1}{29} - \frac{1}{31}\right)\right\}$$

$$= \frac{1}{2}\left(1 - \frac{1}{31}\right) = \frac{15}{31}$$

8 $a_n = \dfrac{1}{\sqrt{n+1}+\sqrt{n}} = \dfrac{\sqrt{n+1}-\sqrt{n}}{(\sqrt{n+1}+\sqrt{n})(\sqrt{n+1}-\sqrt{n})}$

$\qquad = \sqrt{n+1} - \sqrt{n}$

$\therefore \displaystyle\sum_{k=1}^{n} a_k = \sum_{k=1}^{n}(\sqrt{k+1} - \sqrt{k})$

$\qquad\qquad = (\sqrt{2} - \sqrt{1}) + (\sqrt{3} - \sqrt{2}) + (\sqrt{4} - \sqrt{3})$

$\qquad\qquad\qquad\qquad + \cdots + (\sqrt{n+1} - \sqrt{n})$

$\qquad\qquad = \sqrt{n+1} - 1$

이때, $\displaystyle\sum_{k=1}^{n} a_k = 19$이므로 $\sqrt{n+1} - 1 = 19$, $\sqrt{n+1} = 20$

$n+1 = 400 \qquad \therefore n = 399$

9 $a_n = \log_3\left(1 + \dfrac{1}{n}\right) = \log_3 \dfrac{n+1}{n}$

$\therefore \displaystyle\sum_{k=1}^{n} a_k = \sum_{k=1}^{n} \log_3 \frac{k+1}{k}$

$\qquad\qquad = \sum_{k=1}^{n}\{\log_3(k+1) - \log_3 k\}$

$\qquad\qquad = (\log_3 2 - \log_3 1) + (\log_3 3 - \log_3 2)$

$\qquad\qquad\qquad\qquad + \cdots + \{\log_3(n+1) - \log_3 n\}$

$\qquad\qquad = \log_3(n+1) - \log_3 1$

$\qquad\qquad = \log_3(n+1)$

이때, $\displaystyle\sum_{k=1}^{n} a_k = 4$이므로 $\log_3(n+1) = 4$

로그의 정의에 의하여 $n+1 = 3^4 = 81 \qquad \therefore n = 80$

참고

$\displaystyle\sum_{k=1}^{n} a_k = \sum_{k=1}^{n} \log_3 \frac{k+1}{k}$

$\qquad = \log_3 \dfrac{2}{1} + \log_3 \dfrac{3}{2} + \log_3 \dfrac{4}{3} + \cdots + \log_3 \dfrac{n+1}{n}$

$\qquad = \log_3\left(\dfrac{2}{1} \times \dfrac{3}{2} \times \dfrac{4}{3} \times \cdots \times \dfrac{n+1}{n}\right) = \log_3(n+1)$

10 $S_n = \displaystyle\sum_{k=1}^{n} a_k = \dfrac{n}{n+1}$이라 하면

$a_1 = S_1 = \dfrac{1}{1+1} = \dfrac{1}{2}$

$a_n = S_n - S_{n-1} = \dfrac{n}{n+1} - \dfrac{n-1}{n} = \dfrac{n^2 - (n+1)(n-1)}{n(n+1)}$

$\qquad = \dfrac{n^2 - (n^2-1)}{n(n+1)} = \dfrac{1}{n(n+1)} \ (n \geq 2) \qquad \cdots\cdots \text{㉠}$

이때, $a_1 = \dfrac{1}{2}$은 ㉠에 $n=1$을 대입한 것과 같으므로

$a_n = \dfrac{1}{n(n+1)}$

$\therefore \displaystyle\sum_{k=1}^{12} \frac{1}{a_k} = \sum_{k=1}^{12} k(k+1) = \sum_{k=1}^{12} k^2 + \sum_{k=1}^{12} k$

$\qquad\qquad = \dfrac{12 \times 13 \times 25}{6} + \dfrac{12 \times 13}{2}$

$\qquad\qquad = 650 + 78 = 728$

5일 시험지 속 개념 문제 49, 51쪽

1 15 **2** 94 **3** 13

4 (1) $a_n = -3n+12$ (2) $a_n = 4n-2$

5 (1) $a_n = 4 \times \left(-\dfrac{1}{5}\right)^{n-1}$ (2) $a_n = 3 \times 2^{n-1}$

6 (1) 13 (2) 42 **7** (1) 18 (2) 2

8 ㈎ $2(k+1)$ ㈏ $(k+1)(k+2)$

1 $a_1 = 1$, $a_{n+1} = 2a_n + 1$에서

$a_2 = 2a_1 + 1 = 2 \times 1 + 1 = 3$

$a_3 = 2a_2 + 1 = 2 \times 3 + 1 = 7$

$\therefore a_4 = 2a_3 + 1 = 2 \times 7 + 1 = 15$

2 $a_1 = 1$, $a_{n+1} = 2a_n + 3n$에서

$a_2 = 2a_1 + 3 \times 1 = 2 \times 1 + 3 = 5$

$a_3 = 2a_2 + 3 \times 2 = 2 \times 5 + 6 = 16$

$a_4 = 2a_3 + 3 \times 3 = 2 \times 16 + 9 = 41$

$\therefore a_5 = 2a_4 + 3 \times 4 = 2 \times 41 + 12 = 94$

3 $a_1 = 1$, $a_2 = 2$, $a_{n+2} = a_{n+1} + a_n$에서

$a_3 = a_2 + a_1 = 2 + 1 = 3$

$a_4 = a_3 + a_2 = 3 + 2 = 5$

$a_5 = a_4 + a_3 = 5 + 3 = 8$

$\therefore a_6 = a_5 + a_4 = 8 + 5 = 13$

4 (1) 주어진 수열은 첫째항이 9, 공차가 -3인 등차수열이므로

$\qquad a_n = 9 + (n-1) \times (-3) = -3n + 12$

(2) 주어진 수열은 첫째항이 2, 공차가 $a_2 - a_1 = 6 - 2 = 4$인 등차수열이므로

$\qquad a_n = 2 + (n-1) \times 4 = 4n - 2$

5 (1) 주어진 수열은 첫째항이 4, 공비가 $-\dfrac{1}{5}$인 등비수열이므로

$\qquad a_n = 4 \times \left(-\dfrac{1}{5}\right)^{n-1}$

(2) 주어진 수열은 첫째항이 3, 공비가 $\dfrac{a_2}{a_1} = \dfrac{6}{3} = 2$인 등비수열이므로

$\qquad a_n = 3 \times 2^{n-1}$

6 (1) $a_1=1$, $a_{n+1}=a_n+2n$이므로

$$a_2=a_1+2\times1$$
$$a_3=a_2+2\times2$$
$$+)\ a_4=a_3+2\times3$$
$$\overline{a_4=a_1+(2\times1+2\times2+2\times3)=1+(2+4+6)=13}$$

(2) $a_1=3$, $a_{n+1}=a_n+3^n$이므로

$$a_2=a_1+3^1$$
$$a_3=a_2+3^2$$
$$+)\ a_4=a_3+3^3$$
$$\overline{a_4=a_1+(3^1+3^2+3^3)=3+(3+9+27)=42}$$

7 (1) $a_1=2$, $a_{n+1}=\dfrac{2n+1}{2n-1}a_n$이므로

$$a_2=\frac{3}{1}a_1$$
$$a_3=\frac{5}{3}a_2$$
$$a_4=\frac{7}{5}a_3$$
$$\times)\ a_5=\frac{9}{7}a_4$$
$$\overline{a_5=a_1\times\left(\frac{3}{1}\times\frac{5}{3}\times\frac{7}{5}\times\frac{9}{7}\right)=a_1\times9=2\times9=18}$$

(2) $a_1=10$, $a_{n+1}=\dfrac{n}{n+1}a_n$이므로

$$a_2=\frac{1}{2}a_1$$
$$a_3=\frac{2}{3}a_2$$
$$a_4=\frac{3}{4}a_3$$
$$\times)\ a_5=\frac{4}{5}a_4$$
$$\overline{a_5=a_1\times\left(\frac{1}{2}\times\frac{2}{3}\times\frac{3}{4}\times\frac{4}{5}\right)=a_1\times\frac{1}{5}=10\times\frac{1}{5}=2}$$

8 (i) $n=1$일 때,

(좌변)$=2$, (우변)$=1\times2=2$

이므로 주어진 등식이 성립한다.

(ii) $n=k$일 때,

주어진 등식이 성립한다고 가정하면

$$2+4+6+\cdots+2k=k(k+1)$$

위 식의 양변에 $\boxed{2(k+1)}$ 을 더하면

$$2+4+6+\cdots+2k+\boxed{2(k+1)}$$
$$=k(k+1)+\boxed{2(k+1)}$$
$$=\boxed{(k+1)(k+2)}$$

따라서 $n=k+1$일 때도 주어진 등식이 성립한다.

(i), (ii)에 의하여 모든 자연수 n에 대하여 주어진 등식이 성립한다.

1 50   **2** 5115   **3** 1026   **4** 240

5 -20 **6** 512

7 (가) $(k+1)^2$ (나) $\dfrac{1}{6}(k+1)(k+2)(2k+3)$

1 $a_{n+1}-a_n=-3$이므로 수열 $\{a_n\}$은 공차가 -3인 등차수열이다.

이때, 첫째항이 $a_1=200$이므로

$$a_n=200+(n-1)\times(-3)=-3n+203$$

$a_k=53$에서 $-3k+203=53$

$3k=150$ $\therefore\ k=50$

2 $a_{n+1}{}^2=a_na_{n+2}$이므로 수열 $\{a_n\}$은 등비수열이고 $a_1=5$,

$\dfrac{a_2}{a_1}=\dfrac{10}{5}=2$이므로 첫째항은 5, 공비는 2이다.

따라서 $a_n=5\times2^{n-1}$이므로

$$\sum_{k=1}^{10}a_k=\sum_{k=1}^{10}5\times2^{k-1}=\frac{5(2^{10}-1)}{2-1}=5115$$

3 $a_1=4$, $a_{n+1}=a_n+2^n$이므로

$$a_2=a_1+2^1$$
$$a_3=a_2+2^2$$
$$a_4=a_3+2^3$$
$$\vdots$$
$$+)\ a_n=a_{n-1}+2^{n-1}$$
$$\overline{a_n=a_1+\sum_{k=1}^{n-1}2^k=4+\frac{2(2^{n-1}-1)}{2-1}=2^n+2}$$

$\therefore\ a_{10}=2^{10}+2=1026$

4 $a_1=2$, $a_{n+1}=\left(1+\dfrac{2}{n}\right)a_n$, 즉 $a_{n+1}=\dfrac{n+2}{n}a_n$이므로

$$a_2=\frac{3}{1}a_1$$
$$a_3=\frac{4}{2}a_2$$
$$a_4=\frac{5}{3}a_3$$
$$\vdots$$
$$\times)\ a_n=\frac{n+1}{n-1}a_{n-1}$$
$$\overline{a_n=\frac{3}{1}\times\frac{4}{2}\times\frac{5}{3}\times\cdots\times\frac{n}{n-2}\times\frac{n+1}{n-1}\times a_1}$$
$$=\frac{n(n+1)}{1\times2}\times2=n^2+n$$

$$\therefore \sum_{k=1}^{8} a_k = \sum_{k=1}^{8}(k^2+k) = \frac{8\times9\times17}{6}+\frac{8\times9}{2}$$
$$=204+36=240$$

5 $a_1+a_2=-1$에서 $a_2=-2$

$a_2+a_3=1$에서 $a_3=3$

$a_3+a_4=-1$에서 $a_4=-4$

$\vdots$

따라서 $a_n=(-1)^{n-1}\times n$이므로

$a_{20}=-20$

> **다른 풀이**

$a_n+a_{n+1}=(-1)^n$에 $n=1, 3, 5, \cdots, 19$를 차례로 대입하여 변끼리 더하면

$$a_1+a_2=-1$$
$$a_3+a_4=-1$$
$$a_5+a_6=-1$$
$$\vdots$$
$$+)\ a_{19}+a_{20}=-1$$
$$\overline{a_1+a_2+a_3+\cdots+a_{20}=-10} \qquad \cdots\cdots \text{㉠}$$

$a_n+a_{n+1}=(-1)^n$에 $n=2, 4, 6, \cdots, 18$을 차례로 대입하여 변끼리 더하면

$$a_2+a_3=1$$
$$a_4+a_5=1$$
$$a_6+a_7=1$$
$$\vdots$$
$$+)\ a_{18}+a_{19}=1$$
$$\overline{a_2+a_3+a_4+\cdots+a_{19}=9} \qquad \cdots\cdots \text{㉡}$$

㉠$-$㉡을 하면 $a_1+a_{20}=-19$

$\therefore a_{20}=-19-1=-20$

6 $a_1+a_2+a_3+\cdots+a_n=S_n$이라 하면

$S_1=a_1=4$, $S_n=a_{n+1}$ $(n=1, 2, 3, \cdots)$

이때, $a_{n+1}=S_{n+1}-S_n$ $(n=1, 2, 3, \cdots)$이므로

$S_{n+1}-S_n=S_n$

$\therefore S_{n+1}=2S_n$ $(n=1, 2, 3, \cdots)$

수열 $\{S_n\}$은 첫째항이 $S_1=4$이고 공비가 2인 등비수열이므로

$S_n=4\times2^{n-1}=2^{n+1}$

이때, $a_{n+1}=S_n=2^{n+1}$이므로

$a_9=S_8=2^9=512$

7 (i) $n=1$일 때,

(좌변)$=1^2=1$, (우변)$=\dfrac{1}{6}\times1\times2\times3=1$

이므로 주어진 등식이 성립한다.

(ii) $n=k$일 때,

주어진 등식이 성립한다고 가정하면

$$1^2+2^2+3^2+\cdots+k^2=\frac{1}{6}k(k+1)(2k+1)$$

위 식의 양변에 $\boxed{(k+1)^2}$을 더하면

$$1^2+2^2+3^2+\cdots+k^2+\boxed{(k+1)^2}$$
$$=\frac{1}{6}k(k+1)(2k+1)+\boxed{(k+1)^2}$$
$$=\frac{1}{6}(k+1)\{k(2k+1)+6(k+1)\}$$
$$=\frac{1}{6}(k+1)(2k^2+7k+6)$$
$$=\boxed{\frac{1}{6}(k+1)(k+2)(2k+3)}$$
$$\longrightarrow \frac{1}{6}(k+1)\{(k+1)+1\}\{2(k+1)+1\}$$

따라서 $n=k+1$일 때도 주어진 등식이 성립한다.

(i), (ii)에 의하여 모든 자연수 n에 대하여 주어진 등식이 성립한다.

5일 교과서 기출 베스트 2회 54~55쪽

1 39	**2** 11	**3** 제6항	**4** $\dfrac{1}{4}(9^{10}-1)$
5 85	**6** 12	**7** 1	**8** 41

9 (가) 4　(나) 16　(다) 2^{k+1}

1 $a_{n+2}-a_{n+1}=a_{n+1}-a_n$이므로 수열 $\{a_n\}$은 등차수열이고

$a_1=2$, $a_2-a_1=7-2=5$이므로 첫째항은 2, 공차는 5이다.

따라서 $a_n=2+(n-1)\times5=5n-3$이므로

$a_k=192$에서 $5k-3=192$

$\therefore k=39$

2 $a_{n+1}-4=a_n$에서 $a_{n+1}-a_n=4$이므로 수열 $\{a_n\}$은 공차가 4인 등차수열이다.

이때, 첫째항 $a_1=-42$이므로

$a_n=-42+(n-1)\times4=4n-46$

$4n-46>0$에서 $n>11.5$

즉, 제12항부터 양수이므로 첫째항부터 제11항까지의 합이 최소가 된다.

따라서 구하는 자연수 n의 값은 11이다.

3 $a_{n+1}=3a_n$에서 수열 $\{a_n\}$은 공비가 3인 등비수열이다.
이때, 첫째항이 $a_1=9$이므로
$a_n=9\times3^{n-1}=3^{n+1}$
따라서 $a_5=3^6=729$, $a_6=3^7=2187$이므로 처음으로 2000
이상이 되는 항은 제6항이다.

4 $2\log a_{n+1}=\log a_n+\log a_{n+2}$에서
$\log a_{n+1}{}^2=\log a_n a_{n+2}$
$\therefore a_{n+1}{}^2=a_n a_{n+2}$
즉, 수열 $\{a_n\}$은 등비수열이고 $a_1=2$, $\dfrac{a_2}{a_1}=\dfrac{6}{2}=3$이므로
첫째항이 2, 공비가 3이다.
$\therefore a_n=2\times3^{n-1}$
따라서 $a_{2k-1}=2\times3^{(2k-1)-1}=2\times9^{k-1}$이므로
$\displaystyle\sum_{k=1}^{10}a_{2k-1}=\sum_{k=1}^{10}2\times9^{k-1}=\dfrac{2(9^{10}-1)}{9-1}=\dfrac{1}{4}(9^{10}-1)$

5 $a_{n+1}=a_n+4n$이므로
$a_2=a_1+4\times1$
$a_3=a_2+4\times2$
$a_4=a_3+4\times3$
$\vdots$
$+)\ a_n=a_{n-1}+4\times(n-1)$
$a_n=a_1+\displaystyle\sum_{k=1}^{n-1}4k=a_1+4\times\dfrac{(n-1)n}{2}$
$=2n^2-2n+a_1$
$a_{10}=181$에서 $200-20+a_1=181$
$\therefore a_1=1$
$\therefore a_n=2n^2-2n+1$
$\therefore a_7=2\times7^2-2\times7+1=98-14+1=85$

6 $a_{n+1}=2^n a_n$이므로
$a_2=2^1 a_1$
$a_3=2^2 a_2$
$a_4=2^3 a_3$
$\vdots$
$\times)\ a_n=2^{n-1}a_{n-1}$
$a_n=2^1\times2^2\times2^3\times\cdots\times2^{n-1}\times a_1$
$=2^{1+2+3+\cdots+(n-1)}\times1=2^{\frac{(n-1)n}{2}}$
$a_k=2^{66}$에서 $2^{\frac{(k-1)k}{2}}=2^{66}$

$\dfrac{(k-1)k}{2}=66$, $k^2-k-132=0$
$(k+11)(k-12)=0$ $\therefore k=12$ ($\because k$는 자연수)

7 $a_1=1$, $a_2=2$이므로 $a_{n+2}=a_{n+1}-a_n$에서
$a_3=a_2-a_1=2-1=1$
$a_4=a_3-a_2=1-2=-1$
$a_5=a_4-a_3=-1-1=-2$
$a_6=a_5-a_4=-2-(-1)=-1$
$a_7=a_6-a_5=-1-(-2)=1$ ⎤ 연속한 두 값이 a_1, a_2와 같은 값이
$a_8=a_7-a_6=1-(-1)=2$ ⎦ 나올 때까지 구한다.
$\vdots$
따라서 수열 $\{a_n\}$은 1, 2, 1, −1, −2, −1이 이 순서대로 반복되고, $2021=6\times336+5$이므로
$\displaystyle\sum_{k=1}^{2021}a_k=336\{1+2+1+(-1)+(-2)+(-1)\}$
$\qquad\qquad\qquad+1+2+1+(-1)+(-2)$
$\qquad=1$

8 $S_{n+2}-S_n=a_{n+2}+a_{n+1}$이므로
$(S_{n+2}-S_n)^2=4a_{n+1}a_{n+2}+16$에서
$(a_{n+2}+a_{n+1})^2=4a_{n+1}a_{n+2}+16$
$a_{n+2}{}^2+2a_{n+2}a_{n+1}+a_{n+1}{}^2=4a_{n+2}a_{n+1}+16$
$a_{n+2}{}^2-2a_{n+2}a_{n+1}+a_{n+1}{}^2=16$
$(a_{n+2}-a_{n+1})^2=16$
$\therefore a_{n+2}-a_{n+1}=4$ ($\because a_{n+2}-a_{n+1}>0$)
따라서 수열 $\{a_n\}$은 첫째항이 1이고 공차가 4인 등차수열이므로
$a_n=1+(n-1)\times4=4n-3$
$\therefore a_{11}=4\times11-3=41$

9 (i) $n=\boxed{4}$일 때,
(좌변)$=1\times2\times3\times4=24$,
(우변)$=2^4=\boxed{16}$
이므로 주어진 부등식이 성립한다.
(ii) $n=k\,(k\geq4)$일 때,
주어진 부등식이 성립한다고 가정하면
$1\times2\times3\times\cdots\times k>2^k$ ……㉠
이때, $k+1>2$이므로 ㉠의 좌변에 $(k+1)$을 곱하고 ㉠의 우변에 2를 곱해도 부등식이 성립한다.
$1\times2\times3\times\cdots\times k\times(k+1)>2^k\times2=\boxed{2^{k+1}}$
따라서 $n=k+1$일 때도 주어진 부등식이 성립한다.
(i), (ii)에 의하여 $n\geq4$인 모든 자연수 n에 대하여 주어진 부등식이 성립한다.

1 6	**2** $\sqrt{39}$	**3** $16\sqrt{3}$	**4** $4\sqrt{3}$
5 56	**6** 11	**7** 256	**8** 56
9 -1023	**10** 70		

1 $\triangle ABC$의 외접원의 반지름의 길이를 R라 하면

사인법칙에 의하여 $\dfrac{6}{\sin 30°}=2R$이므로

$2R\sin 30°=6$, $2R\times\dfrac{1}{2}=6$

$\therefore R=6$

2 코사인법칙에 의하여

$a^2=b^2+c^2-2bc\cos A$

$\quad=5^2+7^2-2\times 5\times 7\times\cos 60°$

$\quad=25+49-70\times\dfrac{1}{2}$

$\quad=39$

$\therefore a=\sqrt{39}\ (\because a>0)$

3 $\triangle ABC$의 외접원의 반지름의 길이를 R라 하면

사인법칙에 의하여 $a=2R\sin A$, $b=2R\sin B$이므로

$a=16\sin 120°=16\times\dfrac{\sqrt{3}}{2}=8\sqrt{3}$

$b=16\sin 30°=16\times\dfrac{1}{2}=8$

또, $A+B+C=180°$이므로

$C=180°-(120°+30°)=30°$

$\therefore \triangle ABC=\dfrac{1}{2}ab\sin C$

$\qquad\qquad=\dfrac{1}{2}\times 8\sqrt{3}\times 8\times\sin 30°$

$\qquad\qquad=32\sqrt{3}\times\dfrac{1}{2}=16\sqrt{3}$

4 평행사변형 ABCD에서

$\overline{AB}=a$, $\overline{BC}=b$로 놓으면

$\triangle ABC$에서 코사인법칙에 의하여

$(2\sqrt{3})^2=a^2+b^2-2ab\cos 60°$

$12=a^2+b^2-ab$, $12=(a+b)^2-3ab$

이때, $\overline{AB}+\overline{BC}=6$, 즉 $a+b=6$이므로

$12=6^2-3ab$ $\quad\therefore ab=8$

$\therefore \square ABCD=ab\sin 60°$

$\qquad\qquad=8\times\dfrac{\sqrt{3}}{2}=4\sqrt{3}$

5 첫째항이 2, 공차가 6이므로

$a_n=2+(n-1)\times 6=6n-4$

$\therefore a_{10}=6\times 10-4=56$

6 등차수열 $\{a_n\}$의 첫째항부터 제n항까지의 합을 S_n이라 하면

첫째항이 20, 공차가 -4이므로

$S_n=\dfrac{n\{2\times 20+(n-1)\times(-4)\}}{2}=0$에서

$-4n^2+44n=0$, $n^2-11n=0$, $n(n-11)=0$

$\therefore n=11\ (\because n>0)$

7 등비수열 $\{a_n\}$의 첫째항을 a, 공비를 r라 하면

$a_4=ar^3=-2$ ⋯⋯ ㉠

$a_7=ar^6=16$ ⋯⋯ ㉡

㉡÷㉠을 하면 $r^3=-8$이므로 $r=-2$

$r=-2$를 ㉠에 대입하면

$-8a=-2$ $\quad\therefore a=\dfrac{1}{4}$

$\therefore a_{11}=ar^{10}=\dfrac{1}{4}\times(-2)^{10}=2^8=256$

8 4는 두 수 a와 b의 등차중항이므로

$4=\dfrac{a+b}{2}$ $\quad\therefore a+b=8$

2는 두 수 a와 b의 등비중항이므로 $4=ab$

$\therefore a^2+b^2=(a+b)^2-2ab$

$\qquad\qquad=8^2-2\times 4=56$

9 등비수열 $\{a_n\}$의 첫째항을 a, 공비를 r라 하면

첫째항이 3, 제4항이 -24이므로

$a_4=ar^3=3r^3=-24$, $r^3=-8$

$\therefore r=-2$

따라서 등비수열 $\{a_n\}$의 첫째항부터 제10항까지의 합은

$\dfrac{3\{1-(-2)^{10}\}}{1-(-2)}=1-2^{10}=-1023$

10 $a_1=S_1=3\times 1^2+1=4$

$a_n=S_n-S_{n-1}$

$\quad=3n^2+n-\{3(n-1)^2+(n-1)\}$

$\quad=6n-2\ (n\ge 2)$ ⋯⋯ ㉠

이때, $a_1=4$는 ㉠에 $n=1$을 대입한 것과 같으므로

$a_n=6n-2$

$\therefore a_{12}=6\times 12-2=70$

1 지아	**2** 22	**3** 76	**4** 220
5 $\dfrac{25}{51}$	**6** 9	**7** -41	**8** $2^{20}-1$
9 3	**10** (가) $\dfrac{1}{2}$	(나) $\dfrac{1}{(k+1)(k+2)}$	(다) $\dfrac{k+1}{k+2}$

1 나래: $\underbrace{5+5+5+5+5+5}_{6개}=\displaystyle\sum_{k=1}^{6}5$

수현: $1+3+3^2+\cdots+3^n=\displaystyle\sum_{k=1}^{n+1}3^{k-1}$ ← $1\times3^{(n+1)-1}$

지아: 수열 1, 3, 5, …는 첫째항이 1, 공차가 2인 등차수열이
므로 일반항을 a_n이라 하면

$a_n=1+(n-1)\times2=2n-1$

$\therefore 1+3+5+\cdots+(2n+1)=\displaystyle\sum_{k=1}^{n+1}(2k-1)$ ← $2(n+1)-1$

준수: 수열 5, 9, 13, …은 첫째항이 5, 공차가 4인 등차수열
이므로 일반항을 a_n이라 하면

$a_n=5+(n-1)\times4=4n+1$

또한 $4n+1=81$에서 $n=20$이므로

$5+9+13+\cdots+81=\displaystyle\sum_{k=1}^{20}(4k+1)$

따라서 잘못 나타낸 학생은 지아이다.

2 $\displaystyle\sum_{k=1}^{8}(a_k+1)^2=\sum_{k=1}^{8}(a_k^2+2a_k+1)=\sum_{k=1}^{8}a_k^2+2\sum_{k=1}^{8}a_k+\sum_{k=1}^{8}1$
$=10+2\times2+1\times8=22$

3 $\displaystyle\sum_{k=1}^{6}\frac{k^3}{k+1}+\sum_{k=1}^{6}\frac{1}{k+1}=\sum_{k=1}^{6}\frac{k^3+1}{k+1}=\sum_{k=1}^{6}\frac{(k+1)(k^2-k+1)}{k+1}$
$=\displaystyle\sum_{k=1}^{6}(k^2-k+1)=\sum_{k=1}^{6}k^2-\sum_{k=1}^{6}k+\sum_{k=1}^{6}1$
$=\dfrac{6\times7\times13}{6}-\dfrac{6\times7}{2}+1\times6$
$=91-21+6=76$

4 수열 1, 1+2, 1+2+3, …의 일반항을 a_n이라 하면

$a_n=1+2+3+\cdots+n=\dfrac{n(n+1)}{2}$

주어진 식은 수열 $\{a_n\}$의 첫째항부터 제10항까지의 합이므로

$\displaystyle\sum_{k=1}^{10}\frac{k(k+1)}{2}=\frac{1}{2}\sum_{k=1}^{10}(k^2+k)=\frac{1}{2}\Big(\sum_{k=1}^{10}k^2+\sum_{k=1}^{10}k\Big)$
$=\dfrac{1}{2}\Big(\dfrac{10\times11\times21}{6}+\dfrac{10\times11}{2}\Big)$
$=\dfrac{1}{2}(385+55)=220$

5 $\displaystyle\sum_{k=1}^{100}\frac{1}{k^2+3k+2}=\sum_{k=1}^{100}\frac{1}{(k+1)(k+2)}=\sum_{k=1}^{100}\Big(\frac{1}{k+1}-\frac{1}{k+2}\Big)$
$=\Big(\dfrac{1}{2}-\dfrac{1}{3}\Big)+\Big(\dfrac{1}{3}-\dfrac{1}{4}\Big)+\Big(\dfrac{1}{4}-\dfrac{1}{5}\Big)$
$\qquad+\cdots+\Big(\dfrac{1}{101}-\dfrac{1}{102}\Big)$
$=\dfrac{1}{2}-\dfrac{1}{102}=\dfrac{25}{51}$

6 수열 $\dfrac{1}{\sqrt2+\sqrt1}$, $\dfrac{1}{\sqrt3+\sqrt2}$, $\dfrac{1}{\sqrt4+\sqrt3}$, …의 일반항을 a_n이라
하면

$a_n=\dfrac{1}{\sqrt{n+1}+\sqrt{n}}=\dfrac{\sqrt{n+1}-\sqrt{n}}{(\sqrt{n+1}+\sqrt{n})(\sqrt{n+1}-\sqrt{n})}$
$=\sqrt{n+1}-\sqrt{n}$

주어진 식은 수열 $\{a_n\}$의 첫째항부터 제99항까지의 합이므로

$\displaystyle\sum_{k=1}^{99}(\sqrt{k+1}-\sqrt{k})$
$=(\sqrt2-\sqrt1)+(\sqrt3-\sqrt2)+(\sqrt4-\sqrt3)+\cdots+(\sqrt{100}-\sqrt{99})$
$=\sqrt{100}-\sqrt1=9$

7 $a_1=4$, $a_{n+1}-a_n=-5$에서
수열 $\{a_n\}$은 첫째항이 4, 공차가 -5인 등차수열이므로

$a_n=4+(n-1)\times(-5)=-5n+9$
$\therefore a_{10}=-5\times10+9=-41$

8 $a_1=3$, $a_{n+1}=4a_n$에서
수열 $\{a_n\}$은 첫째항이 3, 공비가 4인 등비수열이므로

$\displaystyle\sum_{k=1}^{10}a_k=\sum_{k=1}^{10}3\times4^{k-1}=\frac{3(4^{10}-1)}{4-1}=4^{10}-1=2^{20}-1$

9 $a_{n+1}=a_n+5n$에 n 대신 1, 2, 3, …, 7을 차례로 대입하여 변
끼리 더하면

$a_8=a_1+(5+10+15+\cdots+35)$
$=a_1+5(1+2+3+\cdots+7)$
$=a_1+5\times\dfrac{7\times8}{2}=a_1+140$

$a_8=143$이므로 $a_1+140=143$ $\therefore a_1=3$

10 (i) $n=1$일 때,

(좌변)$=\dfrac{1}{1\times2}=\boxed{\dfrac{1}{2}}$, (우변)$=\dfrac{1}{1+1}=\boxed{\dfrac{1}{2}}$
이므로 주어진 등식이 성립한다.

(ii) $n=k$일 때,
주어진 등식이 성립한다고 가정하면

$\dfrac{1}{1\times2}+\dfrac{1}{2\times3}+\dfrac{1}{3\times4}+\cdots+\dfrac{1}{k(k+1)}=\dfrac{k}{k+1}$

이 식의 양변에 $\boxed{\dfrac{1}{(k+1)(k+2)}}$ 을 더하면

$$\frac{1}{1\times 2}+\frac{1}{2\times 3}+\frac{1}{3\times 4}$$
$$+\cdots+\frac{1}{k(k+1)}+\boxed{\frac{1}{(k+1)(k+2)}}$$
$$=\frac{k}{k+1}+\boxed{\frac{1}{(k+1)(k+2)}}$$
$$=\frac{k(k+2)+1}{(k+1)(k+2)}=\frac{(k+1)^2}{(k+1)(k+2)}$$
$$=\boxed{\frac{k+1}{k+2}}$$

따라서 $n=k+1$일 때도 주어진 등식이 성립한다.

(i), (ii)에 의하여 모든 자연수 n에 대하여 주어진 등식이 성립한다.

6일 서술형·사고력 테스트 60~61쪽

1 $\sqrt{10}$	**2** $\sqrt{3}$	**3** 제20항	**4** 124
5 160	**6** 31	**7** 풀이 참조	

1 △ABC는 직각이등변삼각형이므로 $C=45°$ ······ [2점]

$\overline{BM}=4\times\dfrac{1}{2}=2$이므로

△ABM에서 피타고라스 정리에 의하여

$\overline{AM}^2=4^2+2^2=20$

$\therefore \overline{AM}=2\sqrt{5}$ ($\because \overline{AM}>0$) ······ [2점]

△ACM의 외접원의 반지름의 길이를 R라 하면

사인법칙에 의하여

$\dfrac{2\sqrt{5}}{\sin 45°}=2R$

$\therefore R=\dfrac{\sqrt{5}}{\sin 45°}=\sqrt{10}$ ······ [4점]

2 △ABD에서 코사인법칙에 의하여

$\overline{BD}^2=1^2+2^2-2\times 1\times 2\times\cos 60°=3$

$\therefore \overline{BD}=\sqrt{3}$ ($\because \overline{BD}>0$) ······ [2점]

$△ABD=\dfrac{1}{2}\times\overline{AD}\times\overline{AB}\times\sin 60°$

$\qquad=\dfrac{1}{2}\times 1\times 2\times\dfrac{\sqrt{3}}{2}=\dfrac{\sqrt{3}}{2}$ ······ [2점]

$△BCD=\dfrac{1}{2}\times\overline{BC}\times\overline{BD}\times\sin 45°$

$\qquad=\dfrac{1}{2}\times\sqrt{2}\times\sqrt{3}\times\dfrac{\sqrt{2}}{2}=\dfrac{\sqrt{3}}{2}$ ······ [2점]

$\therefore \square ABCD=△ABD+△BCD=\sqrt{3}$ ······ [2점]

3 등차수열 $\{a_n\}$의 첫째항을 a, 공차를 d라 하면

$a_1+a_2+a_3=-12$에서

$a+(a+d)+(a+2d)=-12$

$\therefore a+d=-4$ ······ ㉠

또, $a_4+a_5+a_6=42$에서

$(a+3d)+(a+4d)+(a+5d)=42$

$\therefore a+4d=14$ ······ ㉡

㉠, ㉡을 연립하여 풀면 $a=-10$, $d=6$ ······ [4점]

$\therefore a_n=-10+(n-1)\times 6=6n-16$ ······ [2점]

$6n-16>100$에서 $6n>116$

$\therefore n>\dfrac{116}{6}=19.3\times\times\times$

따라서 처음으로 100보다 커지는 항은 제20항이다. ······ [2점]

4 등비수열 $\{a_n\}$의 첫째항을 a, 공비를 r라 하면

$S_3=\dfrac{a(r^3-1)}{r-1}=4$ ······ ㉠

$S_6=\dfrac{a(r^6-1)}{r-1}=\dfrac{a(r^3-1)}{r-1}\times(r^3+1)=24$ ······ ㉡

㉠, ㉡에서

$4(r^3+1)=24$ $\therefore r^3=5$ ······ [4점]

$\therefore S_9=\dfrac{a(r^9-1)}{r-1}=\dfrac{a(r^3-1)}{r-1}\times(r^6+r^3+1)$

$\qquad=S_3(r^6+r^3+1)=4(5^2+5+1)=124$ ······ [3점]

5 $\displaystyle\sum_{k=1}^{n}a_k=n^2-n$, $\displaystyle\sum_{k=1}^{n}b_k=2n^2+5n$에 각각 $n=20$을 대입하면

$\displaystyle\sum_{k=1}^{20}a_k=20^2-20=380$ ······ [2점]

$\displaystyle\sum_{k=1}^{20}b_k=2\times 20^2+5\times 20=900$ ······ [2점]

$\therefore \displaystyle\sum_{k=1}^{20}(5a_k-2b_k+3)=5\sum_{k=1}^{20}a_k-2\sum_{k=1}^{20}b_k+\sum_{k=1}^{20}3$

$\qquad=5\times 380-2\times 900+3\times 20$

$\qquad=1900-1800+60$

$\qquad=160$ ······ [2점]

6 수열 $\dfrac{1}{1\times 5}$, $\dfrac{1}{5\times 9}$, $\dfrac{1}{9\times 13}$, $\cdots$의 일반항을 a_n이라 하면

$a_n=\dfrac{1}{(4n-3)(4n+1)}=\dfrac{1}{4}\left(\dfrac{1}{4n-3}-\dfrac{1}{4n+1}\right)$ ······ [3점]

주어진 식은 수열 $\{a_n\}$의 첫째항부터 제10항까지의 합이므로

$\displaystyle\sum_{k=1}^{10}\dfrac{1}{4}\left(\dfrac{1}{4k-3}-\dfrac{1}{4k+1}\right)$

$=\dfrac{1}{4}\left\{\left(1-\dfrac{1}{5}\right)+\left(\dfrac{1}{5}-\dfrac{1}{9}\right)+\left(\dfrac{1}{9}-\dfrac{1}{13}\right)+\cdots+\left(\dfrac{1}{37}-\dfrac{1}{41}\right)\right\}$

$=\dfrac{1}{4}\left(1-\dfrac{1}{41}\right)=\dfrac{10}{41}$ ······ [3점]

따라서 $p=41$, $q=10$이므로

$p-q=31$　　　　　　　　　　　　　　　…… [2점]

7 이 식의 양변에 $(k+1)(k+2)$를 더하면

$1 \times 2 + 2 \times 3 + 3 \times 4 + \cdots + k(k+1) + (k+1)(k+2)$

$\qquad = \dfrac{k(k+1)(k+2)}{3} + (k+1)(k+2)$

$\qquad = \dfrac{(k+1)(k+2)(k+3)}{3}$

따라서 $n=k+1$일 때도 주어진 등식이 성립한다.

6일 참의·융합·코딩　　　　　　62~63쪽

1 125　　　　　　　　　**2** $\dfrac{64}{243}$ m

3 (1) 2080　(2) 127

　(3) 주어진 수열이 어떤 수열인지 알 수 있을 만큼의 충분한 항
　　이 주어지지 않았기 때문이다.

4 455　　　　　　　　　**5** 열쇠3

6 (1) 1　(2) $a_{n+1}=a_n+2$　(3) 199

---

1 $\triangle ABC$에서 사인법칙에 의하여

$\dfrac{5}{\sin 45°} = \dfrac{\overline{BC}}{\sin 30°}$

$\therefore \overline{BC} = \dfrac{5\sin 30°}{\sin 45°} = \dfrac{5 \times \dfrac{1}{2}}{\dfrac{\sqrt{2}}{2}} = \dfrac{5\sqrt{2}}{2}$ (cm)

축척이 1 : 5000이므로 실제 거리는

$\dfrac{5\sqrt{2}}{2} \times 5000 = 12500\sqrt{2}$ (cm) $= 125\sqrt{2}$ (m)

$\therefore a = 125$

2 첫 번째 튀어 오른 높이는 2 m의 높이의 $\dfrac{2}{3}$이므로

$2 \times \dfrac{2}{3}$ (m)

두 번째 튀어 오른 높이는 $2 \times \left(\dfrac{2}{3}\right)^2$ (m)

$\vdots$

5번째 튀어 오른 높이는 $2 \times \left(\dfrac{2}{3}\right)^5$ (m)

따라서 구하는 높이는

$2 \times \left(\dfrac{2}{3}\right)^5 = \dfrac{2^6}{3^5} = \dfrac{64}{243}$ (m)

---

3 (1) 등찬이는 첫째항이 1, 공차가 1인 등차수열로 생각하였으
　므로

　$1 + 2 + \cdots + 64 = \dfrac{64(1+64)}{2} = 2080$

(2) 등빈이는 첫째항이 1, 공비가 2인 등비수열로 생각하였으
　므로

　$1 + 2 + \cdots + 64 = \dfrac{1 \times (2^7 - 1)}{2 - 1} = 128 - 1 = 127$

(3) 첫째항이 1, 제2항이 2인 것만으로는 이 수열이 어떤 수열
　인지 알 수 없다.

　따라서 두 사람이 각각 다르게 생각한 이유는 주어진 수열
　이 어떤 수열인지 알 수 있을 만큼의 충분한 항이 주어지지
　않았기 때문이다.

---

4 위에서부터 1층, 2층, 3층, $\cdots$, n층이라 하면 각 층에 놓인 상
자의 개수는 1, 3^2, 5^2, $\cdots$, $(2n-1)^2$이다.

$\therefore \displaystyle\sum_{k=1}^{7} (2k-1)^2 = \sum_{k=1}^{7} (4k^2 - 4k + 1)$

$\qquad = 4\displaystyle\sum_{k=1}^{7} k^2 - 4\sum_{k=1}^{7} k + \sum_{k=1}^{7} 1$

$\qquad = 4 \times \dfrac{7 \times 8 \times 15}{6} - 4 \times \dfrac{7 \times 8}{2} + 1 \times 7$

$\qquad = 560 - 112 + 7 = 455$

---

5 열쇠1: $\displaystyle\sum_{k=1}^{5} \dfrac{1}{k(k+1)} = \sum_{k=1}^{5} \left(\dfrac{1}{k} - \dfrac{1}{k+1}\right)$

$\qquad = \left(1 - \dfrac{1}{2}\right) + \left(\dfrac{1}{2} - \dfrac{1}{3}\right) + \left(\dfrac{1}{3} - \dfrac{1}{4}\right)$

$\qquad\qquad + \left(\dfrac{1}{4} - \dfrac{1}{5}\right) + \left(\dfrac{1}{5} - \dfrac{1}{6}\right)$

$\qquad = 1 - \dfrac{1}{6} = \dfrac{5}{6}$

열쇠2: $\displaystyle\sum_{k=1}^{7} (\sqrt{k+2} - \sqrt{k+1})$

$\qquad = (\sqrt{3} - \sqrt{2}) + (\sqrt{4} - \sqrt{3}) + (\sqrt{5} - \sqrt{4})$

$\qquad\qquad + \cdots + (\sqrt{9} - \sqrt{8})$

$\qquad = \sqrt{9} - \sqrt{2} = 3 - \sqrt{2}$

열쇠3: $\displaystyle\sum_{k=1}^{8} \dfrac{1}{\sqrt{k+1} + \sqrt{k}} = \sum_{k=1}^{8} \dfrac{\sqrt{k+1} - \sqrt{k}}{(\sqrt{k+1} + \sqrt{k})(\sqrt{k+1} - \sqrt{k})}$

$\qquad = \displaystyle\sum_{k=1}^{8} (\sqrt{k+1} - \sqrt{k})$

$\qquad = (\sqrt{2} - \sqrt{1}) + (\sqrt{3} - \sqrt{2}) + (\sqrt{4} - \sqrt{3})$

$\qquad\qquad + \cdots + (\sqrt{9} - \sqrt{8})$

$\qquad = \sqrt{9} - \sqrt{1} = 2$

따라서 열쇠에 적혀 있는 식의 값들 중에서 가장 큰 것의 열쇠
는 열쇠3이므로 보물 상자를 열 수 있는 열쇠는 열쇠3이다.

6 (1) 먼저 1번 풍선을 터뜨려야 하므로
$$a_1=1$$
(2) $(n+1)$번째에 터뜨려야 하는 풍선에 적혀 있는 수는 n번째에 터뜨려야 하는 풍선에 적혀 있는 수보다 2만큼 크다.
$$\therefore a_{n+1}=a_n+2$$
(3) 수열 $\{a_n\}$은 첫째항이 1이고 공차가 2인 등차수열이 되므로
$$a_n=1+(n-1)\times2=2n-1$$
$$\therefore a_{100}=2\times100-1=199$$

7일 기말고사 기본 테스트 1회   64~67쪽

1 ⑤	**2** ③	**3** ③	**4** ③
5 ④	**6** ⑤	**7** ②	**8** 11
9 ③	**10** ②	**11** ①	**12** ④
13 -6	**14** ⑤	**15** ②	**16** ③
17 $\dfrac{10}{21}$	**18** ①	**19** ③	**20** ④

1 삼각형의 최대각의 대변이 가장 긴 변이므로 가장 긴 변은 a이다.
△ABC의 외접원의 반지름의 길이를 R라 하면
사인법칙에 의하여
$$a=2R\sin A$$
$$=2\times8\times\sin120°$$
$$=16\times\frac{\sqrt{3}}{2}=8\sqrt{3}$$

2 □ABCD가 원에 내접하므로
$$B+D=180°\qquad\therefore B=150°$$
$\overline{AB}:\overline{BC}=1:\sqrt{3}$이므로 $\overline{AB}=a$라 하면
$$\overline{BC}=\sqrt{3}a$$
△ABC에서 코사인법칙에 의하여
$$(\sqrt{21})^2=a^2+(\sqrt{3}a)^2-2\times a\times\sqrt{3}a\times\cos150°$$
$$21=a^2+3a^2-2\sqrt{3}a^2\times\left(-\frac{\sqrt{3}}{2}\right),\ 7a^2=21$$
$$\therefore a=\sqrt{3}\ (\because a>0)$$

3 $\dfrac{c-b}{a-b}=\dfrac{a+b}{c}$에서
$$(a+b)(a-b)=c(c-b),\ a^2-b^2=c^2-bc$$
$$\therefore a^2=b^2+c^2-bc$$

코사인법칙에 의하여
$$\cos A=\frac{b^2+c^2-a^2}{2bc}=\frac{b^2+c^2-(b^2+c^2-bc)}{2bc}=\frac{1}{2}$$
$$\therefore A=60°\ (\because 0°<A<180°)$$

4 △ABC의 내접원의 반지름의 길이를 r라 하면
$$△ABC=\frac{1}{2}\times8\times7\times\sin120°=\frac{1}{2}r(8+13+7)$$이므로
$$14\sqrt{3}=14r\qquad\therefore r=\sqrt{3}$$

5 평행사변형 ABCD의 넓이가 $9\sqrt{3}$이므로
$$3\times6\times\sin B=9\sqrt{3}\qquad\therefore \sin B=\frac{\sqrt{3}}{2}$$
$0°<B<90°$이므로 $B=60°$
따라서 △ABC에서 코사인법칙에 의하여
$$\overline{AC}^2=3^2+6^2-2\times3\times6\times\cos60°$$
$$=9+36-36\times\frac{1}{2}=27$$
$$\therefore \overline{AC}=3\sqrt{3}\ (\because \overline{AC}>0)$$

6 등차수열 $\{a_n\}$의 첫째항을 a, 공차를 d라 하면
$$a_{100}+a_{99}-a_{98}-a_{97}$$
$$=(a+99d)+(a+98d)-(a+97d)-(a+96d)$$
$$=4d=12$$
따라서 $d=3$이므로
$$a_{15}-a_{10}=(a+14d)-(a+9d)=5d=15$$

7 α, β가 이차방정식 $x^2-4x-2=0$의 두 근이므로 근과 계수의 관계에 의하여
$$\alpha+\beta=4,\ \alpha\beta=-2$$
이때, p는 α, β의 등차중항이므로
$$p=\frac{\alpha+\beta}{2}=\frac{4}{2}=2$$
q는 $\dfrac{1}{\alpha}$, $\dfrac{1}{\beta}$의 등차중항이므로
$$q=\frac{1}{2}\left(\frac{1}{\alpha}+\frac{1}{\beta}\right)=\frac{\alpha+\beta}{2\alpha\beta}=\frac{4}{2\times(-2)}=-1$$
$$\therefore pq=-2$$

8 등차수열 $\{a_n\}$의 첫째항을 a, 공차를 d라 하면
$a_3+a_9=36$에서 $(a+2d)+(a+8d)=2a+10d=36$
$$\therefore a+5d=18 \qquad\qquad \cdots\cdots\ \text{㉠}$$
$a_5+a_{15}=60$에서 $(a+4d)+(a+14d)=2a+18d=60$
$$\therefore a+9d=30 \qquad\qquad \cdots\cdots\ \text{㉡}$$
㉠, ㉡을 연립하여 풀면 $a=3$, $d=3$ $\cdots\cdots$ [4점]
$$a_1+a_2+a_3+\cdots+a_n=\frac{n\{2\times3+(n-1)\times3\}}{2}=198$$에서

$n^2+n-132=0$, $(n-11)(n+12)=0$

$\therefore n=11$ ($\because n$은 자연수) $\qquad$ ······ [4점]

9 주어진 등차수열의 첫째항부터 제n항까지의 합을 S_n이라 하면 첫째항이 2, 제$(n+2)$항이 13이므로

$S_{n+2}=\dfrac{(n+2)(2+13)}{2}=75$에서

$(n+2)\times15=150$ $\qquad\therefore n=8$

10 등비수열 $\{a_n\}$의 첫째항을 a, 공비를 r라 하면

$a_1+a_2+a_3=4$에서 $a+ar+ar^2=4$

$\therefore a(1+r+r^2)=4$ $\qquad$ ······ ㉠

$a_4+a_5+a_6=20$에서 $ar^3+ar^4+ar^5=20$

$\therefore ar^3(1+r+r^2)=20$ $\qquad$ ······ ㉡

㉡÷㉠을 하면 $r^3=5$

$\therefore \dfrac{a_4+a_6}{a_1+a_3}=\dfrac{ar^3+ar^5}{a+ar^2}=\dfrac{ar^3(1+r^2)}{a(1+r^2)}=r^3=5$

11 등비수열 $\{a_n\}$의 첫째항을 a, 공비를 r라 하면

$a_5=\dfrac{1}{16}$에서 $ar^4=\dfrac{1}{16}$ $\qquad$ ······ ㉠

$a_8=\dfrac{1}{128}$에서 $ar^7=\dfrac{1}{128}$ $\qquad$ ······ ㉡

㉡÷㉠을 하면 $r^3=\dfrac{1}{8}$ $\qquad\therefore r=\dfrac{1}{2}$

$r=\dfrac{1}{2}$을 ㉠에 대입하면 $a\times\dfrac{1}{16}=\dfrac{1}{16}$ $\qquad\therefore a=1$

$\therefore a_n=1\times\left(\dfrac{1}{2}\right)^{n-1}=\left(\dfrac{1}{2}\right)^{n-1}$

$\left(\dfrac{1}{2}\right)^{n-1}<\dfrac{1}{1000}$에서 $2^{n-1}>1000$

이때, $2^9=512$, $2^{10}=1024$이므로

$n-1\geq10$ $\qquad\therefore n\geq11$

따라서 처음으로 $\dfrac{1}{1000}$보다 작아지는 항은 제11항이다.

12 $f(x)=1+x+x^2+x^3+\cdots+x^{10}$이라 하면

$f(x)$를 $2x-1$로 나누었을 때의 나머지는 나머지정리에 의하여

$f\left(\dfrac{1}{2}\right)=1+\dfrac{1}{2}+\left(\dfrac{1}{2}\right)^2+\left(\dfrac{1}{2}\right)^3+\cdots+\left(\dfrac{1}{2}\right)^{10}$

이 식의 우변은 첫째항이 1, 공비가 $\dfrac{1}{2}$인 등비수열의 첫째항부터 제11항까지의 합이므로 구하는 나머지는

$\dfrac{1\times\left\{1-\left(\dfrac{1}{2}\right)^{11}\right\}}{1-\dfrac{1}{2}}=2-\left(\dfrac{1}{2}\right)^{10}=\dfrac{2^{11}-1}{2^{10}}=\dfrac{2047}{1024}$

13 $a_1=S_1=2\times3^2+k=18+k$ $\qquad$ ······ ㉠ ······ [2점]

$a_n=S_n-S_{n-1}=2\times3^{n+1}+k-(2\times3^n+k)$

$\quad=2\times3^n(3-1)=4\times3^n$ ($n\geq2$) $\quad$ ······ ㉡ ······ [3점]

이때, 이 수열이 첫째항부터 등비수열을 이루려면 ㉡에 $n=1$을 대입한 것과 ㉠이 같아야 하므로

$4\times3=18+k$ $\qquad\therefore k=-6$ $\qquad$ ······ [3점]

14 $\displaystyle\sum_{k=11}^{20}(a_k+2b_k)=\sum_{k=11}^{20}a_k+2\sum_{k=11}^{20}b_k$

$\quad=\left(\displaystyle\sum_{k=1}^{20}a_k-\sum_{k=1}^{10}a_k\right)+2\left(\sum_{k=1}^{20}b_k-\sum_{k=1}^{10}b_k\right)$

$\quad=(37-17)+2(20-8)$

$\quad=20+24=44$

15 $\log_8 2+\log_8 2^2+\log_8 2^3+\cdots+\log_8 2^{12}$

$=\log_8(2\times2^2\times2^3\times\cdots\times2^{12})=\log_{2^3}2^{1+2+3+\cdots+12}$

$=\dfrac{1}{3}(1+2+3+\cdots+12)=\dfrac{1}{3}\times\dfrac{12\times13}{2}=26$

16 $\displaystyle\sum_{m=1}^{n}\left(\sum_{k=1}^{m}k\right)=\sum_{m=1}^{n}\dfrac{m(m+1)}{2}=\dfrac{1}{2}\left(\sum_{m=1}^{n}m^2+\sum_{m=1}^{n}m\right)$

$\quad=\dfrac{1}{2}\left\{\dfrac{n(n+1)(2n+1)}{6}+\dfrac{n(n+1)}{2}\right\}$

$\quad=\dfrac{n(n+1)(n+2)}{6}=120$

즉, $n(n+1)(n+2)=720=8\times9\times10$이므로

$n=8$

17 이차방정식 $x^2-x+4n^2-1=0$의 두 근이 α_n, β_n이므로 근과 계수의 관계에 의하여

$\alpha_n+\beta_n=1$, $\alpha_n\beta_n=4n^2-1$ $\qquad$ ······ [2점]

$\therefore \dfrac{1}{\alpha_n}+\dfrac{1}{\beta_n}=\dfrac{\alpha_n+\beta_n}{\alpha_n\beta_n}=\dfrac{1}{4n^2-1}$

$\quad=\dfrac{1}{(2n-1)(2n+1)}$ $\qquad$ ······ [2점]

$\therefore \displaystyle\sum_{n=1}^{10}\left(\dfrac{1}{\alpha_n}+\dfrac{1}{\beta_n}\right)$

$=\displaystyle\sum_{n=1}^{10}\dfrac{1}{(2n-1)(2n+1)}$

$=\dfrac{1}{2}\displaystyle\sum_{n=1}^{10}\left(\dfrac{1}{2n-1}-\dfrac{1}{2n+1}\right)$

$=\dfrac{1}{2}\left\{\left(1-\dfrac{1}{3}\right)+\left(\dfrac{1}{3}-\dfrac{1}{5}\right)+\left(\dfrac{1}{5}-\dfrac{1}{7}\right)+\cdots+\left(\dfrac{1}{19}-\dfrac{1}{21}\right)\right\}$

$=\dfrac{1}{2}\left(1-\dfrac{1}{21}\right)=\dfrac{10}{21}$ $\qquad$ ······ [4점]

18
$$\sum_{k=1}^{n}\frac{1}{f(k)}=\sum_{k=1}^{n}\frac{1}{\sqrt{k+1}+\sqrt{k+2}}$$
$$=\sum_{k=1}^{n}\frac{\sqrt{k+1}-\sqrt{k+2}}{(\sqrt{k+1}+\sqrt{k+2})(\sqrt{k+1}-\sqrt{k+2})}$$
$$=\sum_{k=1}^{n}(\sqrt{k+2}-\sqrt{k+1})$$
$$=(\sqrt{3}-\sqrt{2})+(\sqrt{4}-\sqrt{3})+(\sqrt{5}-\sqrt{4})$$
$$+\cdots+(\sqrt{n+2}-\sqrt{n+1})$$
$$=\sqrt{n+2}-\sqrt{2}$$
즉, $\sqrt{n+2}-\sqrt{2}=3\sqrt{2}$이므로
$$\sqrt{n+2}=4\sqrt{2},\ n+2=32 \qquad \therefore n=30$$

19 $\dfrac{a_{n+1}}{a_n}=\dfrac{a_{n+2}}{a_{n+1}}$에서 $a_{n+1}{}^2=a_n a_{n+2}$

즉, 수열 $\{a_n\}$은 등비수열이고 첫째항이 $a_1=5$, 공비가 $\dfrac{a_2}{a_1}=2$

이므로
$$a_n=5\times2^{n-1}$$
이때, $a_k=5\times2^{k-1}=640$이므로
$$2^{k-1}=128=2^7 \qquad \therefore k=8$$

20 $a_{n+1}=a_n+\dfrac{1}{n(n+1)}$에서 $a_{n+1}=a_n+\dfrac{1}{n}-\dfrac{1}{n+1}$이므로

$$a_2=a_1+1-\dfrac{1}{2}$$
$$a_3=a_2+\dfrac{1}{2}-\dfrac{1}{3}$$
$$a_4=a_3+\dfrac{1}{3}-\dfrac{1}{4}$$
$$\vdots$$
$$+)\ a_n=a_{n-1}+\dfrac{1}{n-1}-\dfrac{1}{n}$$
$$\overline{\qquad\qquad\qquad\qquad\qquad\qquad}$$
$$a_n=a_1+1-\dfrac{1}{n}=-3+1-\dfrac{1}{n}=-\dfrac{2n+1}{n}$$
$$\therefore a_{10}-a_5=-\dfrac{21}{10}-\left(-\dfrac{11}{5}\right)=\dfrac{1}{10}$$

7일 **기말고사 기본 테스트 2회** **68~71쪽**

1 ②	2 ②	3 ①	4 $\dfrac{9\sqrt{3}}{2}+3\sqrt{6}$
5 ⑤	6 ③	7 ④	8 ③
9 1210	10 ⑤	11 ⑤	12 ④
13 ④	14 ③	15 515	16 ②
17 ①	18 ①	19 ②	20 ①

1
$$a+b-2c=0 \qquad\qquad \cdots\cdots \text{㉠}$$
$$3a-b-c=0 \qquad\qquad \cdots\cdots \text{㉡}$$
㉠+㉡을 하면 $4a-3c=0 \qquad \therefore a=\dfrac{3}{4}c$

㉠×3-㉡을 하면 $4b-5c=0 \qquad \therefore b=\dfrac{5}{4}c$

따라서 $a:b:c=\dfrac{3}{4}c:\dfrac{5}{4}c:c=3:5:4$이므로
$$\sin A:\sin B:\sin C=a:b:c=3:5:4$$

2 △ABC의 외접원의 반지름의 길이를 R라 하면
사인법칙에 의하여
$$\sin A=\frac{a}{2R},\ \sin B=\frac{b}{2R},\ \sin C=\frac{c}{2R}$$
이것을 $\sin^2 A+\sin^2 B=\sin^2 C$에 대입하면
$$\left(\frac{a}{2R}\right)^2+\left(\frac{b}{2R}\right)^2=\left(\frac{c}{2R}\right)^2$$
$$\therefore a^2+b^2=c^2$$
따라서 △ABC는 $C=90°$인 직각삼각형이다.

3 $\overline{AC}=x$라 하면 코사인법칙에 의하여
$$(2\sqrt{7})^2=4^2+x^2-2\times4\times x\times\cos120°$$
$$28=16+x^2-8x\times\left(-\frac{1}{2}\right)$$
$$x^2+4x-12=0,\ (x-2)(x+6)=0$$
$$\therefore x=2\ (\because x>0)$$
$$\therefore \triangle ABC=\frac{1}{2}\times4\times2\times\sin120°=4\times\frac{\sqrt{3}}{2}=2\sqrt{3}$$

4 △ABC에서 코사인법칙에 의하여
$$\overline{AC}^2=3^2+6^2-2\times3\times6\times\cos60°$$
$$=9+36-36\times\frac{1}{2}=27$$
$$\therefore \overline{AC}=3\sqrt{3}\ (\because \overline{AC}>0) \cdots\cdots \text{[2점]}$$

$\angle ACB=\theta$라 하면 사인법칙에 의하여
$$\frac{3}{\sin\theta}=\frac{3\sqrt{3}}{\sin60°}$$이므로
$$\sin\theta=\frac{3}{3\sqrt{3}}\times\sin60°=\frac{1}{\sqrt{3}}\times\frac{\sqrt{3}}{2}=\frac{1}{2}$$
$$\therefore \theta=30°\ (\because 0°<\theta<75°) \cdots\cdots \text{[2점]}$$
따라서 $\angle ACD=75°-30°=45°$이므로
$$\square ABCD=\triangle ABC+\triangle ACD$$
$$=\frac{1}{2}\times3\times6\times\sin60°+\frac{1}{2}\times3\sqrt{3}\times4\times\sin45°$$
$$=9\times\frac{\sqrt{3}}{2}+6\sqrt{3}\times\frac{\sqrt{2}}{2}$$
$$=\frac{9\sqrt{3}}{2}+3\sqrt{6} \cdots\cdots \text{[4점]}$$

5 $\overline{AC}=x$라 하면 등변사다리꼴의 두 대각선의 길이가 서로 같으므로

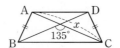

$\overline{BD}=x$

두 대각선이 이루는 각의 크기가 $135°$이고,

등변사다리꼴 ABCD의 넓이가 $9\sqrt{2}$이므로

$\dfrac{1}{2}\times x\times x\times \sin 135°=9\sqrt{2}$

$\dfrac{1}{2}x^2\times \dfrac{\sqrt{2}}{2}=9\sqrt{2}$, $x^2=36$ ∴ $x=6$ ($\because x>0$)

따라서 등변사다리꼴 ABCD의 한 대각선의 길이는 6이다.

6 등차수열 $\{a_n\}$의 첫째항을 a, 공차를 d라 하면

$a_3=26$에서 $a+2d=26$ ······ ㉠

$a_7=58$에서 $a+6d=58$ ······ ㉡

㉠, ㉡을 연립하여 풀면 $a=10$, $d=8$

$a_n=10+(n-1)\times 8=8n+2$이므로 제$n$항을 170이라 하면

$8n+2=170$, $8n=168$ ∴ $n=21$

따라서 170은 제21항이다.

7 첫째항이 60, 제k항이 0인 등차수열의 첫째항부터 제k항까지의 합이 330이므로

$\dfrac{k(60+0)}{2}=330$ ∴ $k=11$

즉, $a_{11}=0$이므로 등차수열 $\{a_n\}$의 공차를 d라 하면

$60+10d=0$ ∴ $d=-6$

따라서 공차는 -6이다.

8 세 수를 $a-d$, a, $a+d$로 놓으면

$(a-d)+a+(a+d)=12$ ······ ㉠

$(a-d)^2+a^2+(a+d)^2=56$ ······ ㉡

㉠에서 $3a=12$ ∴ $a=4$

$a=4$를 ㉡에 대입하면

$(4-d)^2+4^2+(4+d)^2=56$

$2d^2+48=56$, $d^2=4$ ∴ $d=\pm 2$

따라서 세 수는 2, 4, 6이므로 세 수의 곱은

$2\times 4\times 6=48$

9 등차수열 $\{a_n\}$의 첫째항을 a, 공차를 d라 하면

$S_{10}=\dfrac{10\{2a+(10-1)d\}}{2}=155$에서

$2a+9d=31$ ······ ㉠

$S_{20}=\dfrac{20\{2a+(20-1)d\}}{2}=610$에서

$2a+19d=61$ ······ ㉡

㉠, ㉡을 연립하여 풀면 $a=2$, $d=3$ ······ [4점]

∴ $a_{11}+a_{12}+a_{13}+\cdots +a_{30}$

$=S_{30}-S_{10}$

$=\dfrac{30\{2\times 2+(30-1)\times 3\}}{2}-155$

$=1365-155=1210$ ······ [4점]

10 등비수열 $\{a_n\}$의 첫째항을 a, 공비를 r ($r>0$)라 하면

$\dfrac{a_1a_2}{a_3}=2$에서 $\dfrac{a\times ar}{ar^2}=\dfrac{a}{r}=2$ ······ ㉠

$\dfrac{2a_2}{a_1}+\dfrac{a_4}{a_2}=15$에서 $\dfrac{2ar}{a}+\dfrac{ar^3}{ar}=15$

$2r+r^2=15$, $r^2+2r-15=0$, $(r+5)(r-3)=0$

∴ $r=3$ ($\because r>0$)

이것을 ㉠에 대입하면 $a=6$

∴ $a_3=ar^2=6\times 3^2=54$

11 공비를 r ($r>0$)라 하면 첫째항이 4, 제5항이 324이므로

$4r^4=324$, $r^4=81$ ∴ $r=3$ ($\because r>0$)

∴ $a+c=4\times 3+4\times 3^3=12+108=120$

12 첫째항부터 제n항까지의 합을 S_n이라 하면

$S_n=\dfrac{\dfrac{1}{2}(2^n-1)}{2-1}=\dfrac{1}{2}(2^n-1)$

$S_n>1000$에서 $\dfrac{1}{2}(2^n-1)>1000$

∴ $2^n>2001$

이때, $2^{10}=1024$, $2^{11}=2048$이므로 $n\ge 11$

따라서 S_n이 처음으로 1000보다 크게 되는 자연수 n은 11이다.

13 등비수열 $\{a_n\}$의 첫째항이 2, 공비가 3이므로

수열 a_1+a_2, a_2+a_3, a_3+a_4, $\cdots$는

첫째항이 $a_1+a_2=2+2\times 3=8$,

공비가 $\dfrac{a_2+a_3}{a_1+a_2}=\dfrac{2\times 3+2\times 3^2}{2+2\times 3}=3$인 등비수열이다.

따라서 주어진 수열의 첫째항부터 제10항까지의 합은

$\dfrac{8(3^{10}-1)}{3-1}=4(3^{10}-1)$

14 $\displaystyle\sum_{k=1}^{n}(a_k+b_k)^2=\sum_{k=1}^{n}(a_k^2+2a_kb_k+b_k^2)$

$\displaystyle =\sum_{k=1}^{n}(a_k^2+b_k^2)+2\sum_{k=1}^{n}a_kb_k$

이므로 $60=20+2\displaystyle\sum_{k=1}^{n}a_kb_k$

∴ $\displaystyle\sum_{k=1}^{n}a_kb_k=20$

15 이차방정식 $x^2-nx-(n+1)=0$의 두 근이 α_n, β_n이므로 근과 계수의 관계에 의하여

$\alpha_n+\beta_n=n$, $\alpha_n\beta_n=-(n+1)$ ...... [2점]

$\therefore \alpha_n^2+\beta_n^2=(\alpha_n+\beta_n)^2-2\alpha_n\beta_n$

$\qquad\qquad =n^2+2(n+1)$

$\qquad\qquad =n^2+2n+2$ ...... [2점]

$\therefore \displaystyle\sum_{n=1}^{10}(\alpha_n^2+\beta_n^2)=\sum_{n=1}^{10}(n^2+2n+2)$

$\qquad\qquad =\displaystyle\sum_{n=1}^{10}n^2+2\sum_{n=1}^{10}n+\sum_{n=1}^{10}2$

$\qquad\qquad =\dfrac{10\times11\times21}{6}+2\times\dfrac{10\times11}{2}+2\times10$

$\qquad\qquad =385+110+20=515$ ...... [4점]

16 $\displaystyle\sum_{k=1}^{n}\log_3\dfrac{\sqrt{k+1}}{\sqrt{k}}$

$=\displaystyle\sum_{k=1}^{n}(\log_3\sqrt{k+1}-\log_3\sqrt{k})$

$=(\log_3\sqrt{2}-\log_3\sqrt{1})+(\log_3\sqrt{3}-\log_3\sqrt{2})$

$\qquad +(\log_3\sqrt{4}-\log_3\sqrt{3})+\cdots+(\log_3\sqrt{n+1}-\log_3\sqrt{n})$

$=\log_3\sqrt{n+1}-\log_3\sqrt{1}$

$=\log_3\sqrt{n+1}$

즉, $\log_3\sqrt{n+1}=2$이므로

$\sqrt{n+1}=3^2$, $n+1=3^4$ $\quad\therefore n=80$

17 $a_1=S_1=\dfrac{1}{3}\times1\times(1+1)\times(1+2)=2$

$a_n=S_n-S_{n-1}$

$\quad =\dfrac{1}{3}n(n+1)(n+2)-\dfrac{1}{3}(n-1)n(n+1)$

$\quad =\dfrac{1}{3}n(n+1)\{n+2-(n-1)\}$

$\quad =n(n+1)\ (n\geq2)$ ...... ㉠

이때, $a_1=2$는 ㉠에 $n=1$을 대입한 것과 같으므로

$a_n=n(n+1)$

$\therefore \displaystyle\sum_{k=1}^{n}\dfrac{1}{a_k}=\sum_{k=1}^{n}\dfrac{1}{k(k+1)}$

$\qquad\quad =\displaystyle\sum_{k=1}^{n}\left(\dfrac{1}{k}-\dfrac{1}{k+1}\right)$

$\qquad\quad =\left(1-\dfrac{1}{2}\right)+\left(\dfrac{1}{2}-\dfrac{1}{3}\right)+\left(\dfrac{1}{3}-\dfrac{1}{4}\right)$

$\qquad\qquad\qquad +\cdots+\left(\dfrac{1}{n}-\dfrac{1}{n+1}\right)$

$\qquad\quad =1-\dfrac{1}{n+1}=\dfrac{n}{n+1}$

18 $S_n=\displaystyle\sum_{k=1}^{n}a_k=n^2+2n$이라 하면

$a_1=S_1=1^2+2\times1=3$

$a_n=S_n-S_{n-1}$

$\quad =n^2+2n-\{(n-1)^2+2(n-1)\}$

$\quad =2n+1\ (n\geq2)$ ...... ㉠

이때, $a_1=3$은 ㉠에 $n=1$을 대입한 것과 같으므로

$a_n=2n+1$

따라서 $a_na_{n+1}=(2n+1)(2n+3)$이므로

$\displaystyle\sum_{k=1}^{9}\dfrac{1}{a_ka_{k+1}}=\sum_{k=1}^{9}\dfrac{1}{(2k+1)(2k+3)}$

$\qquad\qquad =\dfrac{1}{2}\displaystyle\sum_{k=1}^{9}\left(\dfrac{1}{2k+1}-\dfrac{1}{2k+3}\right)$

$\qquad\qquad =\dfrac{1}{2}\left\{\left(\dfrac{1}{3}-\dfrac{1}{5}\right)+\left(\dfrac{1}{5}-\dfrac{1}{7}\right)+\left(\dfrac{1}{7}-\dfrac{1}{9}\right)\right.$

$\qquad\qquad\qquad\qquad \left.+\cdots+\left(\dfrac{1}{19}-\dfrac{1}{21}\right)\right\}$

$\qquad\qquad =\dfrac{1}{2}\left(\dfrac{1}{3}-\dfrac{1}{21}\right)=\dfrac{1}{7}$

19 $2a_{n+1}=a_n+a_{n+2}$는 등차중항 관계를 나타내므로 수열 $\{a_n\}$은 등차수열이다.

수열 $\{a_n\}$의 첫째항을 a, 공차를 d라 하면

$a_5=16$에서 $a+4d=16$ ...... ㉠

$a_{10}=31$에서 $a+9d=31$ ...... ㉡

㉠, ㉡을 연립하여 풀면 $a=4$, $d=3$

$\therefore a_n=4+(n-1)\times3=3n+1$

$\therefore a_{20}=3\times20+1=61$

20 (i) $n=1$일 때,

(좌변)$=1^3=1$, (우변)$=\left(\dfrac{1\times2}{2}\right)^2=1$

이므로 주어진 등식이 성립한다.

(ii) $n=k$일 때,

주어진 등식이 성립한다고 가정하면

$1^3+2^3+3^3+\cdots+k^3=\left\{\dfrac{k(k+1)}{2}\right\}^2$

이 식의 양변에 $\boxed{(k+1)^3}$을 더하면

$1^3+2^3+3^3+\cdots+k^3+\boxed{(k+1)^3}$

$=\left\{\dfrac{k(k+1)}{2}\right\}^2+\boxed{(k+1)^3}=(k+1)^2\times\dfrac{k^2+4(k+1)}{4}$

$=(k+1)^2\times\dfrac{(k+2)^2}{4}=\left\{\boxed{\dfrac{(k+1)(k+2)}{2}}\right\}^2$

따라서 $n=k+1$일 때도 주어진 등식이 성립한다.

(i), (ii)에 의하여 모든 자연수 n에 대하여 주어진 등식이 성립한다.

따라서 $f(k)=(k+1)^3$, $g(k)=\dfrac{(k+1)(k+2)}{2}$이므로

$f(1)+g(1)=8+3=11$

Memo

Memo

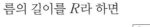

핵심정리 01 사인법칙과 사인법칙의 변형

(1) 사인법칙

삼각형 ABC의 외접원의 반지름의 길이를 R라 하면

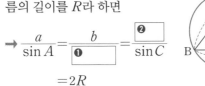

$$\rightarrow \frac{a}{\sin A} = \frac{b}{\boxed{①}} = \frac{\boxed{②}}{\sin C}$$
$$= 2R$$

(2) 사인법칙의 변형

① $\sin A = \dfrac{a}{2R}$, $\sin B = \boxed{③}$, $\sin C = \dfrac{c}{2R}$

② $a = 2R\sin A$, $b = 2R\sin B$, $c = \boxed{④}$

③ $a : b : c = \boxed{⑤} : \sin B : \sin C$

답 ① $\sin B$ ② c ③ $\dfrac{b}{2R}$ ④ $2R\sin C$ ⑤ $\sin A$

핵심정리 02 코사인법칙과 코사인법칙의 변형

(1) 코사인법칙

삼각형 ABC에서

① $a^2 = b^2 + c^2 - 2bc\cos A$

② $b^2 = c^2 + a^2 - \boxed{①}$

③ $c^2 = a^2 + \boxed{②} - 2ab\cos C$

(2) 코사인법칙의 변형

$$\cos A = \frac{b^2 + c^2 - a^2}{2bc}$$

$$\cos B = \frac{c^2 + a^2 - b^2}{2ca}$$

$$\cos C = \boxed{③}$$

세 변의 길이를 알 때, 각의 크기를 구하는 경우에 이용하면 돼.

답 ① $2ca\cos B$ ② b^2 ③ $\dfrac{a^2 + b^2 - c^2}{2ab}$

핵심정리 03 삼각형의 넓이

삼각형 ABC의 넓이를 S라 하면

(1) 두 변의 길이와 그 끼인각의 크기를 알 때

$$\rightarrow S = \boxed{①} = \frac{1}{2}ca\sin B = \frac{1}{2}ab\sin C$$

(2) 외접원의 반지름의 길이 R를 알 때

$$\rightarrow S = \frac{abc}{\boxed{②}} = 2R^2 \sin A \sin B \sin C$$

(3) 내접원의 반지름의 길이 r를 알 때

$$\rightarrow S = \boxed{③} r(a+b+c)$$

(4) 세 변의 길이를 알 때

$$\rightarrow S = \sqrt{s(s-a)(\boxed{④})(s-c)}$$
$$\left(단, s = \frac{a+b+c}{2}\right)$$

답 ① $\dfrac{1}{2}bc\sin A$ ② $4R$ ③ $\dfrac{1}{2}$ ④ $s-b$

핵심정리 04 사각형의 넓이

사각형의 넓이를 S라 하면

(1) 이웃하는 두 변의 길이가 a, b이고 그 끼인각의 크기가 θ인 평행사변형

$$\rightarrow S = \boxed{①} \sin\theta$$

(2) 두 대각선의 길이가 a, b이고 두 대각선이 이루는 각의 크기가 θ인 사각형

$$\rightarrow S = \frac{1}{2}ab \boxed{②}$$

답 ① ab ② $\sin\theta$

예1

삼각형 ABC에서 $b=3$, $c=4$, $A=60°$일 때, a의 값

→ $a^2 = 3^2 + 4^2 - 2 \times 3 \times 4 \times$ $\boxed{①}$

   $= 9 + 16 - 12 = 13$

   $\therefore a = \sqrt{13}$ ($\because a > 0$)

예2

삼각형 ABC에서 $a=3$, $b=5$, $c=6$일 때, $\cos B$의 값

→ $\cos B = \dfrac{6^2 + 3^2 - \boxed{②}^2}{2 \times 6 \times 3}$

   $= \boxed{③}$

답 ❶ $\cos 60°$ ❷ 5 ❸ $\dfrac{5}{9}$

예1

삼각형 ABC에서 $A=30°$, $C=60°$, $a=\sqrt{3}$일 때, c의 값

→ $\dfrac{\sqrt{3}}{\sin 30°} = \dfrac{c}{\sin 60°}$에서 $2\sqrt{3} = \dfrac{2}{\sqrt{3}}c$ $\therefore c = \boxed{①}$

예2

삼각형 ABC에서 $B=105°$, $C=45°$, $a=4$일 때, 외접원의 반지름의 길이 R의 값

→ $A + B + C = 180°$이므로 $A = 30°$

   $\dfrac{4}{\sin 30°} = 2R$에서 $8 = 2R$ $\therefore R = \boxed{②}$

예3

삼각형 ABC에서 $a=4$, $b=5$, $c=6$일 때,

→ $\sin A : \sin B : \sin C = 4 : 5 : \boxed{③}$

답 ❶ 3 ❷ 4 ❸ 6

예1

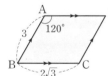

→ $S = 3 \times 2\sqrt{3} \times$ $\boxed{①}$

   $= 3 \times 2\sqrt{3} \times \dfrac{\sqrt{3}}{2} = 9$

예2

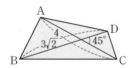

→ $S = \dfrac{1}{2} \times 4 \times \boxed{②} \times \sin 45°$

   $= \dfrac{1}{2} \times 4 \times 3\sqrt{2} \times \dfrac{\sqrt{2}}{2} = 6$

답 ❶ $\sin 60°$(또는 $\sin 120°$) ❷ $3\sqrt{2}$

예1

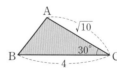

→ $S = \dfrac{1}{2} \times 4 \times \sqrt{10} \times$ $\boxed{①}$

   $= \dfrac{1}{2} \times 4 \times \sqrt{10} \times \dfrac{1}{2}$

   $= \boxed{②}$

예2

두 내각의 크기가 $30°$, $120°$이고 넓이가 $\sqrt{3}$인 삼각형 ABC의 외접원의 반지름의 길이 R의 값

→ $\sqrt{3} = 2R^2 \times \sin 30° \times \boxed{③} \times \sin 30°$

   $= 2R^2 \times \dfrac{1}{2} \times \dfrac{\sqrt{3}}{2} \times \dfrac{1}{2} = \dfrac{\sqrt{3}}{4}R^2$

   $R^2 = 4$ $\therefore R = \boxed{④}$ ($\because R > 0$)

답 ❶ $\sin 30°$ ❷ $\sqrt{10}$ ❸ $\sin 120°$ ❹ 2

핵심정리 05 등차수열

(1) 등차수열

첫째항부터 차례로 일정한 수를 **❶** 만든 수열

→ 등차수열 $\{a_n\}$의 공차를 d라 할 때,

더하는 일정한 수

$$a_{n+1}=a_n+\boxed{❷} \Longleftrightarrow a_{n+1}-a_n=d$$

$$(n=1, 2, 3, \cdots)$$

(2) 등차수열의 일반항

첫째항이 a, 공차가 d인 등차수열의 일반항 a_n

→ $a_n=a+(\boxed{❸})d \ (n=1, 2, 3, \cdots)$

(3) 등차중항

세 수 a, **b**, c가 이 순서대로
등차수열을 이룰 때

→ $b=\dfrac{a+c}{\boxed{❹}}$

b를 a와 c의
등차중항이라고 해.

답 ❶ 더하여 **❷** d **❸** $n-1$ **❹** 2

핵심정리 06 등차수열의 합

등차수열의 첫째항부터 제n항까지의 합 S_n은

(1) 첫째항이 a, 제n항이 l일 때

→ $S_n=\dfrac{n(a+\boxed{❶})}{2}$

(2) 첫째항이 a, 공차가 d일 때

→ $S_n=\dfrac{n\{\boxed{❷}+(n-1)d\}}{2}$

답 ❶ l **❷** $2a$

핵심정리 07 수열의 합과 일반항 사이의 관계

수열 $\{a_n\}$의 첫째항부터 제n항까지의 합을 S_n이라
하면

→ $a_1=\boxed{❶}$

$a_n=S_n-\boxed{❷} \ (n \geq 2)$

수열의 합 S_n이
주어지면 일반항 a_n을
구할 수 있어.

답 ❶ S_1 **❷** S_{n-1}

핵심정리 08 등비수열

(1) 등비수열

첫째항부터 차례로 일정한 수를 **❶** 만든 수열

→ 등비수열 $\{a_n\}$의 공비를 $r \ (r \neq 0)$라 할 때,

곱하는 일정한 수

$$a_{n+1}=\boxed{❷}a_n \Longleftrightarrow \dfrac{a_{n+1}}{a_n}=r \ (n=1, 2, 3, \cdots)$$

(2) 등비수열의 일반항

첫째항이 a, 공비가 $r \ (r \neq 0)$인 등비수열의 일반
항 a_n

→ $a_n=ar^{\boxed{❸}} \ (n=1, 2, 3, \cdots)$

(3) 등비중항

0이 아닌 세 수 a, **b**, c가 이
순서대로 등비수열을 이룰
때

→ $b^2=\boxed{❹}$

b를 a와 c의
등비중항이라고 해.

답 ❶ 곱하여 **❷** r **❸** $n-1$ **❹** ac

06 등차수열의 합

예 1

첫째항이 5, 제20항이 100인 등차수열의 첫째항부터

제20항까지의 합 ➡ $S_{20} = \dfrac{20(5 + \boxed{\text{❶}})}{2} = 1050$

예 2

첫째항이 7, 공차가 3인 등차수열의 첫째항부터 제10

항까지의 합

➡ $S_{10} = \dfrac{10\{2 \times 7 + (10-1) \times \boxed{\text{❷}}\}}{2} = 205$

예 3

$1 + 2 + 3 + \cdots + 100$은 첫째항이 1, 공차가 1인 등차

수열의 첫째항부터 제100항까지의 합이므로

➡ $S_{100} = \dfrac{100(1 + \boxed{\text{❸}})}{2} = \dfrac{100(2 + \boxed{\text{❹}} \times 1)}{2}$

$= 5050$

답 ❶ 100 ❷ 3 ❸ 100 ❹ 99

05 등차수열

예 1

등차수열 $\{a_n\}$에 대하여 $a_2 = 10$, $a_5 = 22$일 때,

일반항 a_n

➡ $a_2 = a + d = 10$, $a_5 = a + 4d = 22$이므로

$a = 6$, $d = \boxed{\text{❶}}$

$\therefore a_n = 6 + (n-1) \times 4 = \boxed{\text{❷}}$

예 2

세 수 4, x, 10이 이 순서대로 등차수열을 이룰 때,

x의 값

➡ x는 4와 10의 등차중항이므로

$x = \dfrac{4 + \boxed{\text{❸}}}{2} = 7$

답 ❶ 4 ❷ $4n+2$ ❸ 10

08 등비수열

예 1

등비수열 $\{a_n\}$에 대하여 $a_2 = 4$, $a_7 = 128$일 때,

일반항 a_n

➡ $a_2 = ar = 4$, $a_7 = ar^6 = 128$이므로

$r^5 = \boxed{\text{❶}}$ $\therefore r = 2$, $a = 2$

$\therefore a_n = 2 \times 2^{n-1} = \boxed{\text{❷}}$

예 2

세 수 2, x, 18이 이 순서대로 등비수열을 이룰 때,

x의 값

➡ x는 2와 18의 등비중항이므로

$\boxed{\text{❸}} = 2 \times 18 = 36$ $\therefore x = 6$ 또는 $x = -6$

> $x = 6$일 때 세 수 2, 6, 18은
> 공비가 3인 등비수열이고,
> $x = -6$일 때 세 수 2, -6, 18은
> 공비가 -3인 등비수열이야.

답 ❶ 32 ❷ 2^n ❸ x^2

07 수열의 합과 일반항 사이의 관계

예 1

$S_n = n^2 + n$일 때, 일반항 a_n

➡ (i) $n=1$일 때, $a_1 = S_1 = 1^2 + 1 = 2$ ······ ㉠

(ii) $n \geq 2$일 때,

$a_n = S_n - S_{n-1} = n^2 + n - \{(n-1)^2 + (n-1)\}$

$= \boxed{\text{❶}}$ ······ ㉡

㉠은 ㉡에 $n=1$을 대입한 것과 같다. $\therefore a_n = 2n$

예 2

$S_n = n^2 + n + 1$일 때, 일반항 a_n

➡ (i) $n=1$일 때, $a_1 = S_1 = 1^2 + 1 + 1 = 3$ ······ ㉠

(ii) $n \geq 2$일 때,

$a_n = S_n - S_{n-1}$

$= n^2 + n + 1 - \{(n-1)^2 + (n-1) + 1\}$

$= 2n$ ······ ㉡

㉠은 ㉡에 $n=1$을 대입한 것과 다르다.

$\therefore a_1 = 3$, $a_n = 2n$ $(n \geq \boxed{\text{❷}})$

답 ❶ $2n$ ❷ 2

핵심정리 09 등비수열의 합

첫째항이 a, 공비가 $r\,(r\neq0)$인 등비수열의 첫째항부터 제n항까지의 합 S_n은

(1) $r\neq1$일 때 → $S_n=\dfrac{a(1-\boxed{\text{❶}})}{1-r}=\dfrac{a(r^n-1)}{r-1}$

(2) $r=1$일 때 → $S_n=\boxed{\text{❷}}$

> $r>1$일 때는 $S_n=\dfrac{a(r^n-1)}{r-1}$,
> $r<1$일 때는 $S_n=\dfrac{a(1-r^n)}{1-r}$
> 을 이용하면 편리해.

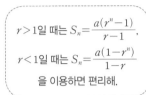

답 ❶ r^n ❷ na

핵심정리 10 합의 기호 $\sum$와 그 성질

(1) 합의 기호 $\sum$

$$a_1+a_2+a_3+\cdots+a_n=\overset{\overset{\text{제}n\text{항까지}}{n}}{\underset{\underset{\text{첫째항부터}}{k=1}}{\sum}}\boxed{\text{❶}}\leftarrow \text{일반항}$$

(2) 합의 기호 $\sum$의 성질

두 수열 $\{a_n\}$, $\{b_n\}$과 상수 c에 대하여

① $\displaystyle\sum_{k=1}^{n}(a_k+b_k)=\sum_{k=1}^{n}a_k\boxed{\text{❷}}\sum_{k=1}^{n}b_k$

② $\displaystyle\sum_{k=1}^{n}(a_k-b_k)=\sum_{k=1}^{n}a_k\boxed{\text{❸}}\sum_{k=1}^{n}b_k$

③ $\displaystyle\sum_{k=1}^{n}ca_k=\boxed{\text{❹}}\sum_{k=1}^{n}a_k$

④ $\displaystyle\sum_{k=1}^{n}c=\boxed{\text{❺}}$

답 ❶ a_k ❷ $+$ ❸ $-$ ❹ c ❺ cn

핵심정리 11 자연수의 거듭제곱의 합

(1) $1+2+3+\cdots+n=\displaystyle\sum_{k=1}^{n}k=\dfrac{n(\boxed{\text{❶}})}{2}$

(2) $1^2+2^2+3^2+\cdots+n^2=\displaystyle\sum_{k=1}^{n}k^2$

$$=\dfrac{n(n+1)(\boxed{\text{❷}})}{6}$$

(3) $1^3+2^3+3^3+\cdots+n^3=\displaystyle\sum_{k=1}^{n}k^3=\left\{\dfrac{n(n+1)}{\boxed{\text{❸}}}\right\}^2$

> $\displaystyle\sum_{k=1}^{n}(k$에 대한 다항식) 꼴을 계산할 때 이 공식을 이용할 수 있어.

답 ❶ $n+1$ ❷ $2n+1$ ❸ 2

핵심정리 12 여러 가지 수열의 합

(1) 분수 꼴로 주어진 수열의 합

① $\displaystyle\sum_{k=1}^{n}\dfrac{1}{k(k+1)}=\sum_{k=1}^{n}\left(\dfrac{1}{k}\boxed{\text{❶}}\dfrac{1}{k+1}\right)$

② $\displaystyle\sum_{k=1}^{n}\dfrac{1}{(k+a)(k+b)}$

$$=\dfrac{1}{\boxed{\text{❷}}}\sum_{k=1}^{n}\left(\dfrac{1}{k+a}-\dfrac{1}{k+b}\right)\ (\text{단},\,a\neq b)$$

(2) 분모에 근호가 포함된 수열의 합

① $\displaystyle\sum_{k=1}^{n}\dfrac{1}{\sqrt{k+1}+\sqrt{k}}=\sum_{k=1}^{n}(\sqrt{k+1}\boxed{\text{❸}}\sqrt{k})$

② $\displaystyle\sum_{k=1}^{n}\dfrac{1}{\sqrt{k+a}+\sqrt{k+b}}$

$$=\dfrac{1}{a-b}\sum_{k=1}^{n}(\sqrt{k+a}-\sqrt{\boxed{\text{❹}}})\ (\text{단},\,a\neq b)$$

답 ❶ $-$ ❷ $b-a$ ❸ $-$ ❹ $k+b$

예1

$\sum\limits_{k=1}^{10} a_k = 5$, $\sum\limits_{k=1}^{10} b_k = -3$일 때,

$\sum\limits_{k=1}^{10}(2a_k+3b_k) = 2\sum\limits_{k=1}^{10} a_k + \boxed{❶}\sum\limits_{k=1}^{10} b_k$

$\qquad\qquad = 2\times 5+3\times(-3)=1$

예2

$\sum\limits_{k=1}^{5} a_k = 8$, $\sum\limits_{k=1}^{5} b_k = -4$일 때,

$\sum\limits_{k=1}^{5}(a_k-3b_k-4) = \sum\limits_{k=1}^{5} a_k - 3\sum\limits_{k=1}^{5} b_k - \sum\limits_{k=1}^{5}\boxed{❷}$

$\qquad\qquad = 8-3\times(-4)-4\times\boxed{❸}=0$

답 ❶ 3 ❷ 4 ❸ 5

예1

첫째항이 2, 공비가 $\frac{1}{2}$인 등비수열의 첫째항부터 제5

항까지의 합

$\rightarrow S_5 = \dfrac{2\left\{1-\left(\frac{1}{2}\right)^{\boxed{❶}}\right\}}{1-\frac{1}{2}} = 4\left(1-\frac{1}{2^5}\right) = \frac{31}{8}$

예2

첫째항이 1, 공비가 2인 등비수열의 첫째항부터 제8

항까지의 합

$\rightarrow S_8 = \dfrac{1\times(2^{\boxed{❷}}-1)}{2-1} = 2^8-1 = 255$

예3

첫째항이 2, 공비가 1인 등비수열의 첫째항부터 제5

항까지의 합 $\rightarrow S_5 = \boxed{❸}\times 2 = 10$

답 ❶ 5 ❷ 8 ❸ 5

예1

$\sum\limits_{k=1}^{10}\dfrac{1}{k(k+1)}$

> $A\neq B$일 때,
> $\dfrac{1}{AB} = \dfrac{1}{B-A}\left(\dfrac{1}{A}-\dfrac{1}{B}\right)$

$= \sum\limits_{k=1}^{10}\left(\dfrac{1}{k}-\dfrac{1}{k+1}\right)$

$= \left(1-\dfrac{1}{2}\right)+\left(\dfrac{1}{2}-\dfrac{1}{3}\right)+\cdots+\left(\dfrac{1}{10}-\dfrac{1}{11}\right)$

$= 1-\boxed{❶} = \dfrac{10}{11}$

예2

> 분모에 근호가 있으면
> 분모의 유리화!

$\sum\limits_{k=1}^{6}\dfrac{1}{\sqrt{k+1}+\sqrt{k+2}}$

$= \sum\limits_{k=1}^{6}\dfrac{\sqrt{k+1}-\sqrt{k+2}}{(\sqrt{k+1}+\sqrt{k+2})(\sqrt{k+1}-\sqrt{k+2})}$

$= \sum\limits_{k=1}^{6}(\sqrt{k+2}-\sqrt{\boxed{❷}})$

$= (\sqrt{3}-\sqrt{2})+(\sqrt{4}-\sqrt{3})+\cdots+(\sqrt{8}-\sqrt{7})$

$= \sqrt{8}-\boxed{❸} = \sqrt{2}$

답 ❶ $\frac{1}{11}$ ❷ $k+1$ ❸ $\sqrt{2}$

예1

$1+2+3+4+5 = \sum\limits_{k=1}^{\boxed{❶}} k = \dfrac{5(5+1)}{2} = 15$

예2

$1^2+2^2+3^2+4^2+5^2 = \sum\limits_{k=1}^{5} k^2 = \dfrac{5(5+1)(2\times 5+1)}{\boxed{❷}}$

$\qquad\qquad = 55$

예3

$1^3+2^3+3^3+4^3+5^3 = \sum\limits_{k=1}^{5} k^3 = \left\{\dfrac{5(5+\boxed{❸})}{2}\right\}^2$

$\qquad\qquad = 15^2 = 225$

답 ❶ 5 ❷ 6 ❸ 1

핵심정리 13 수열의 귀납적 정의

일반적으로 수열 $\{a_n\}$을 다음과 같이 처음 몇 개의 항과 이웃하는 여러 항 사이의 관계식으로 정의하는 것을 수열의 귀납적 정의라 한다.

> (i) 첫째항 $a_{\boxed{1}}$의 값
> (ii) 두 항 a_n, $a_{\boxed{2}}$ 사이의 관계식 ($n=1, 2, 3, \cdots$)

(ii)의 관계식에 $n=1, 2, 3, \cdots$을 대입하면 수열 $\{a_n\}$의 모든 항을 구할 수 있어.

답 ❶ 1 ❷ $n+1$

핵심정리 14 등차수열의 귀납적 정의

(1) 첫째항이 a, 공차가 d인 등차수열 $\{a_n\}$의 귀납적 정의
→ $a_1=a$, $a_{n+1}=a_n+\boxed{1}$ ($n=1, 2, 3, \cdots$)

(2) 등차수열 $\{a_n\}$을 나타내는 관계식

① $a_{n+1}=a_n+d \Longleftrightarrow a_{n+1}-a_n=\boxed{2}$

② $2a_{n+1}=a_n+a_{n+2}$
$\Longleftrightarrow a_{n+2}-a_{\boxed{3}}=a_{n+1}-a_n$

등차수열을 이루는 두 항 사이의 차가 일정하다는 것을 이용해 관계식으로 나타낸 거야.

답 ❶ d ❷ d ❸ $n+1$

핵심정리 15 등비수열의 귀납적 정의

(1) 첫째항이 a, 공비가 r인 등비수열 $\{a_n\}$의 귀납적 정의
→ $a_1=a$, $a_{n+1}=\boxed{1}\,a_n$ ($n=1, 2, 3, \cdots$)

(2) 등비수열 $\{a_n\}$을 나타내는 관계식

① $a_{n+1}=ra_n \Longleftrightarrow \dfrac{a_{n+1}}{a_n}=\boxed{2}$

② $a_{n+1}{}^2=a_n a_{n+2} \Longleftrightarrow \dfrac{a_{n+2}}{a_{\boxed{3}}}=\dfrac{a_{n+1}}{a_n}$

등비수열을 이루는 두 항 사이의 비가 일정하다는 것을 이용해 관계식으로 나타낸 거야.

답 ❶ r ❷ r ❸ $n+1$

핵심정리 16 수학적 귀납법

자연수 n에 대한 명제 $p(n)$이 모든 자연수 n에 대하여 성립함을 증명하려면 다음 두 가지를 보이면 된다.

> (i) $n=\boxed{1}$ 일 때, 명제 $p(n)$이 성립한다.
> (ii) $n=k$일 때, 명제 $p(n)$이 성립한다고 가정하면 $n=\boxed{2}$ 일 때도 명제 $p(n)$이 성립한다.

이와 같은 방법으로 자연수에 대한 어떤 명제가 참임을 증명하는 것을 $\boxed{3}$ 이라 한다.

답 ❶ 1 ❷ $k+1$ ❸ 수학적 귀납법

14 등차수열의 귀납적 정의

예 1

$1, -1, -3, -5, -7, \cdots$인 등차수열 $\{a_n\}$을 귀납적으로 정의하면

→ $a_1 = \boxed{❶}$, $a_{n+1} = a_n - \boxed{❷}$ $(n=1, 2, 3, \cdots)$

예 2

수열 $\{a_n\}$이 $2a_{n+1} = a_n + a_{n+2}$ $(n=1, 2, 3, \cdots)$로 정의되고 $a_1 = 5$, $a_2 = 2$일 때, 일반항 a_n

→ 첫째항이 5, 공차가 $\boxed{❸}$인 등차수열이므로

$a_n = 5 + (n-1) \times (-3) = -3n + 8$

답 ❶ 1 ❷ 2 ❸ −3

---

13 수열의 귀납적 정의

예 1

$a_1 = 1$, $a_{n+1} = a_n + 3n$ $(n=1, 2, 3, \cdots)$과 같이 귀납적으로 정의된 수열 $\{a_n\}$에서

$a_2 = a_1 + 3 \times 1 = 1 + 3 = 4$

$a_3 = a_2 + 3 \times \boxed{❶} = 4 + 6 = 10$

$a_4 = \boxed{❷} + 3 \times 3 = 10 + 9 = 19$

$\vdots$

이므로 수열 $\{a_n\}$은 $1, 4, \boxed{❸}, 19, \cdots$이다.

$n=1, 2, 3, \cdots$을 차례로 대입해 봐.

답 ❶ 2 ❷ a_3 ❸ 10

---

16 수학적 귀납법

예 1

모든 자연수 n에 대하여 등식

$1 + 2 + 2^2 + \cdots + 2^{n-1} = 2^n - 1$

이 성립함을 증명해 보자.

(ⅰ) $n=1$일 때,

(좌변) $= 1$, (우변) $= 2^1 - 1 = \boxed{❶}$

이므로 주어진 등식이 성립한다.

(ⅱ) $n = \boxed{❷}$일 때, 주어진 등식이 성립한다고 가정하면

$1 + 2 + 2^2 + \cdots + 2^{k-1} = 2^k - 1$

위 식의 양변에 2^k을 더하면

$1 + 2 + 2^2 + \cdots + 2^{k-1} + 2^k = 2^k - 1 + 2^k$

$= 2^{\boxed{❸}} - 1$

따라서 $n = k+1$일 때도 주어진 등식이 성립한다.

(ⅰ), (ⅱ)에 의하여 모든 자연수 n에 대하여 주어진 등식이 성립한다.

답 ❶ 1 ❷ k ❸ $k+1$

---

15 등비수열의 귀납적 정의

예 1

$-3, 1, -\dfrac{1}{3}, \dfrac{1}{9}, -\dfrac{1}{27}, \cdots$인 등비수열 $\{a_n\}$을 귀납적으로 정의하면

→ $a_1 = -3$, $a_{n+1} = \boxed{❶} a_n$ $(n=1, 2, 3, \cdots)$

예 2

수열 $\{a_n\}$이 $a_{n+1}^2 = a_n a_{n+2}$ $(n=1, 2, 3, \cdots)$로 정의되고 $a_1 = 3$, $a_2 = -6$일 때, 일반항 a_n

→ 첫째항이 3, 공비가 $\boxed{❷}$인 등비수열이므로

$a_n = 3 \times \boxed{❸}$

답 ❶ $-\dfrac{1}{3}$ ❷ −2 ❸ $(-2)^{n-1}$